Ontspoord

James Siegel

Ontspoord

Karakter Uitgevers B.V.

Oorspronkelijke titel: Derailed

Vertaling: Sandra van de Ven

Omslag: Select Interface

ISBN 90 6112 125 6
NUR 332

Voor Mindy, die voor haar gezin zorgt zoals ze voor haar tuin zorgt: met veel liefde, eindeloze toewijding en onvermoeibaar enthousiasme.

Attica

Ik geef vijf dagen per week Engelse les aan de middelbare school East Bennington High en twee avonden per week in de staatsgevangenis Attica. Dat wil zeggen dat ik mijn tijd verdeel tussen het vervoegen van werkwoorden voor jeugdcrimineeltjes en het laten zweven van participia voor veroordeelden. De ene groep heeft het gevoel dat ze in de gevangenis zit en de andere zit daar ook daadwerkelijk.

Op de avonden waarop ik naar Attica ga, eet ik vroeg, samen met mijn vrouw en twee kinderen. Ik kus mijn vrouw en mijn tienerdochter gedag en laat mijn zoontje van vier op mijn rug naar de voordeur rijden. Ik zet hem voorzichtig neer, druk een kus op zijn zachte voorhoofd en beloof dat ik even bij hem kom kijken zodra ik thuiskom.

Ik stap, nog steeds omgeven door een aura van emotioneel welzijn, in mijn acht jaar oude Dodge Neon.

Tegen de tijd dat ik in de Attica-gevangenis door de metaaldetector loop, is het verdwenen.

Misschien komt het door de koperen gedenkplaat die duidelijk zichtbaar aan de muur van de bezoekruimte hangt. OPGEDRAGEN AAN DE GEVANGENBEWAARDERS DIE BIJ DE ATTICA-RELLEN HET LEVEN LIETEN staat erop. Er is geen gedenkplaat voor de gevangenen die het leven hebben gelaten.

Ik geef hier pas sinds kort les en ik ben er nog niet over uit wie ik het engst vind: de gevangenen van Attica of de gevangenbewaarders die hen bewaken. Waarschijnlijk de gevangenbewaarders.

Het is duidelijk dat ze niet erg op me gesteld zijn. Ze beschouwen me als een luxeartikel, net als kabeltelevisie: iets wat de gevangenen niet verdienen. Het geesteskind van de een of andere liberaal in Albany die nog nooit een mes tussen zijn ribben of uitwerpselen in zijn gezicht heeft gehad; iemand die nog nooit een lijk vol tatoeages, in een plas bloed die wemelt van de aids, van de vloer heeft hoeven krabben.

Ze begroeten me met nauw verholen minachting. 'Daar heb je de professor,' mompelen ze. DR. FLIKKER, PROFESSOR IN DE WEETNIKSKUNDE heeft een van hen op de muur van de bezoekerstoiletten gekrabbeld.

Ik vergeef het hun.

Zij zijn de bezetters van een onderworpen populatie in de greep van een diepgewortelde haat, en ze zijn ver in de minderheid. Om die haat te overleven, moeten zij op hun beurt ook haten. Het is hun niet toegestaan vuurwapens te dragen, dus wapenen ze zich met een intimiderende houding. Wat betreft de gevangenen in mijn klas: zij zijn vreemd gedwee. Velen van hen zijn ongelukkige slachtoffers van de draconische drugswetgeving die onder Rockefeller is ingevoerd: wetgeving waarin de aankoop van kleine hoeveelheden cocaïne wordt gelijkgesteld aan een geweldsdelict. Zij kijken vooral verbijsterd.

Nu en dan geef ik hun schrijfopdrachten. 'Schrijf iets,' zeg ik dan. 'Wat je maar wilt. Zolang het maar iets is wat je interesseert.'

In het begin vroeg ik hun om hun werk in de klas voor te lezen. Totdat een van de gevangenen, een zwarte man met schuinstaande ogen, Benjamin Washington genaamd, iets voorlas dat klonk als koeterwaals. Het was ook koeterwaals en de andere gevangenen lachten hem uit. Benjamin nam daar aanstoot aan en stak een van hen later, tijdens een ontbijt bestaande uit waterige roereieren en aangebrande toast, een mes in de rug.

Ik ben direct overgestapt op anonimiteit.

Zij schrijven over iets wat hun interesseert en leveren het bij mij in zonder hun naam eronder te zetten. Ik lees het hardop voor en niemand weet wie wat geschreven heeft. De schrijver weet het; dat is goed genoeg.

Op een dag vroeg ik hun echter te schrijven over iets wat mij zou interesseren. Hun eigen verhaal. Hoe ze bijvoorbeeld hier, bij de Engelse les van meneer Widdoes in de recreatiezaal van de staatsgevangenis Attica, waren terechtgekomen. Als ze schrijvers wilden zijn, zei ik tegen hen, moesten ze maar eens met de schrijver beginnen.

Het zou wellicht verhelderend zijn, dacht ik, misschien zelfs louterend. Het zou wellicht interessanter zijn dan het verhaal 'Kleintje de vlinder', een recente prestatie van... tja, dat weet ik natuurlijk niet. Kleintje was een bron van kleur en schoonheid op een met onkruid overgroeid terrein in een achterbuurt totdat hij, helaas, 'als een insect vermorzeld werd' door de plaatselijke crackdealer. Kleintje, zo werd onder aan de pagina verduidelijkt, was 'cymbollisch'.

Ik gaf de opdracht op donderdag; de dinsdag erna lag mijn bureau vol stapeltjes papier. Ik las de verhalen hardop voor, in willekeurige volgorde. Het eerste verhaal ging over een onschuldig man wie een gewapende overval in de schoenen werd geschoven. Het tweede verhaal ging over een onschuldig man wie bezit van illegale verdovende middelen in de schoenen was geschoven. Het derde verhaal ging over een onschuldig man wie weer iets anders in de schoenen was geschoven...

Dus misschien was het toch niet zo verhelderend.

Maar toen.

Een volgend verhaal. Eigenlijk was het niet eens echt een verhaal (hoewel

het wel een titel had), maar een soort introductie voor een verhaal. Een uitnodiging voor een verhaal, feitelijk.
Over weer een onschuldig man.
Die op een dag op de trein stapte om naar zijn werk te gaan.
Toen er iets gebeurde.

Ontspoord

Op die ochtend waarop Charles Lucinda ontmoette, kostte het hem, nadat hij zijn ogen had geopend, een paar seconden om zich te herinneren waarom hij ze liever dichthield.
Toen riep zijn dochter Anna hem vanaf de overloop en dacht hij: o ja.
Ze had lunchgeld nodig, een briefje voor de gymleraar en hulp met een boekverslag dat ze gisteren al had moeten inleveren.
Niet in die volgorde, overigens.
Door middel van een imposant staaltje jongleerwerk slaagde hij erin alle drie die dingen te doen tussen het douchen, scheren en aankleden door. Hij moest wel. Zijn vrouw, Deanna, was al naar haar werk – ze werkte op de Robert Louis Stevensonschool, ook bekend als Public School 183 – zodat hij de baas was.
Toen hij eindelijk beneden was, zag hij in de keuken Anna's bloedmeter en een gebruikte injectienaald op het werkblad liggen.

Dankzij Anna was hij te laat.
Toen hij op het station aankwam, was zijn trein al weg; hij hoorde het zachte geratel van de wagons die in de verte verdwenen.
Tegen de tijd dat de volgende trein arriveerde, werd het perron bevolkt door een compleet nieuwe forenzenbezetting. Hij kende het grootste deel van de groep reizigers van acht uur drieënveertig van gezicht, maar dit waren de mensen van vijf over negen, dus hij bevond zich op onbekend terrein.
Hij wist een leeg bankje te bemachtigen en dook onmiddellijk in het sportkatern.
Het was november. Het honkbalseizoen was voorbij en was geëindigd met weer een kampioenstitel voor het thuisteam. De basketbalcompetitie begon net op gang te komen en wat football betrof beloofde het weer een diep ellendig jaar te worden.
Zo bleef hij de eerste twintig minuten zitten: met zijn hoofd naar beneden, zijn blik naar voren gericht, zijn verstand op nul, vol van betekenisloze statistieken die hij net zo gemakkelijk kon opdreunen als zijn sofi-nummer, getallen die hij in zijn slaap kon opzeggen, wat hij soms ook deed, al was het maar om te voorkomen dat hij andere getallen zou gaan opzeggen.
Wat voor getallen dan?
Nou, de getallen op Anna's bloedmeter, bijvoorbeeld.

Getallen die steeds vaker beangstigend hoog waren.
Anna leed al meer dan acht jaar aan juveniele diabetes.
Het ging niet goed met Anna.
Dus alles in aanmerking genomen gaf hij de voorkeur aan een getal als 3.25, het VPG van Roger 'The Rocket' Clemens en tevens het hoogste run-gemiddelde in de competitie van het afgelopen seizoen.
Of 22, dat was een mooi rond getal. Latrell Sprewells huidige puntengemiddelde per wedstrijd, dat hij met wapperende dreadlocks bijeen had gegaard voor de New York Knicks.
Getallen waarnaar hij kon kijken zonder ook maar één keer misselijk te worden.
De trein kwam met een ruk tot stilstand.
Ze zaten ergens tussen twee stations in. Aan weerszijden van het spoor stonden grijsbruine bungalows. Plotseling kwam de gedachte bij hem op dat hij, hoewel hij deze trein al langer nam dan hij zich wilde herinneren, niet één van de wijken kon beschrijven die hij tijdens de reis passeerde. Ergens op weg naar de middelbare leeftijd was hij opgehouden met uit het raam kijken.
Hij begroef zich weer in zijn krant.
Het was op dat exacte moment, ergens tussen de column van Steve Serby over de stand van zaken met betrekking tot de *instant replay*-regel en Michael Strahans klaagzang over zijn teruglopende aantal tackles, dat het gebeurde.
Later zou hij zich afvragen wat hem er precies toe had bewogen om op dat exacte moment opnieuw op te kijken.
Hij zou zichzelf keer op keer afvragen wat er zou zijn gebeurd als hij dat niet had gedaan. Hij zou zichzelf kwellen met alle mogelijke scenario's, het 'wat als' en het 'wat dan' en het 'wat nu'.
Maar hij keek wél op.
De trein van vijf over negen van Babylon naar Penn Station reed verder. Van Merrick naar Freeport naar Baldwin naar Rockville Centre. Van Lynbrook naar Jamaica naar Forest Hills naar Penn.
Maar Charles ontspoorde duidelijk en op spectaculaire wijze.

Attica

Twee avonden later, na het eten, klom mijn zoontje van vier bij me op schoot en eiste dat ik schatzoekertje zou spelen op zijn rug.
'We gaan schatzoeken,' fluisterde ik terwijl ik mijn vingers in kleine stapjes over zijn ruggengraat liet wandelen. 'De plek is gemarkeerd met een X...'
Hij kronkelde en giechelde. Hij rook naar shampoo en snoep en kinderklei, de geur die zo uniek was en echt bij hem hoorde.
'Om de schat te bereiken, moet je grote stappen en kleine stapjes nemen,' prevelde ik, en toen ik klaar was vroeg hij me waar de schat nu precies was, en ik gaf hem prompt antwoord. Dit was immers onze vaste routine.
'Hier,' zei ik, en ik omhelsde hem.
Mijn vrouw, die aan de andere kant van de tafel zat, glimlachte naar ons.
Toen ik hen gedag kuste, bleef ik even staan treuzelen voordat ik de oprit op liep. Alsof ik probeerde mezelf op te laden met genoeg positieve energie om de avond mee door te kunnen komen, energie die ik zou kunnen vasthouden terwijl ik in Attica door de poort van rode baksteen liep en de kwalijk riekende recreatiezaal betrad.
'Wees voorzichtig,' zei mijn vrouw vanuit de deuropening.

Toen ik door de metaaldetector liep, ging die af als een luchtaanvalssirene. Ik was vergeten mijn huissleutels uit mijn zak te halen.
'Hé, Gaalb,' zei de bewaker terwijl hij me fouilleerde. 'Sleutels zijn van metaal, wist je dat?' Gaalb was 'Blaag' achterstevoren en stond voor 'Geweldig Afzeikbaar Achterlijk Lelijk Balletje'.
'Professor' was slechts een van mijn vele bijnamen hier.
'Sorry,' zei ik. 'Vergeten.'
Zodra ik het klaslokaal betrad, zag ik dat er nog een deel van het verhaal op mijn bureau op me lag te wachten. Elf pagina's, keurig uitgeprint.
Ja, dacht ik. Het verhaal is nog maar net begonnen.

Met de regelmaat van de klok verschenen er verdere delen.
Vanaf die eerste dag lag er, steeds wanneer ik het lokaal binnen kwam, weer een stukje van het verhaal op me te wachten.
Soms was het maar een pagina of twee, soms was het genoeg voor meerdere hoofdstukken. De velletjes papier lagen plat op mijn bureau en ze waren allemaal, net als het eerste stukje, niet ondertekend. Het verhaal ontvouwde

zich stukje bij beetje; het was net zo'n soapopera waar je je blik niet van kunt losrukken. Dat was ook logisch, aangezien het verhaal alle elementen van een soapopera bleek te hebben: seks, leugens en tragedie.
Ik las deze stukken niet voor aan mijn klas. Ik begreep dat ze nu uitsluitend voor mij bestemd waren. En voor de schrijver, natuurlijk.
Over de schrijver gesproken.
Er zaten negenentwintig leerlingen in mijn klas.
Achttien zwarten, zes mannen van Latijns-Amerikaanse afkomst en vijf blanken, zo bleek als geesten.
Ik was er vrij zeker van dat zij geen van allen ooit op de trein van vijf over negen naar station Pennsylvania hadden gezeten.
Maar waar was hij dan?

Ontspoord 2

Een stukje blote dij, dat was in eerste instantie alles.
Maar niet zomaar een dij. Een strakke, gladde, gespierde dij, een dij die duidelijk enige tijd had doorgebracht op een tredmolen, omhuld door een modieus kort rokje dat door de positie van de benen nog korter leek. Benen die nonchalant over elkaar waren geslagen. Al met al was het een roklengte die wat hem betrof ergens tussen sexy en hoerig in zat, niet helemaal het een maar ook niet helemaal het ander, en daarom dus allebei tegelijk.
Dat was wat Charles zag toen hij opkeek.
Hij kon nog net een zwarte pump met hoge hakken onderscheiden die aan de kant van het pad uitstak en zachtjes meewiegde met de bewegingen van de trein. Hij zat recht tegenover haar, tegen de rijrichting – naar het stadscentrum – van de treinwagon in. Maar ze werd aan het zicht onttrokken door de voorpagina van *The New York Times*. En zelfs al zou ze niet aan het zicht onttrokken zijn door de alarmerende, maar bekende kop van vandaag – MIDDEN-OOSTEN GAAT IN VLAMMEN OP – hij had nog niet echt omhooggekeken naar haar gezicht, hoewel hij het vanuit zijn ooghoeken zou kunnen zien. Hij concentreerde zich op die dij en hoopte tegen beter weten in dat ze niet mooi zou blijken te zijn.
Dat was ze wel.
Terwijl hij probeerde te bedenken wat hij nu moest doen – of hij zich bijvoorbeeld weer moest richten op zijn sportstatistieken, of door het raam vol vuile vegen naar buiten moest gaan staren, of de advertenties van banken en luchtvaartmaatschappijen moest gaan bekijken die aan weerszijden van de wagon hingen – sloeg hij gewoon alle voorzichtigheid in de wind en gluurde naar haar. Precies op het moment waarop *The New York Times* strategisch omlaag zakte en eindelijk het gezicht onthulde waarvan hij niet wist of hij het wel wilde zien.
Ja, ze was inderdaad mooi.
Haar ogen.
Ze waren nogal sensationeel. Groot en rond, als die van een hert, en oneindig zacht en teder. Volle, sensuele lippen waarop ze een klein beetje zat te bijten. Haar haar? Zo zacht dat hij zin had zichzelf erin te begraven en nooit, maar dan ook nooit meer tevoorschijn te komen.
Hij had gehoopt dat ze er gewoontjes of interessant of gewoon leuk zou uitzien. Niets van dat alles. Ze was ongelooflijk beeldschoon.

En dat was een probleem, want hij was tegenwoordig nogal kwetsbaar. Hij droomde vaak van een soort parallelle werkelijkheid.
In die parallelle werkelijkheid was hij niet getrouwd en was zijn kind ook niet ziek, want hij had helemaal geen kinderen. Daar zag alles er altijd rooskleurig uit en lag de wereld aan zijn voeten.
Dus hij wilde helemaal niet dat de vrouw die *The New York Times* zat te lezen mooi zou zijn. Want dan was het net alsof hij zijn hoofd om de deur naar zijn parallelle werkelijkheid stak en naar de gastvrouw keek, die hem wenkte naar binnen te komen en zijn voeten op de bank te leggen, en iedereen wist dat parallelle werkelijkheden iets voor kinderen en sciencefictionfanaten waren.
Ze bestonden niet echt.
'Uw kaartje, alstublieft.' De conducteur stond bij hem en vroeg hem iets. Wat wilde hij in vredesnaam? Zag hij dan niet dat hij druk bezig was de grenzen van zijn bestaan te definiëren?
'Uw kaartje, alstublieft,' herhaalde hij.
Het was maandag en Charles had er niet aan gedacht om naar het loket te lopen en zijn weekkaart te kopen. Het feit dat hij een latere trein moest nemen, had hem van zijn apropos gebracht en daar zat hij dan, omringd door vreemden, zonder kaartje.
'Ik ben vergeten er een te kopen,' zei hij.
'Oké,' zei de conducteur.
'Ziet u, ik realiseerde me niet dat het maandag was.'
'Prima.'
Charles had zojuist nog iets bedacht. Op maandag ging hij altijd even langs de geldautomaat bij het station om geld op te nemen, dat hij vervolgens gebruikte om zijn weekkaart te kopen. Geld dat hij verder gebruikte om de week door te komen. Geld dat hij op het moment niet had.
'Dat is dan negen dollar,' zei de conducteur.
Zoals zoveel stellen tegenwoordig maakten Charles en Deanna gebruik van het budgetprogramma van hun bank, wat inhield dat de geldautomaat net zo zuinig was met geld als een trustfondsbeheerder – ze konden steeds maar een beperkt bedrag opnemen. Charles' portefeuille had, zoals elke maandagochtend, op zijn vaste plekje gelegen: opengeslagen op het werkblad in de keuken. Deanna had er ongetwijfeld al het losse geld uit gehaald voordat ze naar haar werk ging. Er zat niets meer in.
'Negen dollar,' zei de conducteur, nu ongeduldig. Er was geen twijfel mogelijk, de man begon ongedurig te worden.
Charkes keek toch even in zijn portefeuille. Er bestond altijd een kans dat hij het bij het verkeerde eind had en dat er ergens tussen de visitekaartjes en

zes jaar oude foto's nog een vergeten briefje van twintig verstopt zat. En trouwens, je hoorde in je portefeuille te kijken wanneer iemand je om geld vroeg.

En iemand vroeg hem nu om geld. Telkens weer.

'Hoor eens, je houdt de hele trein op,' zei hij. 'Negen dollar.'

'Ik geloof niet...' hield hij de schijn op, terwijl hij zocht tussen gekreukte kassabonnen en andere papiertjes en zijn best deed de schaamte te verhullen die hij voelde omdat hij in een trein vol welgestelde forenzen was betrapt zonder een cent op zak.

'Heb je de centen nou of niet?' vroeg de conducteur.

'Als u even geduld hebt...'

'Hier,' zei iemand. 'Ik betaal wel voor hem.'

Dat was zij.

Ze hield een briefje van tien dollar omhoog en schonk hem een glimlach die hem volledig uit zijn evenwicht dreigde te brengen.

Ontspoord 3

Waar ze ook allemaal over praatten – en ze praatten over van alles en nog wat – er was één ding waarover ze niet praatten.
Woon-werkverkeer? Ja.
'Een tijdje geleden bedacht ik opeens,' zei ze, 'dat als ze dit land bestuurden zoals ze de spoorwegen beheren, we een behoorlijk probleem zouden hebben. En toen besefte ik opeens dat dat misschien ook wel zo is, en dat we dat probleem allang hebben.'
Het weer? Natuurlijk.
'De herfst is mijn favoriete seizoen,' zei ze. 'Maar waar is de herfst eigenlijk gebleven?'
'Die is naar een interessanter oord verhuisd,' antwoordde Charles. 'Baltimore, bijvoorbeeld.'
Werk? Absoluut.
'Ik schrijf reclamespotjes,' zei Charles. 'Ik ben *creative director.*'
'Ik licht cliënten op,' zei ze. 'Ik ben effectenmakelaar.' Waaraan ze toevoegde: 'Grapje.'
Restaurants waar ze wel eens gegeten hadden... universiteiten waar ze gestudeerd hadden... favoriete films. Allemaal besproken, behandeld, genoemd.
Alleen huwelijken niet.
Huwelijken, het meervoud, want ze droeg een trouwring om haar linker ringvinger.
Misschien werd het huwelijk niet beschouwd als een geschikt onderwerp tijdens het flirten. Als je er natuurlijk van uitging dat ze inderdaad aan het flirten waren. Charles was er niet zeker van; het was al een tijdje geleden dat hij voor het laatst had geflirt en hij had zich om te beginnen nooit erg op zijn gemak gevoeld bij vrouwen.
Maar zodra ze het briefje van tien dollar in de hand van de conducteur had gedrukt, terwijl Charles doorlopend tegenwerpingen maakte ('Nee zeg, hou op, dat hoeft niet'), zodra de conducteur haar een dollar had teruggegeven, terwijl Charles nog steeds protesteerde ('Nee, echt, dat is nergens voor nodig'), was hij opgestaan en op de lege stoel naast haar gaan zitten. Waarom niet? Dat was toch niet meer dan beleefd wanneer iemand je de helpende hand bood? Zelfs als die iemand er zo uitzag als zij?
Ze verschoof haar dijen om plaats te maken voor hem. Hoewel hij zijn blik niet kon losrukken van haar hartverscheurend mooie gezicht, merkte hij die

beweging van haar benen wel op. Het was een herinnering die hem bijbleef terwijl hij met haar praatte over het banale, onbeduidende en overbodige – een goede naam, zo dacht hij, voor een advocatenpraktijk die gespecialiseerd was in het afdwingen van schadevergoedingen wegens toegebracht lichamelijk letsel.
Hij vroeg haar, bijvoorbeeld, voor welk kantoor ze werkte. 'Morgan Stanley,' antwoordde ze. En hoe lang ze daar al werkte. 'Acht jaar.' En waar ze daarvoor gewerkt had.
'McDonald's,' zei ze. 'Toen ik nog op de middelbare school zat.'
Ze was wel een pietsje jonger dan hij, hielp ze hem herinneren. Voor het geval het hem niet was opgevallen.
Dat was hem wel degelijk opgevallen. Sterker nog, hij probeerde juist een goed woord te bedenken om haar ogen te omschrijven en hij dacht dat 'glanzend' waarschijnlijk wel klopte. Ja, 'glanzend' was zo goed als perfect.
'Ik zal je, zodra we op Penn Station zijn, je geld teruggeven,' zei hij toen hij zich plotseling herinnerde dat hij bij haar in het krijt stond.
'Morgen mag ook,' zei ze. 'Maar dan wel met tien procent rente, natuurlijk.'
'Ik heb nog nooit een vrouwelijke woekeraar ontmoet. Breek je ook wel eens benen?'
'Alleen ballen,' zei ze.
Ja, hij vermoedde dat ze wel degelijk aan het flirten waren. En hij leek er nog niet eens zo slecht in te zijn. Misschien was het net zoiets als fietsen of seks, in de zin dat je nooit echt vergat hoe het moest. Hoewel het goed mogelijk was dat Deanna en hij het wél waren vergeten.
'Neem je deze trein altijd?' vroeg hij aan haar.
'Hoezo?'
'Dan weet ik hoe ik je je geld kan teruggeven.'
'Laat maar zitten. Het is maar negen dollar. Dat overleef ik wel, denk ik.'
'Nee. Ik moet je terugbetalen. Ik zou me ethisch weersproken voelen als ik dat niet deed.'
'Weersproken? Nou, ik zou niet willen dat je je weersproken voelde. Is dat trouwens een bestaand woord?'
Charles bloosde. 'Ik geloof van wel. Ik ben het een keer tegengekomen in een kruiswoordpuzzel, dus dan zal het wel.'
Wat leidde tot een gesprek over – wat anders? – kruiswoordpuzzels. Zij vond ze leuk, hij niet.
Ze kon de puzzel in de krant van maandag 'met haar ogen dicht' maken. Hij had allebei zijn ogen nodig, en een stukje hersens dat hij niet bezat. Het stukje dat voor concentratie en standvastigheid zorgde. Zijn brein was een beetje te verzot op afdwalen, dus was hij niet in staat om er eens voor te gaan

zitten en een woord van acht letters te bedenken voor... laten we zeggen... droefheid. Oké, oké, dus die was wel erg makkelijk. 'Verdriet'. De emotie waarmee zijn brein zich de laatste tijd zo nodig zoveel moest bezighouden. De emotie waaraan zijn brein zich resoluut vastklampte en die het weigerde los te laten. Behalve, natuurlijk, wanneer het zich bezighield met die parallelle werkelijkheid van hem, waarin hij kon flirten met vrouwen met groene ogen die hij pas had ontmoet.

Ze praatten verder, voornamelijk over onbetekenende dingen. Hun gesprek leek wel een beetje op de trein: het bewoog zich in een prettig, rustig tempo voort en viel hier en daar stil, om pas weer op gang te komen wanneer er een nieuw gespreksonderwerp was 'ingestapt'. En toen reden ze plotseling onder de East River door en waren ze er bijna.

'Nou, ik heb geluk dat je er vandaag was,' zei hij. De tl-lampen in de trein begonnen te flakkeren en gingen toen helemaal uit. In de grafzwarte duisternis zag hij niets, behalve de vage contouren van haar lichaam. Het leek alsof hij zojuist pas was ingestapt, alsof de conducteur hem zojuist pas om negen dollar had gevraagd en zij zojuist pas haar benen van elkaar had gehaald om voor hem te betalen.

'Moet je horen,' zei hij. 'Als je morgen dezelfde trein neemt, betaal ik je dan terug.'

'Dat is dan afgesproken,' zei ze.

De rest van de dag, zelfs nadat hij haar ten afscheid de hand had gedrukt en haar had nagekeken terwijl ze opging in de mensenmassa op Penn Station, nadat hij tien minuten had gewacht op een taxi die hem naar zijn werk kon brengen en nadat hij was begroet door zijn baas, Eliot, die hem, toen hij nog maar nauwelijks voet in het kantoor had gezet, had verteld dat hij zich maar beter schrap kon zetten, dacht hij na over haar woordkeuze.

Ze had kunnen zeggen: 'Oké, prima, dan zie ik je morgen wel.' Ze had kunnen zeggen: 'Goed idee.' Of: 'Slecht idee.' Of: 'Maak het maar gewoon naar me over.'

Maar ze had gezegd: 'Dat is dan afgesproken.'

Haar naam was Lucinda.

Ontspoord 4

Er was iets aan de hand.
Eliot vertelde hem dat hun creditcardcliënt naar het kantoor kwam om iets met hen te bespreken. Of, en dat was veel waarschijnlijker, om hen uit te kafferen.
Te late oplevering, gebrekkige responsresearch, accountmanagers die niet meewerkten... ze hadden het voor het kiezen.
Hoewel de werkelijke reden niet anders was dan meestal tegenwoordig.
De economie.
De zaken gingen gewoon niet goed. Er was te veel concurrentie, er waren te veel cliënten met te veel mogelijkheden. Door het stof kruipen was in, integriteit was uit.
Dit ging zoiets worden als een bezoek aan het kantoor van het schoolhoofd, een ernstig gesprek met pa, een bezoek van de belastingdienst. Hij zou moeten opstaan, zijn pak slaag in ontvangst moeten nemen en nog 'dank u, meneer' moeten zeggen ook.
Eén blik op de zure uitdrukking op het gezicht van Ellen Weischler toen hij de vergaderzaal binnen kwam, en dat vermoeden was wel zo'n beetje bevestigd.
Ze zag eruit alsof ze zojuist zure melk had gedronken of iets heel onwelriekends had geroken. En hij wist ook wat het was. Het laatste reclamespotje dat ze voor haar bedrijf hadden gedaan was het toppunt van middelmatigheid. Slechte acteurs, slecht geschreven en slecht ontvangen. Het deed er niet toe dat ze hun een andere commercial hadden aanbevolen. Dat ze hadden gebeden en gesmeekt en zelfs door het stof waren gekropen om hen ervan te overtuigen voor een ander storyboard te kiezen. Het deed er niet toe dat het eerste concept van de commercial bijna goed was geweest – scherpzinnig, hip zelfs – totdat de cliënt, vooral Ellen, zich ermee was gaan bemoeien. Ze hadden teksten herschreven en scènes veranderd, zodat elk volgend concept nog nietszeggender was dan het vorige. Wat er uiteindelijk was overgebleven, was een standaard 'koop ons product'-spotje dat vijf keer per dag uitgezonden werd op tv-stations verspreid over het land. Het deed er niet toe, want het was hún commercial en de verantwoordelijkheid – of liever: de zeventien procent provisie van een cliënt die 130 miljoen dollar waard was – kon niet verder worden afgeschoven. Het hield ergens op.
Bij Charles, om precies te zijn. Uiteraard.

Hij begroette Ellen met een ingetogen kus op de wang, hoewel hij zich halverwege bedacht dat hij misschien beter handen kon schudden met de vrouw die op het punt stond hem met de grond gelijk te maken.
'Nou...' zei Ellen toen ze allemaal hadden plaatsgenomen. 'Allemaal' wilde zeggen: Charles, Eliot, twee mensen uit het projectteam – Mo en Lo – en Ellen en haar mensen. 'Nou,' zei ze, op dezelfde toon als waarop Charles' moeder vroeger sprak als ze een *Playboy* onder zijn bed had gevonden. Nou. Een 'nou' dat om uitleg en vooral berouw vroeg.
'Dat klinkt alsof je niet hier bent om ons een hogere provisie te bieden,' zei Charles. Hij had het bedoeld als een grapje, natuurlijk, alleen kon niemand erom lachen. Ellens gezichtsuitdrukking bleef zuur; het enige wat hij bereikt had, was dat ze nu nog bozer keek.
'We hebben een paar ernstige problemen,' zei Ellen.
Wij hebben ook een paar ernstige problemen, dacht Charles. We vinden het niet leuk dat jullie ons steeds vertellen wat we moeten doen. We vinden het niet leuk dat jullie steeds weigeren naar ons te luisteren, ons kleineren en negeren en tegen ons schreeuwen. Weet je, we houden eigenlijk helemaal niet van mensen met zure gezichten. Dat wilde Charles het liefst zeggen.
Wat hij in werkelijkheid zei, was: 'Ik begrijp het.' En hij zei het met een schuldbewuste uitdrukking op zijn gezicht die hij zo langzamerhand perfect beheerste.
'Ik heb het gevoel dat wij maar praten en praten, maar dat niemand naar ons luistert,' zei Ellen.
'Nou, we...'
'Dat is nu precies wat ik bedoel. Lúíster nu eerst naar me. Dan mag je iets zeggen.'
Charles bedacht dat Ellen niet langer boos klonk, maar gewoon ronduit grof tegen hem was. Dat hij, als ze een vriendin van hem was geweest, allang de kamer zou hebben verlaten. Dat hij, als ze een cliënt was geweest die heel wat minder dan 130 miljoen dollar waard was, tegen haar gezegd zou hebben dat ze de boom in kon.
'Natuurlijk,' zei Charles.
'We besluiten met zijn allen tot een bepaalde strategie. Daar leggen we ons met zijn allen op vast. En vervolgens sla jij consequent een andere richting in.'
Een andere richting. Met andere woorden: gevatheid, humor, entertainmentwaarde en al die andere dingen waarmee je wellicht de aandacht van de consument zou kunnen trekken.
'Deze nieuwste commercial is weer een typisch voorbeeld.'
Ja, inderdaad.

'We worden het eens over een storyboard. We zeggen dat het op een bepaalde manier gedaan zal worden. Vervolgens stuur je ons een concept dat in niets lijkt op wat we overeengekomen zijn. Met allemaal van die New Yorkse humor erin.'
Zelfs als ze een grof woord in de mond zou hebben genomen, k...t bijvoorbeeld, had er niet meer afkeer in haar blik kunnen liggen.
'Nou, zoals je weet, proberen we het altijd een beetje...'
'Luisteren, zei ik!'
Ja, ze was nu werkelijk onbeschoft. Sterker nog: dit grensde aan vernederend. Charles vroeg zich af of dit iets was wat een mens nog te boven kon komen.
'We moeten het ene concept na het andere naar je terugsturen, totdat we eindelijk weer het storyboard hebben dat we oorspronkelijk hebben gekocht.' Ze was even stil en keek omlaag naar de tafel.
Charles vond die stilte maar niets.
Het was geen stilte waarmee ze hem eindelijk uitnodigde te reageren. Het was niet eens een stilte die bedoeld was om haar op adem te laten komen. Het was een onheilspellende stilte, die erop duidde dat het allemaal nog veel erger zou worden dan het al was. Het was het soort stilte dat hij kende van vriendinnetjes, vlak voordat ze hem dumpten en alle hoop de grond in boorden. Van gewetenloze verkopers die op het punt staan over de kleine lettertjes te beginnen. Van co-assistenten op de eerstehulpafdeling die op het punt staan je te vertellen wat er precies aan de hand is met je dochter.
'Ik denk dat we wellicht een andere richting moeten inslaan,' zei ze toen ze weer opkeek.
En wat betekende dat nu precies? Iets vervelends, dat was wel duidelijk. Kon het zijn dat ze het bureau wilde ontslaan?
Charles wierp een blik op Eliot, die nu vreemd genoeg ook omlaag keek naar de tafel.
Toen begreep hij het.
Ellen wilde het bureau niet ontslaan.
Ellen wilde hem ontslaan.
Weg bij het project. Tien jaar, vijfenveertig commercials, een behoorlijk aantal vakprijzen... het deed er allemaal niet toe.
Het antwoord was nee. Dit kon je niet te boven komen. Eliot wel, maar hij niet. En hij had bovendien de indruk dat Eliot het geweten moest hebben. Je neemt een dergelijke stap niet zonder van tevoren iemand op de hoogte te brengen.
Et tu Brute?
Niemand zei iets. Het was niet zomaar een geladen stilte, het was een stilte

geladen met mortiergranaten – zware, jankende mortiergranaten. En janken was precies wat Charles vreesde dat hij zelf zou gaan doen: gewoon zijn hoofd op tafel leggen en beginnen te grienen. Hij had geen spiegel nodig om te weten dat hij vuurrood werd. Hij had geen psychiater nodig om te weten dat zijn zelfvertrouwen een geduchte knauw had gekregen.
Ellen schraapte haar keel. Dat was het. Ze had hem een paar keer op de vingers getikt omdat hij voor zijn beurt sprak, maar nu zat ze te wachten totdat hij iets zou zeggen. Ze zat te wachten op zijn ontslagspeech.
'Je wilt me niet meer in het team hebben.'
Hij had het eigenlijk emotieloos en misschien zelfs een beetje opstandig willen laten klinken. Maar daar was hij niet in geslaagd. Het klonk zeurderig en defensief, zelfs een beetje zielig.
'We stellen alle fantastische dingen die je hebt gedaan natuurlijk ontzettend op prijs,' begon ze. Vanaf dat moment luisterde hij niet echt meer. Hij bedacht dat een bedrijf met lef, een directéúr met lef, hen misschien zou trotseren en zou zeggen: luister eens even, wíj bepalen wie hier jullie zaken afhandelt en dat is Charles. Misschien. Als dit een minder grote cliënt was, als de zaken beter gingen, als ze allemaal niet zoveel tijd op hun knieën doorbrachten.
Maar Eliot zat nog steeds naar de tafel te staren en krabbelde wat op een stukje papier om zichzelf bezig te houden terwijl Charles publiekelijk onderuitgehaald werd. Of misschien was hij gewoon aan het berekenen wat zwaarder woog – 130 miljoen dollar of Charles Schine – en kwam hij steeds weer uit op hetzelfde antwoord.
Charles liet haar niet uitpraten.
'Het was prettig met je samen te werken,' zei hij, en hij had nu het gevoel dat hij eindelijk de juiste toon had getroffen. Levensmoe cynisme met een vleugje noblesse oblige.
Hij verliet de vergaderzaal gehuld in een soort verhit waas; het was net alsof hij uit een stoomcabine kwam.
En een heel andere wereld had betreden. Het nieuws had zich verspreid. Hij zag het aan hun gezichten, en zij zagen het aan zijn gezicht. Hij keek zijn secretaresse nauwelijks aan, liep zijn kantoor binnen en sloot de deur.
Later, toen alles in zijn leven spaak liep, zou hij zich slechts met moeite kunnen herinneren dat het die ochtend allemaal begonnen was.
Op die manier.
Voorlopig zat hij zich in elk geval achter gesloten deuren af te vragen of Lucinda morgen in de trein zou zitten.

Ontspoord 5

Ze was er niet.
Hij nam dezelfde trein, stond zelfs op exact dezelfde plek op het perron.
Hij liep de hele trein door, van wagon naar wagon – eerst naar achteren, toen naar voren – en liet zijn blik over elk gezicht glijden, zoals mensen op het vliegveld die familieleden uit het buitenland verwachten. Gezichten die ze kennen, maar toch ook weer niet, maar die ze nu heel graag willen leren kennen.
'Kunt u zich de vrouw nog herinneren die gisteren voor me betaald heeft?' vroeg hij aan de conducteur. 'Hebt u haar gezien?'
'Waar heb je het over?' De conducteur kon zich hem niet herinneren, kon zich de vrouw niet herinneren, kon zich het incident niet herinneren. Misschien was hij eraan gewend regelmatig forenzen de huid vol te schelden; de scène van gisteren was de moeite van het onthouden niet waard.
'Laat maar,' zei Charles.
Ze was er niet.
Het verbaasde hem een beetje dat het hem zoveel kon schelen. Dat het hem zoveel kon schelen, dat hij als een opgejaagde dakloze op zoek naar warmte door de wagons was gelopen. Wie was ze nu helemaal? Een getrouwde vrouw met wie hij onschuldig had zitten flirten op weg naar zijn werk. En dat was precies wat er onschuldig aan was: het feit dat ze het niet nog een keer gedaan hadden. Dus waarom precies was hij naar haar op zoek?
Nou, omdat hij met iemand wilde praten, misschien. Over koetjes en kalfjes en andere zaken. Over wat er gisteren op kantoor was gebeurd, bijvoorbeeld. Hij had het Deanna niet kunnen vertellen.
Hij was het echt van plan geweest. Eerlijk waar.
'Hoe was het vandaag op je werk?' had ze tijdens het eten gevraagd.
Een heel gewone vraag; sterker nog: de vraag waarop hij had zitten wachten. Alleen zag Deanna er vermoeid en bezorgd uit; ze had ingespannen in Anna's bloedsuikerlogboek staan lezen toen hij de keuken binnen liep.
Dus had Charles gezegd: 'Op het werk gaat alles prima.'
En dat was alles wat hij over het kantoor had gezegd.
Toen Anna net ziek was geworden, praatten ze nergens anders over. Totdat duidelijk werd wat de toekomst voor haar in petto had, en toen waren ze opgehouden erover te praten. Want als ze erover praatten, betekende dat dat ze het erkenden.

Vervolgens creëerden ze een compleet oeuvre van dingen waarover ze niet met elkaar mochten praten. Anna's toekomstplannen met betrekking tot haar carrière, bijvoorbeeld. Elk willekeurig artikel in *Diabetes Today* over het verlies van ledematen. Slecht nieuws in zijn algemeenheid. Want klagen over iets anders dan Anna, betekende dat Anna's problemen gebagatelliseerd werden.

'Ik ben vandaag beoordeeld door mevrouw Jeffries,' zei Deanna. Mevrouw Jeffries was het hoofd van de school waar Deanna lesgaf.

'Hoe ging het?'

'Prima. Over het algemeen. Je weet dat ze altijd razend wordt als ik afwijk van het geaccepteerde curriculum.'

'En deed je dat?'

'Ja. Maar het opstel dat ik opgaf, had als titel "Redenen waarom we ons schoolhoofd aardig vinden". Dus ze kon moeilijk klagen, of niet soms?'

Charles lachte. En bedacht dat dat iets was wat ze vroeger veel deden. De lachende familie Schine. En hij keek naar zijn vrouw en dacht: ja, ze is nog steeds mooi.

Vlasblond haar – met een beetje hulp van Clairol, misschien – warrig en krullend en maar nauwelijks getemd door middel van een witte, elastische hoofdband; donkerbruine ogen waarin altijd wel iets van liefde voor hem blonk. Alleen liepen er lijntjes van vermoeidheid rond die ogen, alsof de tranen letterlijk sporen hadden achtergelaten op haar huid. Net als die lijnen die kriskras over de foto's stonden die de NASA van Mars had genomen. Droge rivierbeddingen, zo leggen de astronomen uit, waar ooit krachtige rivieren door het nu doodse landschap hadden gestroomd. En soms vond hij dat Deanna er zo uitzag: alsof ze al haar tranen vergoten had.

Na het eten gingen ze allebei naar boven. Charles probeerde Anna, die in de brugklas zat, te helpen met haar huiswerk voor maatschappijleer: de scheiding van Kerk en Staat, iets wat ze probeerde te doen met MTV op een ondraaglijk volume.

'Welke stappen hebben de Verenigde Staten ondernomen om een scheiding te creëren tussen Kerk en Staat?' vroeg Charles; alleen vormde hij de woorden geluidloos, in de hoop dat Anna zijn bedoeling – dat er ook een scheiding zou moeten bestaan tussen huiswerk en tv – zou begrijpen.

Ze weigerde de hint op te pikken. Toen hij uiteindelijk maar voor de televisie ging staan, zodat ze niet steeds stiekem een blik zou werpen op Brittany of Mandy of Christina en zich zou concentreren op waar ze mee bezig was, zei ze tegen hem dat hij in beeld stond.

'O ja?' vroeg hij. En hij bewoog schokkerig zijn armen en benen in een redelijke imitatie van een breakdance. Kijk mij eens. Dit is nog eens een beeld.

Dat leverde hem in elk geval een glimlach op, wat een behoorlijke prestatie was voor zijn dertien jaar oude dochter, wiens stemmingen over het algemeen uiteenliepen van stuurs tot stug. Maar goed, daar had ze dan ook alle reden toe.
Toen hij haar verder niet meer kon helpen, gaf hij haar een kus boven op haar hoofd. Ze gromde iets wat klonk als 'welterusten' of 'wegwezen'.
Vervolgens liep hij zijn slaapkamer binnen, waar Deanna al onder de dekens lag en deed alsof ze sliep.

De volgende ochtend kwam hij Eliot tegen bij de lift.
'Mag ik je iets vragen?' vroeg Charles.
'Natuurlijk.'
'Wist je dat ze langskwamen om mij uit het team te zetten?'
'Ik dacht dat ze langskwamen om over de reclamecampagne te klagen. Jou uit het team zetten was de manier waarop ze aangaven hoe ernstig hun klachten waren.'
'Ik vroeg me gewoon af of jij wist dat het zou gebeuren.'
'Hoezo?'
'Hoe bedoel je, hoezo?'
'Waarom wil je weten of ik wist dat het zou gebeuren? Wat maakt het uit, Charles? Het is gebeurd.'
Toen de liftdeuren opengingen, stond Mo daar met twee schrijfblokken en het nieuwe creatief hoofd van het team.
'Gaan jullie omlaag?' vroeg ze.

Ontspoord 6

'Lucinda,' zei hij. Of kefte hij.
Zo klonk het wat hem betrof: als het geluid dat een hond maakt wanneer er iemand op zijn staart trapt.
Ze zat weer in de trein.
Hij had haar niet gezien toen hij ging zitten; hij had zijn krant opengeslagen en zichzelf begraven in het land van de Giants: 'Coach Fassel betreurde het feit dat zijn voorste vier afgelopen zondag niet meer druk konden uitoefenen...'
Toen opeens die zwarte pump, met die stilettohak die als een dolk op zijn hart gericht was, terwijl hij opkeek en zijn borst ontblootte voor de genadestoot.
'Lucinda...'
Een seconde later dat perfecte gezicht dat voorzichtig in de richting van het gangpad bewoog zodat ze hem kon aankijken met ogen omlijst door een bril met een zwart montuur – ze had die eerste keer toch geen bril op, of wel? – gevolgd door een oogverblindende glimlach. Nee, hij was niet oogverblindend, niet fel; eerder zacht, als het licht van zo'n softtone-lamp, zo'n zacht licht waarin alles er beter uitziet dan het in werkelijkheid is.
En ze zei: 'Hoi.' En zo'n lief 'hoi' ook nog, zo oprecht als je maar kon wensen, van een vrouw die blij leek hem te zien, ook al zat ze vier rijen verderop en was ze drie dagen te laat voor hun afspraak. 'Waarom kom je niet hier zitten?' fluisterde ze.
Ja, waarom niet.
Toen hij haar had bereikt, deed Lucinda haar onmogelijk lange benen opzij om hem erlangs te laten.
'Net op tijd,' zei ze. 'Ik stond net op het punt de politie te bellen en die negen dollar als gestolen op te geven.'
Hij glimlachte. 'Ik heb je overal gezocht die dag.'
'Vast,' zei ze.
'Nee, echt waar.'
'Ik maakte een grapje, Charles.'
'Ik ook,' loog hij.
'Goed,' zei ze met haar hand uitgestoken. Haar vingernagels waren onberispelijk gemanicuurd en bloedrood gelakt. 'Kom maar op met die centen.'
'Oké.' Hij pakte zijn portefeuille, zag de foto van Anna toen hij hem open-

sloeg en verborg deze onmiddellijk, alsof het een vermaning was die hij niet wilde horen. Hij stopte een gloednieuw briefje van tien dollar in haar hand. De toppen van zijn vingers streken over haar huid, die een beetje vochtig en verhit aanvoelde.
'Je dochter?' vroeg ze.
Hij bloosde, was ervan overtuigd dat hij bloosde, terwijl hij antwoordde: 'Inderdaad.'
'Hoe oud is ze?'
'Te oud.' Het betweterige 'je hebt geen idee wat je als vader allemaal moet verduren'-toontje. Het goedhartige 'ik hou vreselijk veel van haar, hoor, maar soms kan ik haar wel achter het behang plakken'.
'Vertel mij wat.'
Dus ze had ook kinderen. Natuurlijk.
'Dochters?' vroeg hij.
'Eén.'
'Oké, ik heb je die van mij laten zien, nu moet jij me die van jou laten zien.' Ze lachte. Eén punt voor Charles, grappenmaker. Toen stak ze haar hand in haar tas, zo'n hutkoffer waarmee je gemakkelijk uit kamperen zou kunnen gaan als hij niet zo overduidelijk van duur leer was gemaakt. Ze viste haar portefeuille eruit en sloeg hem open voor hem.
Een heel fotogeniek meisje van een jaar of vijf, met blond haar dat alle kanten op vloog, vastgelegd terwijl ze door de lucht zoefde op een schommel, op een speelplaats ergens op het platteland, misschien. Een gezichtje met sproeten, knokige knieën en een lieve glimlach.
'Ze is schattig,' zei hij, en hij meende het.
'Dank je. Ik vergeet het soms.' Op dezelfde toon van ouderlijke vermoeidheid als hij. 'Jouw dochter lijkt me ook een schatje, afgaand op wat ik kon zien.'
'Een engel,' zei hij, maar hij had onmiddellijk spijt van die woordkeuze.
De conducteur vroeg om hun kaartjes. Charles kwam in de verleiding hem te vragen of hij zich de vrouw nu wel kon herinneren. Hij deed in elk geval al het mogelijke om af en toe een stiekeme blik op haar benen te werpen.
'Hier,' zei ze tegen Charles toen de conducteur erin was geslaagd zijn blik los te rukken en verder te lopen. Ze had een briefje van één dollar in zijn hand gestopt.
'Ik dacht dat ik je rente schuldig was,' zei hij.
'Ik zal je matsen. Dit keer, tenminste.'
'Ik kan me niet herinneren dat je de vorige keer een bril droeg,' zei hij.
'Ik krijg binnenkort nieuwe contactlenzen,' zei ze.
'O. Hij staat je prachtig, trouwens.'

'Vind je?'
'Ja.'
'Niet te serieus voor jou?'
'Ik hou wel van serieus.'
'Waarom?'
'Waarom ik van serieus hou?'
'Ja, Charles. Waarom hou je van serieus?'
'Serieus... ik weet het niet.'
Ze glimlachte. 'Je bent nogal een grapjas, of niet?'
'Ik doe mijn best.'
Ze passeerden Rockville Centre en de bioscoop waar hij vaak met Deanna naartoe ging was duidelijk zichtbaar vanuit de treinwagon. En één bizar moment lang had hij het gevoel dat hij naar zijn oude leven keek, daarbuiten. Dat hij stevig weggestopt zat in deze nieuwe werkelijkheid van hem, knus als een mus in 'Charlesville'. Lucinda en hij, met zijn tweetjes, pas getrouwd en op weg naar hun werk. Nog steeds babbelend over hun recente huwelijksreis – waar waren ze eigenlijk precies naartoe geweest? Kaui. Ja, twee weken in het chique Hilton-hotel op Kaui. En ze overwogen ook al om kinderen te krijgen, want ze werden er immers niet jonger op, toch? Een jongen en een meisje, hadden ze besloten, hoewel het er niet echt toe deed. Zolang ze maar gezond waren, uiteraard...
'Drukke dag vandaag?' vroeg ze hem.
'Druk? Ja, best wel.' Druk met het afweren van ontevreden cliënten die zijn kop wilden zien rollen en bazen die hem wilden verraden. En heel even had hij zin om haar precies te vertellen wat er op zijn werk allemaal was gebeurd en een lekker zacht plekje op haar schouder te vinden om op uit te huilen.
'Ik ook.'
'Wát?'
'Het wordt voor mij ook een drukke dag.'
'Ik stel me zo voor dat je tegenwoordig heel wat boze telefoontjes krijgt.'
'Nou ja, als je bedreigingen met de dood "boze telefoontjes" wilt noemen.'
Charles glimlachte. 'Jij bent ook nogal een grapjas.'
'Vind je?'
'Ja. Je cliënten waren vast dol op je tijdens de vette jaren.'
'Dat had je gedroomd. Toen kon je nooit genoeg geld voor hen verdienen. Ze hadden allemaal wel een neef of een zwager of een grootmoeder wiens aandelen uiteindelijk vierenzestig keer meer waard werden. Waarom verkocht ik hun niet van zulke aandelen?'
'Nou, geef het maar toe. Het was een kwestie van blindelings een dartpijltje gooien.'

‘Inderdaad. Maar nu worden ze naar míj gegooid.’
Hij meende een heel licht accent te horen. Maar wat voor accent?
‘Ben je in New York geboren?’ vroeg hij.
‘Nee, in Texas. Ik was een soldatenblaag,’ zei ze. ‘Ik ben overal en nergens opgegroeid.’
‘Dat kan niet gemakkelijk geweest zijn.’ De gebruikelijke banaliteit waarmee men moest reageren op een dergelijke opmerking, dacht hij.
‘Ach ja, zo’n beetje elk halfjaar was je beste vriendin iemand anders. Aan de andere kant was het ook wel weer tof, want als je wilde, kon je zelf ook iemand anders worden. Als je er een bende van had gemaakt in Amarillo, was er in Sarasota niemand die dat wist. Dan kon je weer met een schone lei beginnen.’
‘Daar zie ik het voordeel wel van in,’ zei Charles. De man tegenover hen deed alsof hij zijn krant zat te lezen, maar in werkelijkheid was hij precies hetzelfde aan het doen als de conducteur een tijdje geleden: elke kans aangrijpen om naar Lucinda’s dijen te staren. Charles voelde zich enigszins trots dat ze bij hem hoorde, al was het dan maar tijdens die rit van drie kwartier naar Penn Station.
‘Gebeurde dat vaak?’ vroeg Charles.
‘Wat?’
‘Dat je er een bende van maakte.’
‘Een of twee keer,’ zei ze. ‘Ik kwam in opstand tegen het gezag.’
‘Noemde jij dat zo?’
‘Nee. Zo noemden zíj het. Ik noemde het high worden.’
‘Wie is “zij”? Je ouders?’
‘Ja. En de legerpsychiaters waar ze me naartoe stuurden.’
‘Hoe was dat?’
‘Heb je ooit een legerpsychiater ontmoet?’
‘Generaal Onbekwaam? Majoor Nalatigheid? Nee.’
Ze lachte. ‘Zie je, ik zei toch dat je een grapjas was,’ zei ze.
Ja, om je een kriek te lachen. ‘Misschien wil je even mijn cliënten bellen en dat aan hen vertellen.’
‘Geen probleem. Hoe gaat het eigenlijk op je werk?’
‘Prima.’
‘Wat zei je ook alweer dat je deed? Iets met reclame?’
‘Ja. Reclame.’
‘En? Hoe staat het tegenwoordig met de reclamebusiness?’
‘We kennen goede en slechte dagen.’
‘En...?’
‘En wat?’

'Zijn dit de slechte dagen?'
'Ach, er is niemand die dreigt me te vermoorden.' Nee, ze wilden hem alleen maar wegstoppen in een vergeten hoekje.
'Kom op, ik klaag over mijn werk, dus jij moet ook over je werk klagen. Eerlijk is eerlijk...'
En ach, wat maakte het ook uit. Hij vertelde het haar.
In eerste instantie was hij niet van plan veel meer te onthullen dan het feit dat hij wat problemen had gehad met een cliënt, maar toen hij eenmaal begon te praten, merkte hij dat hij feitelijk niet meer bij machte was om op te houden. Hij hoorde zichzelf alle details over de Sturm-und-Drang op zijn kantoor eruit gooien en verbaasde zich oprecht over zijn complete gebrek aan zelfbeheersing. Ellen Weischler, die had zitten koken van woede. Eliot, die hem een dolkstoot in de rug had gegeven. Hoe oneerlijk het allemaal was.
Ze had hem natuurlijk op elk gewenst moment kunnen onderbreken. Ze had 'Genoeg' kunnen zeggen of 'Weet je zeker dat je me dit allemaal wilt vertellen?' Ze had hem zelfs kunnen uitlachen.
Ze deed echter niets van dat alles. Ze luisterde. En toen hij uitgepraat was, zei ze: 'En dan zeggen ze dat effectenmakelaars rotzakken zijn.'
'Ik weet niet waarom ik je dat allemaal heb verteld,' zei hij. 'Het spijt me.'
Hoewel het hem in werkelijkheid helemaal niet speet. Hij voelde zich gegeneerd, dat wel. Maar tegelijkertijd gelouterd. Alsof hij eindelijk die maaltijd van gisteren die verkeerd was gevallen had uitgespuugd en weer aan tafel kon gaan.
En toen ging ze een stap verder dan alleen maar naar hem luisteren. Ze stak haar hand uit en wreef over zijn rechterschouder. Het was een zacht, sussend klopje, een vriendschappelijk gebaar, een bemoedigend, zusterlijk kneepje.
'Arme schat,' zei ze.
En Charles dacht onwillekeurig dat bepaalde clichés uit louter jaloezie gebagatelliseerd werden. Haar aanraking zond een schok door zijn lichaam, bijvoorbeeld. Een cliché dat werd afgedaan als pure kletspraat door mensen die het jammer genoeg nooit zelf hadden meegemaakt. De meerderheid, dus, meestal. Want, nou ja, haar aanraking zond werkelijk een schok door zijn lichaam; alles aan hem zoemde opeens als een van die elektriciteitsdraden die ze boven de droge vlakten van Kansas hadden opgehangen.
Ze schoten de East River Tunnel in – de liefdestunnel, dacht hij – en heel even was hij bang dat hij zich naar haar over zou buigen en iets stoms zou doen. Dat hij vanwege die stomme actie uiteindelijk op het perron van Penn Station in boeien afgevoerd zou worden.

Toen gebeurde er iets.
Het werd pikdonker in de trein toen de lichten uitgingen, zoals altijd wanneer de trein zich een weg baande onder de East River. Hij had het gevoel dat hij in een donkere bioscoop zat te wachten op die lichtgloed die hem zou komen redden. Of totdat iets anders hem zou komen redden; hij kon haar ruiken, daar in de duisternis. Seringen en muskus.
En toen voelde hij haar adem vlak bij zijn oor, zacht en vochtig. Haar mond was zo dichtbij dat hij haar had kunnen kussen toen ze iets in zijn oor fluisterde.
Toen knipperden de lampen aan, toen weer even uit, om uiteindelijk weer hun felle, gestage, spookachtige licht uit te zenden.
Feitelijk was er niets veranderd.
De hardnekkige voyeur die recht tegenover hen zat, zat nog steeds stiekem naar Lucinda's dijen te kijken. De vrouw met de spataderen op haar benen aan de andere kant van het gangpad zat te dommelen. Daar zat de bankier met het magere gezicht, de student die over zijn tekstboek gebogen zat, de rechtbankstenograaf die angstvallig haar Teletype bewaakte.
Ook Lucinda zag er niet anders uit dan voorheen; ze keek recht voor zich uit, net als alle andere passagiers.
Richtte ze haar aandacht niet weer op haar krant om de Amex en de Nasdaq en de overzeese beursindexen en staatsobligaties te controleren?
Hij wachtte even af of ze naar hem zou kijken en het gesprek met hem zou voortzetten, waarna hij uit het raam keek, op het moment waarop ze een enorm reclamebord passeerden waarop stond: EVEN HELEMAAL EROPUIT OP DE MAAGDENEILANDEN.
Toen de trein tot stilstand kwam op Penn Station, vroeg hij haar of ze een keer samen konden gaan lunchen.
'Jij bent de meest sexy man die ik ooit heb ontmoet.'
Dat was wat Lucinda hem in de trein had toegefluisterd.

Ontspoord 7

'Oké,' zei Winston, 'oké. Zeven spelers die minimaal veertig homeruns hebben geslagen met een achternaam van elf letters.'
'Yastrzemski,' antwoordde Charles, die onmiddellijk ging voor de plaatselijke boerenjongen die het gemaakt had, de ster van de Boston Red Sox, die was opgegroeid op een aardappelboerderij op Long Island.
'Oké,' zei Winston. 'Dat is één.'
Winston Boyko. Postkamermedewerker. Honkbalfan. Algemeen verteller. Hij kwam regelmatig Charles' kantoor binnen, sinds de dag waarop hij Charles in zijn verbleekte T-shirt van de Yankees had gezien.
Charles had hem die eerste keer gevraagd of hij soms iets nodig had, en hij had gezegd: 'Ja, de slagvolgorde van de Yankees in 1978, inclusief *designated hitter.*'
Charles had ze allemaal goed, met uitzondering van Jim Spencer – eerste honkman – en daarmee was er min of meer een vriendschap ontstaan. Of iets wat erop leek.
Charles zou je niet kunnen vertellen waar Winston woonde of wat zijn doopnamen waren of zelfs of hij een vriendin of een vrouw had. Het was het soort vriendschap waarbij je alleen praat over honkbalfeitjes, een relatie die onderhouden werd tijdens die dagelijkse tien minuten wanneer Winston de post bezorgde: twee keer per dag. Eén keer 's morgens en één keer 's middags.
Op het moment was het ochtend en stond Winston te grijnzen omdat Charles geen andere namen kon bedenken om de grote Yaz gezelschap te houden.
'Killebrew.'
'Sorry, negen letters.'
'Petrocelli.'
'Goeie gok, slechts tien.'
'Als je me nu eens tot vanmiddag de tijd geeft?' vroeg Charles.
'Zodat je het op internet kunt opzoeken om vervolgens te doen alsof je dat niet hebt gedaan, bedoel je?'
'Inderdaad.'
'Oké,' zei Winston. 'Prima.'
Winston was geen doorsneepostkamermedewerker. Om te beginnen was hij blank, en verder was hij meer dan intelligent genoeg om kopij te kunnen schrijven.

Charles had zich meer dan eens afgevraagd hoe het kwam dat hij nu de post rondbracht op een kantoor, maar hij had het hem nooit gevraagd. Zo'n soort vriendschap hadden ze niet.
Aan de andere kant wist je dat maar nooit. Stond Winston hem nu niet aan te kijken met een vleugje oprechte bezorgdheid?
'Gaat het wel, chef?' vroeg hij hem.
'Ja hoor. Niets aan de hand.'
Alleen was er wel iets aan de hand. Hij had een nieuwe cliënt – een aspirinefabrikant – gekregen van Eliot, zijn baas en verrader. En nog schriftelijk ook: *Totdat we iets beters kunnen krijgen*, had hij onder aan de pagina geschreven. Maar wanneer zou dát dan gebeuren?
En hij dacht aan wat hij vandaag tijdens de lunch zou gaan doen. Met wie hij zou gaan lunchen. De vrouw met de glanzende ogen.
En Charles dacht: ik heb Deanna nog nooit bedrogen.
Niet één keer.
Niet dat hij niet af en toe in de verleiding was gekomen. Ernstig in de verleiding, soms zelfs zo erg dat hij letterlijk fysieke symptomen ervoer die veel weg hadden van de waarschuwingssignalen van een hartaanval: licht zweten, een doffe pijn op de borst, lichte misselijkheid. Als hij echter overwoog verder te gaan, ervoer hij precies dezelfde symptomen.
Alleen erger.
Het probleem was dat hij ongeveer op dezelfde manier tegen ontrouw aankeek als Deanna, vermoedelijk: niet als een slippertje, maar als verraad. En verraad was het soort woord dat hij associeerde met Benedict Arnold, die tijdens de Amerikaanse onafhankelijkheidsoorlog opeens de kant van de Britten koos, en het Black Sox-schandaal, over de acht spelers van de Chicago White Sox die er in 1919 van beschuldigd werden dat ze met opzet de World Series hadden verloren. Het soort actie waarvoor je verbannen of geëxecuteerd kon worden. Bovendien wist hij zeker dat hij van zijn vrouw hield. Dat hij in elk geval hield van haar constante, onveranderlijke aanwezigheid.
Maar dat was voordat het leven hém verraden had. Voordat hij begon te dromen over een leven in een Charles-vriendelijker werkelijkheid.
'Je ziet er nogal ziek uit,' zei Winston. 'Ik ben bang dat het misschien wel besmettelijk is.'
'Dat is het niet.' Je kon wat hij had toch niet zomaar oplopen?
'Dat zei Dick Lembergh ook.'
'Dick Lembergh? Wie is dat?'
'Niemand. Nu niet meer, tenminste. Hij is dood.'
'Dank je. Dat is een hele troost,' zei Charles.

‘Ik zal je een hint geven,’ zei Winston.
‘Een hint?’
‘Over de andere zes spelers. Drie van hen speelden in de American League.’
‘Waarom zeg je niet dat drie van hen in de National League speelden?’
‘Hé, jij bent goed, man!’
Winston had misschien niet het verstand van een arbeider, maar wel het lichaam. Dat wil zeggen, hij zag eruit alsof hij je zo in elkaar kon slaan als hij daar zin in had. Hij had een tatoeage op zijn bovenarm: AB stond er.
‘Een fout die ik ooit heb gemaakt,’ had hij een keer tegen Charles gezegd.
‘Wat, die tatoeage laten zetten?’
‘Nee, joh. Iets beginnen met dat meisje, Amanda Barnes. De tatoeage vind ik mooi.’
‘O, trouwens,’ zei hij nu terwijl hij rechtop ging staan en aanstalten maakte weg te gaan, ‘ik ben er niet honderd procent zeker van of het nu ging om zeven spelers met een achternaam van elf letters of elf spelers met een achternaam van zeven letters. Ik heb deze om twee uur ’s nachts gehoord van een gozer in het café, dus Joost mag het weten.’

Ze ontmoetten elkaar in een Italiaans restaurant op de hoek van 56th en 7th, waar Frank Sinatra naar verluidt af en toe had gegeten.
Lucinda was gekleed op succes – als succes inhield: Charles’ ogen doen tranen van aanbidding en opwinding. Een zijden blouse met V-hals die niet hing, plooide of bedekte, maar klééfde.
Natuurlijk kon het zijn dat hij gewoon last had van zenuwen. Het was net zoiets als lunchen met een leverancier, waarbij geen van beide partijen precies wist wat de ander wilde.
Dus stelde Charles haar een vraag die ieder willekeurig mens aan een bevriende zakenrelatie zou kunnen stellen. Wat haar man deed.
‘Golf spelen,’ zei Lucinda met de mooie ogen.
‘Is dat zijn werk?’
‘Ik hoop van niet.’
‘Hoe lang zijn jullie al...?’
‘Getrouwd? Zo lang dat ik er even over moet nadenken. En jij?’
‘Achttien jaar,’ zei Charles. Hij hoefde er niet over na te denken, wilde er ook niet bepaald over nadenken. Maar was het feit dat ze praatten over hun respectieve echtgenoten niet een teken dat hier niets onbetamelijks gaande was, dat het in feite allemaal heel onschuldig was?
‘Achttien jaar geleden zat ik nog maar net op de middelbare school,’ zei Lucinda.
Hij vroeg zich al een tijdje af hoe oud ze was; rond de dertig, vermoedde hij.

'En,' vroeg Lucinda hem, 'nog nieuw verraad te melden?'
'Nou, ik heb een nieuw project.'
'O?'
'Een aspirientje. Aanbevolen door twee op de drie artsen.'
'Geweldig.'
'Alleen bevelen doktoren geen aspirine meer aan. Maar als ze dat wel deden...'
'En wat ga je nu...?'
'Ik weet het niet. Je zou er hoofdpijn van krijgen, van al dat gepieker.'
Lucinda lachte. Lucinda had smalle polsen en taps toelopende vingers, die ze gebruikte om haar dikke, donkere haar uit haar ogen te vegen – uit haar ene oog, feitelijk. Hij moest denken aan Veronica Lake in *This gun for hire.*
'Hoe ben jij verzeild geraakt in...?'
'De reclamewereld? Niemand weet hoe hij verzeild is geraakt in de reclamewereld. Het is een mysterie. Plotseling zit je er gewoon middenin.'
'Een beetje zoals het huwelijk, vind je niet?'
'Het huwelijk? Ik volg je niet.'
'Nou, geloof het of niet, maar ik kan me niet herinneren dat ik ooit wilde trouwen. Ik kan me niet eens herinneren dat ik ja heb gezegd. Maar dat moet haast wel.'
Ze draaide aan haar ring met diamant alsof ze zichzelf ervan wilde vergewissen dat hij er werkelijk was, dat ze werkelijk getrouwd was. Misschien kwam het door Charles' charme dat ze het vergat?
'Je man. Heb je hem in Texas ontmoet?' vroeg Charles.
'Nee. In Texas rookte ik wiet en hing ik rond op achterbanken.'
'O ja, dat was ik vergeten: jij was een jeugdcrimineeltje.'
'In Amarillo noemen ze het een "puinschopper". En Charles in zijn tienerjaren? Wat was hij voor iemand?'
'O. Ik was een rommelschopper, zou je kunnen zeggen.' De tiener Charles las veel boeken en leverde elke huiswerkopdracht en elk trimesterwerkstuk op tijd in.
'O, op die manier. Dus jij was het soort jongen dat wij altijd uitlachten.'
'Inderdaad. Dat was ik.'

Charles zat nog na te genieten van de lunch.
Helaas zat hij ook te staren naar een dossiermap met CLIËNTGEGEVENS op de voorkant.
Het probleem met een cliënt die aspirines fabriceerde, was dat het niet het soort klant was dat je graag wilde accepteren. Pijnstillers, afwasmiddelen, deodorant. Dat waren wegwijzers naar een soort Siberië van de reclamewe-

reld. 'Neerwaartse spiralen: deze kant op.' Ze bestonden in een oord waarin niemand echt opmerkte wat je deed, behalve de cliënten zelf. En ze dwongen je de ene na de andere test uit te voeren, hoewel er een goede kans bestond dat je uiteindelijk toch op een spotje zou uitkomen met een huisvrouw die het product voor de camera hield en je vertelde hoe het haar leven had veranderd.

Hij kreeg niet alleen de cliënt op zijn bordje, maar ook een commercial die al halverwege het preproductieproces leek te zijn. Dat wil zeggen dat hij al een eerste, een tweede en een derde keer getest was en vervolgens naar drie productiebedrijven was gestuurd voor offertes. Een van hen – Headquarters Productions, zag Charles – was aanbevolen door het bureau. Hij kende hun vertegenwoordiger: Tom Mooney, oude school en irritant, een man van schoonmaakmiddelen en filmhaspels.

De contactpersoon voor deze cliënt, Mary Widger, had hem het storyboard gestuurd, zodat hij ernaar kon kijken. Het bleek niet te gaan over een huisvrouw die de pijnstiller omhooghield voor de camera en de rest van de wereld vertelde hoe het haar leven had veranderd. Het ging over een huisvrouw die de pijnstiller omhooghield voor de camera en haar man vertelde hoe het haar leven had veranderd.

Hij belde David Frankel, een interne producer met wie hij nog nooit eerder had samengewerkt, aangezien David aan het soort commercials werkte waarmee hij zich van nu af aan zou gaan bezighouden, maar tot nu toe nooit mee te maken had gehad.

'Ja,' zei Frankel toen hij de telefoon opnam. 'Met wie spreek ik?'

'Charles Schine.'

'O. Charles Schine.'

'Ik geloof dat we gaan samenwerken.'

'Het werd tijd,' zei David. Charles vroeg zich af of hij dat vriendelijk bedoelde of gewoonweg zijn tevredenheid uitdrukte over het feit dat Charles was gedegradeerd naar het land van de pijnstillende middelen.

Hij koos voor vriendelijkheid.

Het was de taak van de interne producent om offertes aan te vragen voor de opnamen, de financiën tot ieders tevredenheid rond te breien en vervolgens met je mee te gaan om de commercial op te nemen.

'Deze klus lijkt me nogal duur,' zei Charles. Hij verwees naar de offerteprijs die in potlood onder aan de pagina stond en die al ter goedkeuring was doorgespeeld naar de cliënt, met daarbij opgeteld een bedrag voor het monteren, de muziek en alle andere postproductiekosten. Plus de provisie voor het bureau.

Negenhonderdvijfentwintigduizend dollar voor twee dagen filmen.

'Dat betalen ze altijd,' zei David.
'Oké. Het leek me alleen een beetje aan de hoge kant voor twee acteurs en een potje aspirines.'
'Nou, dat is nu eenmaal de prijs,' zei hij kortaf.
'Prima.' Het was immers ook niet zo dat Charles zich bezig hoorde te houden met de financiële kant, behalve als de cliënt zelf zich er zorgen over maakte. En volgens David was dat niet het geval.
Maar hij vond het wel aan de hoge kant.
'Laten we volgende week even om de tafel gaan zitten en alles doornemen,' zei Charles.
'Ik zal de minuten aftellen,' zei David.
Charles besloot dat David het waarschijnlijk toch niet vriendelijk bedoeld had.

Hun tweede lunchafspraakje was nog steeds eerder een lunch dan een afspraakje. Het draaide nog steeds gewoon om twee mensen die elkaar interessant vonden, maar wisten dat ze niet beschikbaar waren.
Toen het dessert werd gebracht – twee *biscotti*'s met cappuccino – zei ze: 'Je hebt het nooit over je dochter. Wat is zij voor iemand?'
'Een normaal kind,' zei Charles.
'Een normaal kind?'
'Ja. Een normaal kind.'
'Verder niets? Tjonge, ik heb wel eens eerder dweperige ouders horen praten, maar...'
'Onbeschoft. Humeurig. Schaamt zich over het algemeen voor haar vader. Normaal, dus.'
Natuurlijk had hij haar niet verteld waarom zijn dochter zo vaak onbeschoft en humeurig was.
Maar ze keek hem aan met een gezichtsuitdrukking die er nogal verwijtend uitzag, dus vertelde hij het toch maar.
'Ze is ziek.'
'O.'
'Juveniele diabetes. En nee, het is niet zo dat alles goed gaat zolang je maar insuline gebruikt. In dit geval niet.'
'Wat vreselijk,' zei ze.
'Vind ik ook.'
Lucinda kon ontzettend goed luisteren.
Dat besefte hij toen hij al ongeveer tien minuten bezig was aan een grotendeels ononderbroken monoloog over hoe vreselijk hij het eigenlijk vond. Hoe hij en Deanna acht jaar geleden dit gewone meisje naar de eerstehulp-

afdeling hadden gebracht en met een ander kind weer naar huis waren gegaan. Een kind dat hij twee keer per dag een injectie moest geven en scherp in de gaten moest houden, anders zou haar bloedsuiker wellicht zo snel dalen, dat ze in een hypoglykemische shocktoestand zou raken. Een kind voor wie hij speciale insuline moest gaan halen, gemaakt van varkenscellen, omdat dat het enige was waar ze goed op reageerde, maar wiens algehele gezondheidstoestand desondanks in een vrije val was geraakt. Zo'n kind.
Zijn kind.
Ze luisterde vol medeleven en bezorgdheid. Ze schudde haar hoofd, ze zuchtte, ze stelde hem beleefd vragen wanneer ze iets niet begreep. 'Varkensinsuline... Waarom varkensinsuline?'
Hij gaf haar zo goed mogelijk antwoord en toen hij eindelijk klaar was met zijn ziel op tafel gooien, weerstond ze de verleiding ook maar één debiele gemeenplaats uit te spreken. Dat waardeerde hij.
'Ik snap niet hoe je het doet,' zei ze, 'werkelijk waar. Hoe gaat Anna ermee om?'
'Prima. Ze laat zichzelf inhuren als menselijk speldenkussen.'
Een van de manieren waarop hijzelf probeerde ermee om te gaan, was natuurlijk deze manier. Stomme grapjes, flauwe woordspelingen, lachen om de rampspoed.
'Hoe is dat voor jou?' vroeg Lucinda nadat hij had gezegd dat hij Anna nogal eens moest 'prikkelen' om haar varkensinsuline op tijd te nemen.
'Hoe is wat voor mij?' vroeg Charles. Alsof hij niet begreep wat ze bedoelde.
'Niets,' zei Lucinda. 'Laat maar.'

Waar praat je over als je niet over de toekomst kunt praten?
Dan praat je over het verleden.
Zinnen beginnen met 'Weet je nog toen...' of 'Ik kwam vandaag langs Anna's oude crèche...' of 'Ik moest denken aan die vakantie in Vermont...'
Nadat hij en Deanna tijdens het avondeten hadden gemijmerd over het skihutje zonder verwarming in Stowe waar Anna's melkflesje helemaal was bevroren, nadat ze uitgegeten waren en de borden hadden opgestapeld en Charles naar boven was gegaan om Anna's voeten, die ze slechts met tegenzin aan hem liet zien, te controleren, kropen ze allebei in bed met de televisie aan.
Toen lag haar hand op de een of andere manier opeens op de zijne. Zijn been schoof tegen het hare aan. Het leek wel alsof hun ledematen zelf het initiatief namen, alsof hun lichamen eindelijk zeiden: 'Nu is het genoeg geweest. Ik heb het koud. Ik ben eenzaam.'
Charles stond op en deed de deur op slot. Geen woord over wat ze aan het

doen waren. Hij glipte weer terug in bed en nam haar in zijn armen. Zijn hart bonkte tegen zijn ribben toen hij haar kuste en bedacht dat hij dit oprecht gemist had.
Alleen, halverwege hun poging om weer minnaars te worden, werden ze opeens vreemden. Het was vreemd, hoe dat gebeurde. Toen hij boven op haar ging liggen en bij haar binnen wilde, terwijl zijn mond zocht naar de hare, sloop er opeens iets onhandigs in hun bewegingen. Ze waren net twee puzzelstukjes die met geen mogelijkheid in elkaar te passen waren: hoe je ze ook wendde of keerde, ze pasten maar niet. Ze duwde tegen zijn borst, hij viel uit haar, hij probeerde haar te kussen, maar ze draaide haar hoofd de verkeerde kant op. Ze glimlachte bemoedigend, hij drong weer bij haar binnen, ze verstijfde, hij slonk en trok zich terug.
Ze maakten zich langzaam los uit elkaars armen en gingen aan weerszijden van het bed liggen. Ze zeiden geen van beiden welterusten.

Ontspoord 8

Hoe was lunch opeens veranderd in het cocktailuurtje?
Hoe waren tonijn niçoise en biscotti's opeens veranderd in cosmopolitans en zoute nootjes?
Lunchen was immers iets wat je deed met een kennis. Iets gaan drinken was iets wat je deed met een goede vriend of vriendin. Voor de lunch moest hij een telefoontje plegen met Lucinda, maar voor een drankje moest hij een telefoontje plegen met Deanna. Uitleggen waarom hij later thuis zou zijn. Daarvoor moest hij liegen.
En hij was al even slecht in liegen als in grapjes maken.
Maar oefening baart kunst.
'Ik moet vanavond overwerken,' zei hij aan de telefoon tegen Deanna op de middag voor hun eerste avondafspraakje.
'Ik moet al weer overwerken,' zei hij de keer erna.
En de keer daarna.
Hij werd zich langzaam bewust van het feit dat zijn leven veranderde. Dat hij het grootste deel van de tijd min of meer zat te wachten op de volgende keer dat hij Lucinda zou zien.
De Temple Bar.
Keats.
Houlihan's. Waar ze eindelijk allebei moesten erkennen waartoe dit zou leiden.
Misschien kwam het door de alcohol. Hij had besloten zijn gebruikelijke cabernet te laten varen en had in plaats daarvan gekozen voor een margarita. Of twee. In een café waar ze niet zuinig waren met de tequila.
Tegen de tijd dat hij aan zijn tweede drankje toe was, begon hij dingen te zien. Of juist niet te zien. Zo leken andere cafégangers te zijn verdwenen, zodat alleen Lucinda nog over was.
'Ik geloof dat je me dronken probeert te voeren,' zei ze.
'Nee. Ik probeer je nog érger dronken te voeren.'
'O ja. Dat was ik vergeten. Ik ben al zat.'
'Je ziet er prachtig uit als je zat bent,' zei hij.
'Dat komt doordat jij ook zat bent.'
'O ja.'
Ze zag er inderdaad prachtig uit – dat had niets te maken met zijn glazige ogen. Vanavond was ze gekleed in een belachelijk kort en onmogelijk nauw-

sluitend gevalletje, dat superstrak om haar glanzende nylon panty gespannen zat.
'Wat heb je tegen je vrouw gezegd?' vroeg ze.
'Ik heb tegen haar gezegd dat ik iets ging drinken met een mooie vrouw die ik op de trein naar mijn werk heb ontmoet.'
'Ha,' zei ze.
'Wat heb jij tegen je man gezegd?'
'Hetzelfde. Dat ik iets ging drinken met een mooie vrouw die ik op de trein naar mijn werk heb ontmoet.' Ze lachte en hield haar roze cosmopolitan een eindje van zich af, zodat ze het drankje niet op haar kleren zou morsen. Haar man. Onverstoorbaar, betrouwbaar, bijna twintig jaar ouder dan zij, en afschuwelijk saai, had ze tegen hem geklaagd. Zijn enige passie tegenwoordig was golf.
'Weet je...' zei hij. 'Weet je...'
'Wat?'
'Ik weet het niet meer.' Hij wilde iets gaan zeggen waarvan hij vaag het gevoel had dat hij er later spijt van zou krijgen, maar hij was het vergeten zodra ze zich omdraaide om hem aan te kijken met die zachtgroene ogen. Als jaloezie het monster met de groene ogen was, wat was liefde dan? De engel met de groene ogen?
'Waar zijn we mee bezig, Charles?' zei ze. Ze keek opeens nogal ernstig. Misschien stond zij ook op het punt iets te zeggen waar ze spijt van zou krijgen.
'We zijn samen iets aan het drinken.'
'Maar wat gaan we doen als we iets gedronken hebben?'
'Nog iets drinken?'
'En daarna?'
Hij probeerde een mogelijk antwoord op die vraag te bedenken, maar plotseling was er wél iemand anders in het café en waren ze niet langer de enige twee mensen ter wereld. Een man van moeilijk te bepalen leeftijd had zich tussen hen in gedrongen om de aandacht van de bartender te trekken.
Alleen richtte hij zijn aandacht al snel op iets anders, zodra hij een blik had geworpen op Lucinda's benen.
'Mag ik je iets te drinken aanbieden?' vroeg hij haar.
'Nee,' zei ze en toonde hem de *cosmo* die ze nog in haar hand had.
'Oké. Mag ik je dan het café aanbieden?'
'Natuurlijk, ga je gang.'
'Pardon,' zei Charles; de man stond bijna boven op zijn schoenen.
'Jou wil ik niets te drinken aanbieden, hoor,' zei de man.
'Dat is grappig, echt waar. Maar ik was met deze vrouw hier aan het praten.'

'Ik ook.'
Charles wist niet zeker of de man nu probeerde grappig te zijn of gewoon zichzelf was, en of hij in dat geval gewoon onbeschoft of ronduit moorddadig was. Je kon niet weten, tegenwoordig.
'Nou, weet je, hij was inderdaad met mij aan het praten,' zei Lucinda tegen de man. 'Dus...'
'Dus is een mus met een klus in de bus.'
'Oké, dan gaan wíj wel weg,' zei ze.
'O, blijf alsjeblieft,' zei hij.
'Pardon,' zei Lucinda terwijl ze opstond van haar barkruk en zich langs hem heen probeerde te wurmen.
'Heb ik iets verkeerds gezegd?'
'Pardon!'
'Geweldig. Dat kutwijf gaat ervandoor,' zei hij.
Charles sloeg hem.
Voorzover hij wist, had hij nog nooit eerder iemand geslagen; het verraste hem dat iemand slaan net zoveel pijn deed als zelf geslagen worden. Het verraste hem ook dat de man zomaar tegen de grond ging en echt bloed op zijn lippen had.
'Hij zei iets heel onbeschofts tegen me,' legde Lucinda uit aan verschillende obers die opeens tevoorschijn kwamen en tussen hen in gingen staan.
Een man met een rood aangelopen gezicht kwam haastig vanuit het schimmenrijk van het restaurant aangelopen – de manager, vermoedde Charles.
'Misschien kunnen jullie beter allemaal weggaan,' zei hij nadat hij had vastgesteld wat er was voorgevallen. Dat was niet moeilijk: de man die Charles tegen de vlakte had geslagen, was nog overeind aan het komen en Charles stond nog steeds over de hand te wrijven waarmee hij de man had gestompt.
'Oké,' zei Charles, 'waarom ook niet.'
Hij haalde Lucinda's jas uit de garderobe en was zich ervan bewust dat alle ogen op hem gericht waren, maar de enige ogen die hem iets konden schelen, waren groen en wijd opengesperd van dankbaarheid.
Nou, niet dan? Had hij niet zojuist de bullebak op zijn nummer gezet, het meisje gered en haar eer verdedigd?
Het waaide behoorlijk buiten en het was koud genoeg om zijn adem te laten dampen.
'Zullen we een taxi nemen naar Penn?' vroeg ze. Haar ogen begonnen te tranen door de kou; of was ze geëmotioneerd door wat er gebeurd was? Door zijn vertoon van moed?
'Vergeet de trein,' zei hij. 'Ik bel wel een taxi. Ik zorg voor een taxi en dan zet ik je thuis af.'

'Zeker weten?'
'Ja.'
'Misschien is dat niet zo'n goed idee.'
'Hoezo?'
'Ik weet het niet. Straks ziet iemand ons.' De eerste openlijke erkenning dat wat ze deden ongeoorloofd was.
'In de trein kan iemand ons ook zien.'
'Ja, maar dat is de trein. Daar zitten allemaal mensen die elkaar niet kennen. Dat is anders.'
'Oké. Je zegt het maar.' Zijn hand lag op haar arm; hij besefte niet dat hij hem daar had neergelegd, maar dat had hij kennelijk wel gedaan, en hij voelde de warmte van haar lichaam onder haar jas. Als koorts onder de kilte.
'Ik denk gewoon niet dat het een goed idee is om een taxi te nemen.'
'Oké.'
'Anders doe ik misschien iets wat ik beter niet kan doen.'
'Buiten westen raken, bijvoorbeeld?' Hij probeerde weer grappig te zijn – met de nadruk op 'probeerde' – maar misschien was dit niet het juiste moment om grapjes te maken, want hij zou kunnen zweren dat ze tegen hem aan leunde, dat ze op de een of andere manier dichterbij was gekomen dan ze voorheen was geweest.
'Jou opeten, bijvoorbeeld,' zei ze.
'Nu weet ik het zeker,' zei hij. 'Ik ga een taxi bellen.'
Ze kuste hem.
Maar het woord 'kussen' was niet helemaal juist. Het was niet zozeer kussen als wel mond-op-mondbeademing, want hij had het gevoel dat hij weer tot leven werd gewekt.
Toen ze zich weer van elkaar losmaakten, en dat deden ze voor hun gevoel pas na een dag of anderhalf, snakten ze allebei naar adem alsof ze zojuist vanuit de zee op het strand waren aangespoeld.
'Oh-oh,' zei ze.
Dat vond hij nu ook. Of misschien alleen 'oh'. Een uitroep van verwondering en ongebreidelde vreugde – oké, niet volkomen ongebreideld, aangezien er wel ergens wat complicaties op de loer lagen.
Maar die complicaties – die namen en gezichten hadden en die rechtmatig aanspraak konden maken op zijn liefde en loyaliteit – leken plotseling te vervagen, net als de cafégangers een tijdje geleden, en te verdwijnen in een ondergeschikte realiteit.

Tijdens de taxirit naar huis nestelden ze zich op de achterbank dicht tegen elkaar aan, hoewel 'nestelen' een woord was dat je boven een bepaalde leeftijd niet meer geacht werd te gebruiken. Het voelde tegelijkertijd heerlijk vertrouwd en kwellend nieuw aan.

Ze kusten elkaar ook weer. En hij kuste niet alleen haar lippen, maar ook verschillende andere delen van haar lichaam: haar nek, het vage litteken op de binnenkant van haar arm ('Een ongelukje op een speelplaats'), haar donkere, donsachtige wenkbrauwen. Met één oog op de chauffeur gericht, die af en toe een blik op zijn achteruitkijkspiegel wierp, en het andere op elkaar, en hij moest zeggen dat 'elkaar' er behoorlijk goed uitzag. Rood aangelopen gezichten – dat van haar in elk geval wel, en hij kon ook voelen hoe verhit zijn eigen gezicht was, alleen kwam het niet door de hitte, maar door de vochtigheid. Alsof ze omhuld werden door een dikke regenwolk die hen elk moment tot op het bot kon doorweken, en hij was al helemaal klaar om vervolgens door de plassen te dansen, net als Gene Kelly.

Toen hun lippen versmolten op Van Cortland Avenue, toen ze in elkaars handen knepen toen ze de schaduw van Shae passeerden, toen ze met hun neuzen langs elkaar wreven op de afrit vanaf de Grand Central Parkway, durfde hij te wedden dat niemand zich ooit precies zo had gevoeld als hij, hoewel hij wist dat het een leugen was. De grootste zonde van de hopeloze verslaafde: ontkenning. En hij was inderdaad verslaafd, of niet? Hij had het gevoel dat hij haar minstens elke tweede afrit moest kussen. Dat hij het geen drie liedjes op de radio – 101.6 FM, muziek om bij te vrijen – kon volhouden zonder zijn handen over haar lichaam te laten glijden.

'Rustig aan,' zei ze toen ze eenmaal afrit 8E van de Meadowbrook Parkway achter zich hadden gelaten – vreemde naam, overigens, want er was geen sprake van een weide of een beekje of een park, alleen maar van een snelweg. Ze zei het tegen de chauffeur, maar ze had het net zo goed tegen hem kunnen zeggen, want als hij niet rustig aan deed, kon hij wel eens oververhit raken, net als die ongelukkige slachtoffers die verspreid raken over de hele snelweg terwijl ze haastig op weg zijn naar een belangrijke afspraak.

'Ik wil niet dat je me voor de deur afzet,' zei ze. 'Mijn man is thuis.'

'Waar staat jouw huis eigenlijk?'

'Een paar straten verderop. Zet me hier maar af.'

Ze stopten op de hoek van Euclid Avenue – de naam van een boom die niet langer voorkomt op Long Island.

En Lucinda vroeg: 'Kom je me morgen weer opzoeken in de trein?'

Ontspoord 9

Het heette het Fairfax Hotel. Zo'n vervallen, anoniem hotelletje. Zo'n hotel dat de meeste mensen links zouden laten liggen om op zoek te gaan naar iets beters.
Maar zo niet Charles, en niet nu.
Hij was op weg naar dat hotel om de ochtend door te brengen met Lucinda.

Hij had eindelijk de moed bij elkaar geraapt om het te vragen.
Ze waren nog twee keer uit eten geweest en hadden nog twee keer de taxi genomen, waarbij ze hadden zitten vrijen als een stel hitsige pubers. Ze hadden gekust en gestreeld en geknuffeld en nu was het tijd om de relatie naar een volgend niveau te tillen. Hij had letterlijk die woorden gebruikt. Verrast dat hij ze werkelijk over zijn lippen kreeg en eeuwig dankbaar dat ze hem niet had uitgelachen. En nog dankbaarder voor haar antwoord, dat, na enkele seconden stilte, had geluid: 'Oké, waarom ook niet.'
Hij had haar dit gevraagd onder het genot van twee kopjes koffie in Penn Station en vervolgens waren ze arm in arm Seventh Avenue op gelopen en hadden ze samen een taxi genomen, hoewel dat betekende dat hij ongeveer zeventig straten moest omrijden om haar af te zetten – maar aan de andere kant betekende dat ook dat hij nog zeventig straten lang van haar gezelschap kon genieten. Ze hadden elkaar vastgehouden en zich vastgeklampt aan dit nieuwe beeld van hen tweeën. En toen had ze gevraagd: 'Waar?' Goede vraag, inderdaad. Waar precies wilden ze gemeenschap gaan hebben? En in de taxi waren ze een hotel gepasseerd ('Nee,' zei ze, 'te dicht bij Penn') en toen nog een ('Te muf, zo te zien') en toen nog een, toen ze al bijna helemaal aan de andere kant van het centrum waren.
Het Fairfax Hotel.
Geflankeerd door een Koreaanse delicatessenzaak aan de ene kant en een gezondheidscentrum voor vrouwen aan de andere kant. Nogal sjofel, toegegeven, maar was dat niet het soort hotel dat perfect was voor dit soort dingen?
En ze had gezegd; 'Prima. Ja, dat hotel ziet er prima uit.'
En ze hadden een afspraak gemaakt.

De treinrit naar Penn Station.
Ze waren allebei opvallend stilletjes, vond hij, als een stel boksers vlak voor het belangrijkste gevecht van hun leven.

Het grootste deel van de tijd telde hij de minuten tussen de verschillende stations: van Merrick naar Freeport naar Baldwin naar Rockville Centre. In de duisternis onder de East River greep ze zijn hand vast en verstrengelden hun vingers zich. Haar vingers voelden ijskoud aan, alsof al het bloed eruit weggetrokken was, alsof ze verstijfd was van... wat eigenlijk? Schuldgevoel? Schaamte? Angst?
Het hele gedoe had iets niet-spontaans. Tot nu toe hadden ze alleen maar wat gerommeld in het donker, maar nu was het allemaal kil en met voorbedachten rade gepland. Tijdens de wandeling naar de taxistandplaats leunde ze tegen hem aan, niet zozeer uit verlangen, maar uit willoosheid, dacht hij. Alsof hij haar daarnaartoe moest slepen, een dood gewicht via de roltrap omhoog en door de hal.
Hij begreep het. Een beetje vrijen in een taxi was iets heel anders dan inchecken in een hotel met de bedoeling seks te hebben.
Vanbinnen zag het Fairfax Hotel er ongeveer hetzelfde uit als vanbuiten: sjofel en vaal en op het randje van berooid. In de lobby rook het naar kamfer.
Toen ze naar de balie liepen, voelde hij Lucinda's gespannen greep ergens bij zijn keel. Hij zei tegen de man achter de balie dat hij contant wilde betalen en kreeg de sleutel van kamer 1207.
Ze gingen zwijgend met de lift naar boven.
Toen de deuren opengingen op de twaalfde verdieping, zei hij: 'Dames gaan voor.'
En Lucinda zei: 'Als de heren geweest zijn.'
Dus liepen ze samen naar buiten. Deze verdieping kon wel wat extra lichtpeertjes gebruiken, vond hij, aangezien het enige licht afkomstig leek te zijn van een raam met half dichtgetrokken gordijnen, links van de lift. Het tapijt stonk naar schimmel en tabak.
Kamer 1207 was helemaal aan het andere eind van de gang, waar het het donkerst was, en Charles moest zijn ogen tot het uiterste inspannen om de cijfers op de deur te kunnen onderscheiden.
Dit kregen ze in New York City dus voor vijfennegentig dollar: een kamer die stonk naar desinfecterende middelen met één tweepersoonsbed, één scheefstaand tafellampje, één tafeltje en één stoel, met steeds niet veel meer dan een halve meter ertussen.
Een kamer waarin een bijna tropische temperatuur heerste, zonder een thermostaat in zicht om daar iets aan te kunnen doen.
Er lag een reep wit papier op de wc-bril. Charles nam de honneurs waar; hij moest al zodra hij de kamer binnen kwam. Zenuwen.
Toen hij uit de badkamer kwam, zat Lucinda op het bed te spelen met de afstandsbediening. Het televisiescherm bleef leeg.

'Ik denk dat je er apart voor moet betalen,' zei ze.
'Wil je...?'
'Nee.'
Er was een onhandig soort beleefdheid, iets gekunstelds in hun gedragingen geslopen, bedacht hij, alsof ze een stel op een blind date waren. Zenuwen vermomd als bezorgdheid.
'Wil je niet gaan zitten, Charles?' vroeg ze.
'Oké.' Hij ging op de stoel zitten.
'Ik bedoelde eigenlijk hier.'
'O. Op die manier.' Hij trok zijn jas uit en hing hem op in de kast, naast die van haar. Toen liep hij naar het bed – een heel korte wandeling, gezien de afmetingen van de kamer – en ging zitten.
Ik hoor hier niet te zijn. Ik hoor op te staan en weg te lopen. Ik hoor...
Maar ze legde haar hand op zijn schouder en zei: 'Nou. We zijn er.'
'Ja.' Hij zweette zo erg dat er vochtplekken in zijn overhemd verschenen.
'Oké.' Ze zuchtte. 'Wil je hier blijven of wil je weg?'
'Ja.'
'Wat, "ja"? Wat wil je nu?'
'Weggaan. Of hier blijven. Wat wil jíj?'
'Je neuken,' zei ze. 'Ik denk dat ik je wil neuken.'

Het gebeurde toen ze aanstalten maakten om weg te gaan.
Ze hadden zich zwijgend aangekleed en Charles had de kamer doorzocht om zich ervan te overtuigen dat ze niets vergeten waren.
Toen waren ze naar de deur gelopen.
Hij deed hem open en liet haar voorgaan. Ze liep langs hem heen en hij rook het parfum dat ze zojuist in de badkamer had opgedaan. Toen rook hij nog iets.
In eerste instantie hadden er twee mensen gestaan – Lucinda en hij – maar opeens waren het er drie.
Hij werd achterover tegen de grond gegooid.
Hij werd in zijn ribben geschopt en vervolgens in zijn buik, zodat de lucht uit zijn longen werd gedreven. Lucinda werd boven op hem gegooid, toen was ze opeens weer weg en toen lag ze daar naast hem.
De deur sloeg dicht. Het slot klikte.
Ze waren met zijn tweeën geweest, maar nu waren ze opeens met zijn drieën.
'Als jullie ook maar een kik geven, jaag ik jullie een kogel door de kop,' zei degene die niet Lucinda en niet hijzelf was.
Een man met een pistool – Charles kon hem zien, kon het pistool ook zien,

een geval dat er gedrongen en oliezwart uitzag. Hij hijgde, alsof hij net een heel eind had gerend om daar te komen.
'Ik geef je al mijn geld,' zei Charles. 'Je mag het hebben.'
'Wát?' De man was zwart, maar Latijns-Amerikaans, dacht Charles. Hij had in elk geval een soort accent. 'Wat zei je daar, verdomme?'
'Mijn geld... je mag het hebben.'
'Ik zei dat je je stomme kop moest houden.' Hij schopte hem opnieuw, dit keer niet in de ribben, maar een stuk lager. Charles kreunde.
'Alsjeblieft,' zei Lucinda met een beverig stemmetje als van een klein meisje, een stemmetje dat je niet zou verwachten uit de mond van een volwassen vrouw te horen. 'Alsjeblieft... doe ons geen pijn...'
'Doe ons geen pijn,' aapte de man haar na. Hij genoot ervan haar te pesten. Met haar angst. Dat kleinemeisjesstemmetje... alsof ze op het punt stond in tranen uit te barsten. 'O, ik ga jou écht geen pijn doen, schatje... echt niet. En gooi nu verdomme jullie portefeuilles naar me toe.'
Charles reikte naar zijn binnenzak, tussen de plooien van zijn met zweet doordrenkte donzen jack door, en greep met bevende hand zijn portefeuille. Dit gebeurt alleen in de film, dacht hij. Dit gebeurt alleen op de voorpagina van de krant. Dit overkomt alleen andere mensen.
Hij wierp zijn portefeuille naar de man met het pistool. Lucinda rommelde in haar handtasje, op zoek naar haar portemonnee, die met de foto van een meisje van vijf op een schommel ergens op het platteland. Ergens ver hiervandaan, ver van de tot op de draad versleten vloer van kamer 1207 in het Fairfax Hotel.
Tegen de tijd dat ze hem haar portemonnee had toegeworpen, was hij die van Charles al aan het doorzoeken. Hij haalde het contante geld eruit, en het was een behoorlijk bedrag, want dat was het geld dat Charles wilde gebruiken om de kamer te betalen. Maar toen de man het geld had gepakt, bleef hij naar de portefeuille staan kijken. Iets deed hem grijnzen.
'Wat hebben we hier?' zei hij.
Hij stond naar Charles' foto's te kijken: Anna en Deanna en hij. De familie Schine.
'Vreemd,' zei hij. 'Die lijkt helemaal niet op jou...' zei hij tegen Lucinda. 'Die lijkt voor geen meter op jou.'
En weer tegen Charles: 'Ze lijkt voor geen meter op haar, Charles.' Hij grijnsde meesmuilend naar hen.
Toen keek hij in haar portemonnee en vond een foto van háár gezin. 'Krijg nou wat,' zei hij. 'Die kerel lijkt helemaal niet op jou, Charles. Mooi niet. Deze kerel ben jij niet, Charles.'
Hij snoof, lachte, giechelde; hij had iets bedacht.

‘Laten we eens kijken. Weet je wat ik denk? Hé!’ Hij schopte Charles opnieuw, niet zo hard dit keer, maar hard genoeg. ‘Ik zeg: weet je wat ik denk?’
Charles vroeg: ‘Wat dan?’
‘Wat dan? Wat dan? Ik denk dat jullie tweetjes mekaar neuken. Dus je bent naast het potje aan het piesen, hè, Charles? Je gerief ergens anders aan het halen, kerel. Of niet soms, Charles?’
Charles zei: ‘Alsjeblieft, pak nu maar gewoon mijn geld.’
‘Pak nu maar gewoon je geld? Pak nu maar gewoon je geld? Bedankt, maar ik heb dat stomme geld van je allang gepakt. Kijk maar.’ Hij hield hem het geld voor. ‘Daar is je geld. Ik heb je geld al, stomme eikel.’
‘Ja,’ zei Charles, ‘ik zie het. Ik beloof dat we niet naar de politie zullen stappen.’
‘O, dus dat beloof je? Dat is verdomme hartstikke aardig van je, dat is echt verdomd vriendelijk van je, Charles. Dus ik kan je op je woord geloven? Je gaat niet naar de politie. Nou, in dat geval...’
Hij beschreef kleine kringetjes met het pistool terwijl hij het van links naar rechts zwaaide, eerst naar hem, toen naar haar, toen weer terug. Een inktzwarte loop met een stompe neus...
‘Nou, in dat geval... Als jullie toch niet naar de politie stappen...’
Lucinda zat naast hem te beven, te rillen als een verzopen zwerfkatje.
‘Hé, schatje,’ zei de man. ‘Hé, schatje...’
‘Alsjeblieft...’ zei Lucinda.
‘Hoe is ze, Charles? Vast beter dan moeder de vrouw. Lekker poesje, Charles? Lekker strak poesje?’
Charles maakte aanstalten om overeind te komen. Hij was weer in het café en de man beledigde haar en Charles moest hem op zijn plaats zetten, hem laten zien dat dit niet kon. Alleen sloeg de man hem met het pistool in zijn gezicht en Charles sloeg net zo hard weer tegen de grond. Hij hoorde iets kraken voordat hij de pijn voelde – eerst het een, toen het andere: eerst het geluid waarmee zijn neus brak, vervolgens de misselijkmakende pijn van zijn gebroken neus. En het bloed begon op de vloer te sijpelen.
‘Wat zei je daar, kerel? Ik kan je niet verstaan, Charles. Wat zeg je nou? Hoor ik je nou zeggen dat ik haar mag neuken als ik dat wil? Nou, bedankt, Charles. Dat is verdomd vriendelijk van je. Dat ik je teef mag pakken en zo.’
‘Nee,’ jammerde Lucinda. ‘Nee...’
‘Nee? Hoorde je hem dan niet zeggen dat ik je mocht neuken, Lucinda?’ Dat was de eerste keer dat hij haar naam had gezegd, en in zekere zin was dat niet minder afschuwelijk dan de manier waarop hij Charles tegen de vlakte had geslagen en hun portefeuilles had gestolen. ‘Dat zei mijn maat daar. Als je je door hem laat pakken, kun je je ook best door mij laten pakken. Een hoer is een hoer, schatje. Nietwaar, Charles? Nietwaar?’

Charles dreigde te stikken in zijn eigen bloed. Het stroomde zijn keel in en verstopte zijn luchtpijp; hij dreigde erin te verdrinken en probeerde rochelend adem te halen.
'Ga maar even rechtop zitten, Charles.' De man trok hem overeind, leidde hem naar die ene stoel, met een kussen met een bloemmotief waar een scheur in zat en waar de vulling uit stak. Hij plantte hem op de stoel. 'Voel je je al wat beter, Charles? Haal maar eens diep adem. Zo ja: in, en uit. Hier wil je een goede plek voor hebben, Charles. Dit is professioneel neuken, kerel. Twaalf rondes lang. Dit wil je niet missen.'
Lucinda vluchtte.
Ze had hem verrast, de man met het pistool. Het ene moment lag ze nog trillend en wel op de grond, het volgende moment was ze overeind gesprongen en ging ze ervandoor. Ze wist de deur te bereiken.
Ze slaagde er zelfs in de knop om te draaien en de deur half open te krijgen voordat hij haar bereikte en haar weer naar binnen trok. Aan haar haar. Dat donkere, zijdeachtige haar dat smaakte naar shampoo en zweet, zo zacht dat je het met de hand kon kammen, draaide rond in zijn vuist. Ze gilde.
'Ik raad je aan je stomme klep te houden, Lucinda.' Hij had de loop in haar mond gestopt, recht naar voren, en sloeg ermee tegen haar boventanden. Lucinda hield op met gillen.
Charles haalde nog steeds piepend adem, door zijn eigen bloed heen, duizelig genoeg om van zijn stokje te gaan, terwijl een wit licht de brug van zijn neus leek te verschroeien. Hij keek toe hoe de man Lucinda op de grond legde alsof ze met een spookachtig soort dans bezig waren, een soort moderne pas de deux, hoe hij haar neerlegde en boven haar uittorende. Hoe hij haar rok omhoogtrok tot boven haar middel. Hoe hij snoof en bewonderend floot en langzaam, tergend langzaam haar slipje van zwart kant omlaag trok tot aan haar knieën.
Hoe hij zijn broek openritste.

Ontspoord 10

Hij verloor het bewustzijn, verloor meer dan eens het bewustzijn, maar elke keer bracht de man hem weer bij, gooide water in zijn gezicht, fluisterde in zijn oor.
'Raak nou niet buiten westen, kerel. Tweede ronde, schatje. Derde ronde... vierde...'
Het was net slechte porno, het soort porno dat je eigenlijk niet wilt zien, maar je vriend heeft de videoband toevallig, dus kijk je toch maar. Zelfs terwijl je je blik afwendt, blijf je kijken. De vrouw met de hond, de video waarbij er in haar mond wordt gepoept en ze het allemaal inslikt... Misselijkmakend, eigenlijk, en je kunt haast niet geloven dat ze het echt doet, maar ze doet het en jij zit ernaar te kijken. Je maag kolkt, draait zich om, je hebt zin om te kotsen, maar je moet ernaar kijken. Je weet niet waarom, maar je moet ernaar kijken.
Hij en Lucinda. Die mooie, naakte Lucinda en hij.
En ze was mooi. Toen hij haar op handen en knieën dwong en haar in haar kont pakte. En al die tijd vertelde hij Charles wat hij aan het doen was, hij gaf er een soort doorlopend commentaar bij...
'Weet je, Charles, ze vinden het heerlijk om in hun reet gepakt te worden. Ze zeggen allemaal van niet, maar alle hoeren vinden het lekker.'
Hij droeg haar op voor hem te kreunen. Hij zette het pistool tegen haar hoofd terwijl hij haar bereed en dwong haar te kreunen. Gekreun van pijn, waarschijnlijk, maar het klonk als gekreun van genot. Gekreun was gekreun. Het ene soort was moeilijk te onderscheiden van het andere, alleen waren haar ogen dichtgeknepen, was haar mascara uitgelopen en beet ze tot bloedens toe op haar lip.
En Charles keek toe, zittend in die stoel alsof hij vastgebonden was, hoewel dat niet zo was.
'Moet je zien, Charles, een geboren pijphoer... Goed zo, schatje... zuig maar lekker op die grote pik van papa...'
Het tafereel was gewijzigd: hij neukte haar niet langer van achteren, maar stond voor haar, met zijn handen om haar gezicht, dat prachtige gezicht van Lucinda. En Lucinda stikte zowat, maakte gorgelende geluiden, maar die geluiden spoorden hem alleen maar aan... 'O ja... o ja... Kijk je hier wel naar, Charles, Charley? Je wil de straal toch niet missen, of wel? Je moet me zien spuiten... o ja...'

En later lag Lucinda daar... Hoeveel later? Charles wist het niet, later die ochtend, later die middag. Lucinda lag daar maar, bedekt met zweet en sperma, roerloos. Was ze dood? Nee, ze ademde nog, hoewel maar nauwelijks. Charles keek omlaag naar het opgedroogde bloed op zijn handen en vroeg zich af van wie het was. Hij was vergeten dat het zijn eigen bloed was, dat zijn neus waarschijnlijk gebroken was.
En nu stond de man zichzelf te wrijven, naakt, op zijn sportsokken en sportschoenen na. Hij hield zijn blik strak gericht op Lucinda, op de grond, en trok zichzelf af. Voor een volgende ronde. De hoeveelste? De vijfde, de zesde?
'Ben je er nog bij, Charles?' vroeg de man. 'Volhouden, maatje. Er komt nog meer...'
Inderdaad.
De man pakte haar weer vast, zette haar rechtop tegen het bed alsof ze een marionet was, een en al slappe armen en benen, en zette haar in een houding die hij kennelijk wulps achtte. Haar benen opgetrokken tot aan haar oren, terwijl ze zichzelf spreidde met haar handen; daar moest hij om giechelen. Hij nam zijn tijd, zette haar in precies de juiste houding, dan weer een centimeter deze kant op, dan weer een centimeter de andere kant op. Lucinda zat er willoos bij, als een rekwisiet, een opblaaspop.
En Charles besloot het nog één keer te proberen. Nee, hij besloot dat niet zelf; zijn machismo besloot het, het reptiel in zijn hersenstam, misschien. Wat het ook was, het dwong hem van zijn stoel, ruwweg in de richting van de man die op het punt stond Lucinda voor de vijfde of zesde keer te verkrachten.
Het eerste probleem was dat hij duizelig was. Het was alsof hij blindemannetje aan het spelen was en zojuist keer op keer om zijn as was gedraaid, zodat hij niet meer wist wat links en rechts was. Hij strompelde, hij wankelde, hij waggelde, en de man was zich nog niet eens van hem bewust, want hij was nog steeds Lucinda in de juiste houding aan het zetten en misschien was hij zelfs vergeten dat Charles ook nog in de kamer was. Dus uiteindelijk rechtte Charles zijn rug en slaagde er zowaar in helemaal naar de man toe te lopen. Hij greep hem van achteren vast, rond zijn hals, en kneep.
Hij kneep met alle kracht die hij kon oproepen, hij kneep alsof zijn leven ervan afhing, een staalharde doodsgreep was het. Maar de man stond kalm, bijna loom op en wierp Charles van zich af alsof hij een vuilniszak op de stoep deponeerde. Charles kwam wijdbeens op de vloer terecht en vroeg zich af wat er gebeurd was, terwijl de man grijnsde en met zijn hoofd schudde.
'Charles... Charles... Wat heb jij, verdomme? Ik geef je hier de show van je

leven. Professioneel neuken, neuken zoals je het nog nooit eerder hebt gezien. En dit is mijn dank. Shit. Ik zou je tot moes moeten slaan, Charles. Ik zou je helemaal tot moes moeten slaan.'
Charles mompelde iets terug. Wat zei hij eigenlijk? Hij wist het niet...
'Oké, Charles. Effe dimmen. Ik ga even tot tien tellen. Je wilde zelf ook even meedoen, zeker, is dat het? Beetje geil geworden toen je de neukmachine in actie zag? Maar vandaag niet, kerel. Je bent nu even niet aan de beurt, oké?'
Lucinda zat nog steeds roerloos in die pornografische houding, als een verveeld model dat wachtte op de klik van de camera. Alleen zag ze er niet zozeer verveeld uit, maar dood; ze draaide zich niet eens om om de man aan te kijken die probeerde haar te redden, maar die uiteindelijk slechts de ene zitplaats voor de andere had ingeruild. Een stoel op het balkon voor een stoel op de eerste rang.
Ondertussen knielde de man – met een enorme erectie, kennelijk had dat onhandige staaltje geweld hem opgewonden – neer tussen haar blanke dijen, de dijen waar Charles nog geen twee uur eerder tussen had gelegen, en begon weer. Zo dicht bij hem dat Charles hem bijna kon aanraken, hoewel hij hem niet kon slaan, hoewel hij hem niet kon tegenhouden.
'O, Charles,' fluisterde hij, 'het lijkt wel fluweel. Het lijkt verdomme wel zacht fluweel...'

Nadat de man was vertrokken, duurde het even voordat tot hem doordrong dat hij was vertrokken.
Charles hoorde de deur dichtslaan, zag hem zelfs door de deur naar buiten lopen voordat hij de deur hoorde dichtslaan, hoorde zelfs hoe de man hen gedag zei: 'Vreselijk dat ik weg moet, maar...' En Charles bleef daar maar op de vloer zitten alsof het pistool nog steeds op zijn hoofd gericht was. Alsof de man nog steeds zat te kreunen in Lucinda's haar terwijl die groteske reet op slechts een paar centimeter van zijn gezicht op en neer pompte.
En Lucinda ook. Ze zat nog steeds met haar benen uit elkaar als een lichtekooi, als die hoertjes in Amsterdam die loom in etalages hangen met hun benen gespreid in een openlijke uitnodiging. Alleen waren hun gezichten niet zo vervuld van afschuw, zat hun haar niet tegen hun kin geplakt van het zweet en het bloed en het opgedroogde sperma.
Uiteindelijk kwam Charles in beweging.
Met één been tegelijk, voorzichtig, als een man die het water uitprobeert. Alsof hij wilde bewijzen dat hij inderdaad kon bewegen, hoewel hij nog niet helemaal bereid was het te geloven. En toen, nadat hij zijn benen had bewogen, bewoog hij zijn armen en toen zijn hele lichaam. Hij stond op en ging

rechtop staan, een beetje wankel, maar hij stond in elk geval weer op zijn eigen benen. En toen hij in beweging kwam, deed zij dat ook.
Ze zei helemaal niets, geen woord, maar bracht langzaam haar ene dij bij de andere en verhulde zo dat open deel van haar dat eruitzag als een rauwe wond. Vervolgens stond ze traag op van de vloer en sjokte naar de badkamer, waar ze naar binnen ging en de deur sloot.
Hij hoorde het water stromen, hoorde het geluid van een handdoek die over huid werd gewreven en toen iets wat klonk als kokhalzen. Het toilet werd een keer, toen nog een keer doorgetrokken.
Hij had zichzelf nog steeds niet gefatsoeneerd. Zijn handen zaten onder het bloed, zijn gezicht ongetwijfeld ook; zijn neus voelde twee keer zo groot aan als gewoonlijk, alsof hij een clownsneus ophad. En misschien was dat ook wel zo; misschien was dat ook wel heel toepasselijk. Charles de clown, die klappen voor zijn kop en een trap tegen zijn achterste kreeg terwijl de circusmeester zich opdrong aan de ster van de show. Die nu de deur van de badkamer opendeed. Nog steeds zonder iets tegen hem te zeggen – wat kun je immers zeggen tegen een clown? Ze zag er nog steeds verdwaasd en gehavend uit, maar nu wel een beetje opgeknapt. Ze was ook nog steeds naakt, alsof het er niet toe deed, alsof ze nooit naakter kon zijn dan een kwartier geleden, toen ze met wijdgespreide benen werd misbruikt, en wat had je aan kleren na zoiets? En misschien was er ook nog een andere reden: dat clowns er niet toe doen, dat ze overbodig zijn in het grote geheel en dat het er niet toe doet wat ze zien als ze er toch niets aan kunnen doen.
Gaat het wel met je? stond hij op het punt te zeggen. Hij had de woorden al bijna uitgesproken toen hij besefte hoe hopeloos ontoereikend ze waren. Hoe kon het in vredesnaam goed met haar gaan, hoe kon het ooit nog goed met haar gaan?
'Misschien moet ik je naar het ziekenhuis brengen,' zei hij.
'Nee.' Haar eerste woord tegen hem sinds wat uren moesten zijn geweest.
'Je moet je laten nakijken.'
'Nee. Ik ben al genoeg bekeken voor vandaag.' Haar stem klonk doods, als die van een slechte acteur: houterig, zonder dat er echt emotie uit sprak. Het was enger dan gegil, angstaanjagender dan tranen. Als ze had gehuild, zou hij zijn armen om haar heen hebben geslagen en haar hebben getroost. Maar er was niets wat hij voor haar kon doen.
Ze begon zich aan te kleden, langzaam, kledingstuk voor kledingstuk. Ze bedekte zichzelf niet, wendde zich niet verlegen van hem af zoals een paar uur geleden. Dus liep Charles de badkamer binnen, waar hij ineenkromp bij de aanblik van zijn eigen spiegelbeeld; in eerste instantie dacht hij dat het iemand anders was die hem vanuit de spiegel aanstaarde. Dit kon hij on-

mogelijk zijn. Maar dit was Charles de clown, weet je nog? Hij met de bolle neus en de rode verf en de grote, wilde pruik.
Hij drukte een natte handdoek tegen zijn neus en het prikte, alsof hij er jodium op had gedaan. Hij streek zijn haar glad en probeerde het bloed van zijn wangen te vegen.
Toen hij de kamer weer binnen kwam, was ze min of meer aangekleed. Een van haar kousen was gescheurd, in haar rok zat een split die daar eerder niet had gezeten, maar ze zag er in elk geval weer uit als een redelijke kopie van een aangeklede vrouw. Net zoals een paspop een redelijke kopie van een aangeklede vrouw is: minus datgene wat een vrouw daadwerkelijk tot een levend wezen maakt.
'Wat doen we nu?' vroeg Charles, niet alleen aan haar, maar ook aan zichzelf, want hij wist het niet.
En zij zei: 'Niets.'
Niets. Het klonk zo belachelijk absurd. Zo flagrant bespottelijk. De crimineel was nog op vrije voeten, zijn slachtoffers waren nog bont en blauw en bloedden nog, en wat moesten ze volgens haar doen? Niets.
Alleen was het tegenovergestelde van niets 'iets', en hij kon geen 'iets' bedenken.
Naar de politie gaan?
Natuurlijk ga je naar de politie. Je bent beroofd en verkracht en in elkaar geslagen, dus ga je naar de politie. Alleen...
'Wat deed u eigenlijk in het Fairfax Hotel?'
'Nou, uh, we...'
'Wat deed u midden op de ochtend in het Fairfax Hotel?'
'Nou, ziet u...'
'Wat deed u met zijn tweetjes in het Fairfax Hotel?'
'Als u me even een momentje wilt geven om het uit te leggen...'
Misschien konden ze wat dat betreft enige discretie vragen, misschien hadden ze zelfs wel het recht om een beetje discretie te vragen, en zou de politieagent naar hen knipogen en zeggen: 'Ik begrijp het wel.' Om aan te geven dat hij ervoor zou zorgen dat dit onder ons zou blijven en dat ze zich geen zorgen hoefden te maken. Alleen...
Er was ook een crimineel bij betrokken, en soms werden criminelen gepakt; soms, als je ze aangaf bij de politie, slaagde de politie er daadwerkelijk in hen te arresteren en voor de rechter te slepen. En dan volgden er rechtszaken, in openbare rechtbanken, zaken die de voorpagina's haalden en waarbij getuigen moesten opstaan en zeggen: 'Hij heeft het gedaan, edelachtbare.' En met getuigen bedoelde hij zichzelf. Zichzelf en Lucinda.
'Wat deed u eigenlijk in het Fairfax Hotel?'

'Nou, uh, we...'
'Wat deed u midden op de ochtend in het Fairfax Hotel?'
'Nou, ziet u...'
'Gewoon antwoord geven op de vraag, alstublieft.'
Wat doen we nu? Dat was de vraag.
Niets. Misschien was dat niet zo belachelijk als het in eerste instantie klonk. Misschien was het nog niet zo belachelijk.
Maar zouden ze in staat zijn datgene wat hun was overkomen uit hun hoofd te zetten? Zou zij het gewoon kunnen vergeten, als een brutale opmerking of een vulgair gebaar? Gewoon in slaap vallen en weer wakker worden en poef... weg.
Lucinda zei: 'Ik ga.'
'Waarnaartoe?'
'Naar huis.'
Naar huis. Naar het blonde meisje van vijf dat nog geen schommel was tegengekomen die ze niet leuk vond. Naar de echtgenoot met een handicap van negen die misschien de plotselinge kleurloosheid van haar wangen, de stukgebeten lip en het neurotische gedrag zou opmerken, maar misschien ook niet.
'Het spijt me, Lucinda,' zei hij.
'Ja,' zei ze.
Alles speet hem. Dat hij haar om te beginnen had gevraagd samen met hem hiernaartoe te gaan. Dat hij de man niet had gezien die rondhing in het trappenhuis tegenover hun kamer. Dat hij had zitten toekijken terwijl de man haar keer op keer verkrachtte. Dat hij haar niet beschermd had.
Lucinda sjokte naar de deur; die verbazingwekkend elegante tred van haar was moeizaam en onbevallig geworden. Ze keek ook niet achterom. Charles overwoog even haar aan te bieden een taxi voor haar te bellen, maar hij wist dat ze zijn aanbod zou afslaan. Hij had haar dat ene wat ze echt van hem nodig had gehad, niet kunnen bieden. Verder had ze niets van hem gevraagd.
Ze deed de deur open, stapte door de open ruimte en deed hem weer achter zich dicht.

Attica

Sorry, ik moet het verhaal op dit punt even onderbreken.
Ik denk dat ik met de waarheid voor de draad moet komen.

Er zijn drie dingen gebeurd.
Op woensdag belde een man bij ons aan omdat hij het huis wilde zien. Hij had het adres gekregen van een makelaar, beweerde hij.
Mijn vrouw deed de deur open en vertelde hem dat het huis niet te koop was. Er was vast ergens een foutje gemaakt.
'Uw echtgenoot is docent, nietwaar?' zei hij.
'Ja,' zei ze. Maar toch was het een foutje. Het huis was niet te koop.
De man verontschuldigde zich en vertrok.
'Hij zag er niet uit als een man die op zoek was naar een huis,' zei ze later tegen me.
'Nou, hoe zag hij er dan uit?' vroeg ik haar.
'Als een van je leerlingen,' zei ze.
'Een middelbare scholier?' vroeg ik.
'Nee, zoals een van je ándere leerlingen.'

Toen gebeurde het tweede.
Een bewaker, Dikke Tommy, liet me in de hal weten dat ik er binnenkort uit zou vliegen.
Ik vroeg hem wat hij daarmee bedoelde.
'Het betekent dat je er binnenkort uit vliegt,' zei hij.
Dikke Tommy woog bijna honderdveertig kilo en hij was wel eens gaan zitten op onhandelbare gevangenen die met hun gezicht omlaag aan de vloer van hun cel vastgeketend waren.
'Waarom?' vroeg ik hem.
'Bezuinigingen. Kennelijk heeft iemand eindelijk eens beseft dat ze wel betere dingen kunnen doen met onze belastingcenten dan roetmoppen leren lezen.'
Ik vroeg hem of hij wist per wanneer.
'Neuh,' zei hij. 'Maar ik zou maar niet beginnen met *Oorlog en Vrede*, als ik jou was.'
Toen Dikke Tommy lachte, wiebelden alle drie zijn onderkinnen mee.

Toen gebeurde het derde.
De schrijver schreef een berichtje onder aan de laatste pagina van hoofdstuk 10. In eerste instantie dacht ik dat het deel uitmaakte van het verhaal, dat het iets was wat Charles tegen Lucinda zei, of misschien bij zichzelf. Maar dat was niet zo. Het was aan mij gericht, een soort redactioneel terzijde.
Vind je het een goed verhaal, tot nu toe?
Dat schreef hij.
Het antwoord was trouwens: nee.
Dat vond ik niet.
Om te beginnen ontbrak het in het verhaal aan suspense.
Er ontbrak namelijk een cruciaal element dat noodzakelijk was voor een spannend verhaal.
Verrassing.
Want er kan alleen sprake zijn van suspense als je niet weet wat er gaat gebeuren.
Maar ik wist wel wat er ging gebeuren.
Ik wist bijvoorbeeld wat zich aan de andere kant van de deur van kamer 1207 bevond. Ik wist wat er zou binnenkomen toen ze die deur opendeden. Ik wist wat de man de daaropvolgende vier uur keer op keer met Lucinda zou doen.
Ik herinnerde het me allemaal, uit een vorig leven.
In dat vorige leven vroeg ik me elke ochtend wanneer ik wakker werd af waarom ik liever zou blijven slapen.
Ik douchte me en kleedde me aan en probeerde niet op de bloedmeter te kijken die op het werkblad in de keuken lag. Ik nam de trein van acht uur drieënveertig naar Penn Station, met uitzondering van die ene ochtend in november toen ik dat niet deed. Die ochtend waarop ik dankzij mijn dochter te laat was en ik de trein van vijf over negen nam. Die ochtend toen ik opkeek uit mijn krant en de conducteur me vroeg om een kaartje dat ik niet had.

Dit was mijn verhaal.
Ik zal het vanaf dit punt overnemen.

Ontspoord 11

Toen Lucinda weg was, ging ik naar de dokter.
Het was honderddertig straten van het Fairfax Hotel naar de praktijk. Ik ging lopen, want de man had mijn portefeuille en al het geld dat erin zat meegenomen.
Ik had een gebroken neus en mijn jasje zat onder de bloedvlekken, maar dat leek niemand op te vallen. Er waren genoeg andere dingen om naar te kijken, vermoed ik. Een dakloze man zonder kleren, bijvoorbeeld. Een vrouw op skeelers, geheel in het paars gekleed. Een zwarte man die iets schreeuwde over de zonen van Jonas. Mijn gezwollen neus en bebloede jasje verschenen niet op de radar van de gemiddelde stadsbewoner.
Er gebeurde iets vreemds terwijl ik aan het lopen was. Steeds maar aan het lopen was.
In eerste instantie telde ik de straten, maar na een tijdje telde ik mijn zegeningen.
Want er waren wel degelijk zegeningen. Ik leefde nog, bijvoorbeeld. Dat was zegening nummer één. Ik was er half en half van overtuigd geweest dat de man me zou doodschieten. Dus dat ik nog leefde, was een zegening.
En dan waren er nog mijn vrouw en dochter. Zegeningen, allebei. Mijn onwetende vrouw, die zich zalig onbewust was van het feit dat ik zojuist in kamer 1207 van het Fairfax Hotel de ochtend had doorgebracht met een andere vrouw dan zij. Natuurlijk had ik voornamelijk toegekeken hoe die vrouw meermalen bruut verkracht werd, maar toch.
En Anna... hoe kon ik haar zoiets aandoen? Ik voelde me alsof ik een hele tijd doodziek was geweest en mijn koorts nu eindelijk begon te zakken. Ik kon weer helder nadenken.
Dokter Jaffe vroeg me wat er gebeurd was.
'Ik ben gevallen toen ik uit de taxi stapte.'
'Ja, ja,' zei dokter Jaffe. 'Je hebt geen idee hoe vaak ik dat verhaal al heb gehoord.'
'Vast.'
Dokter Jaffe zette mijn neus en gaf me een proefpakketje codeïne. 'Voor het geval de pijn te erg wordt,' zei hij.
Ik had zin hem te vertellen dat de pijn nu al te erg was, maar aan de andere kant was de pijn ook iets wat ik verwelkomde. Net als de honderddertig straten vrieskou die ik nog maar net achter me had gelaten, zette het me met beide benen op de grond.

Ik liep het hele eind naar kantoor. Ik had natuurlijk ook naar huis kunnen gaan, maar ik was van plan hier een gewone dag van te maken. Een dag waarop ik laat begon, een dag die was begonnen met een ochtend waaraan ik liever niet wilde terugdenken, maar lag er niet nog een hele middag voor me? En daarna een nieuwe ochtend en weer een middag enzovoort? Ik zou mijn leven gewoon weer met beide handen oppakken.
Toen ik op kantoor aankwam, dreunde ik tegen iedereen die vroeg wat er was gebeurd hetzelfde verhaaltje op. En iedereen die me zag, vroeg wat er gebeurd was. Winston, Mary Widger en driekwart van mijn creatieve team. De taxi, het gat in het wegdek, de ongelukkige val. Ze hadden allemaal medelijden met me, ze probeerden allemaal niet te kijken naar mijn neus en de zwarte kringen die onder mijn ogen verschenen, waardoor ik eruitzag als een wasbeer.
Toen ik eindelijk in mijn eigen kantoor zat, voelde ik het soort opluchting dat je ervaart wanneer je weer in je bekende omgeving bent, een omgeving die de laatste tijd een beetje droevig en hopeloos had aangevoeld, maar die nu opeens aangenaam warm leek. Het leven op zich voelde zelfs aangenaam warm aan, rijker dan ik bereid was geweest toe te geven. Alle spullen die ik had, bijvoorbeeld, mijn eigen telefoon en computer en bank en salontafel. Al die vakprijzen die ik had weten te vergaren, goud en zilver en brons. En wie zou het zeggen, misschien zouden er daar, ondanks de recente tegenslagen, nog wel een paar bij komen. En op mijn bureau stond een foto van ons: Deanna en Anna en ik, ergens op een strand in de Caraïben. Mijn gezin, dat zich verzekerd wist van mijn liefde. En ik hield wel degelijk van hen.
Maar toen ik naar die foto keek, moest ik denken aan die andere foto, die foto in mijn portefeuille. De foto waarnaar de man had staan lonken en die hij vervolgens had bezoedeld door hem vast te pakken. De foto die hij nog steeds bij zich had.
'Darlene,' riep ik.
'Ja?' Mijn secretaresse verscheen in de deuropening met een uitdrukking van moederlijke bezorgdheid op haar gezicht.
'Ik besef opeens dat ik mijn portefeuille ben kwijtgeraakt. Hij zal wel uit mijn zak zijn gevallen toen ik mijn neus gebroken heb.'
'Oh, oh.'
'Kun je de creditcardbedrijven voor me bellen en de kaarten laten blokkeren?'
'Nee.'
'Wat?'
'Nee. U moet hen zelf bellen. Ze luisteren alleen naar de kaarthouder.'
'O. Natuurlijk.' Dat had ik waarschijnlijk moeten weten. Ik had waar-

schijnlijk heel wat dingen moeten weten. Bijvoorbeeld dat sjofel uitziende hotels er om een bepaalde reden sjofel uitzien, namelijk omdat ze sjofel zíjn. Oorden die schooiers en personen met criminele bedoelingen aantrekken. Personen die in trappenhuizen rondhangen en wachten totdat personen met overspelige bedoelingen hun pad kruisen. Ik was in de veertig en leerde nog regelmatig iets nieuws.
Ik belde de creditcardbedrijven, American Express en Visa en MasterCard. Je kaarten laten blokkeren is heel eenvoudig tegenwoordig; je hoeft ze alleen maar de meisjesnaam van je moeder te vertellen – 'Reston' – en poef, je creditcardnummer bestaat niet meer. En ik stelde me voor hoe de man in een of andere winkel stond en te horen kreeg dat hij niet kon betalen met zijn creditcard. En met die ook niet. En met die ook niet. Hij kon ze alle drie niet gebruiken.
Alleen stelde ik me opeens ook voor hoe Deanna in een winkel stond en hetzelfde te horen kreeg. Ik moest haar bellen. Het was al drie uur geweest; ze was waarschijnlijk wel thuis.
Ze nam de telefoon op nadat hij vier keer was overgaan en toen ik haar stem 'hallo' hoorde zeggen, werd ik overvallen door een soort gevoel van dankbaarheid. Ik was God dankbaar, denk ik – aangenomen dat er een God was en aangenomen dat Hij genoeg om me had gegeven om ervoor te zorgen dat ik heelhuids het Fairfax Hotel had kunnen verlaten. Minus een onbeschadigde neus, misschien; minus een minnares, dat zeker, maar verder nog redelijk intact.
'Je gelooft nooit wat mij vandaag allemaal is overkomen,' zei ik tegen haar. En ze zou het inderdaad niet geloofd hebben.
'Wat is er gebeurd?'
'Ik heb mijn neus gebroken.'
'Je hebt wát gebroken?'
'Mijn neus. Ik ben gestruikeld toen ik uit een taxi stapte en toen heb ik mijn neus gebroken.'
'O, Charles...'
'Maak je geen zorgen. Het valt wel mee, zo erg is het niet. De dokter heeft hem gezet en me genoeg codeïne meegegeven om een paard onder zeil te brengen. Ik heb geen pijn.' Dat was niet waar; ik had wel degelijk pijn, maar deze pijn was een soort boetedoening en werd bovendien verzacht door dat andere gevoel dat ik ervoer: pure opluchting.
'O, Charles. Waarom kom je niet naar huis?'
'Ik zei toch al dat het wel meevalt. Ik heb hier nog het een en ander te doen.' Driehonderd weesgegroetjes opzeggen, bijvoorbeeld, en mijn wonden likken.

'Zeker weten?'
'Ja.' Ik was geroerd door het overduidelijke medeleven in haar stem, het soort medeleven dat je uitsluitend kunt ontwikkelen als je elkaar jarenlang door dik en dun steunt. Ook al konden we het de laatste tijd niet uitspreken – ook al konden we het de laatste tijd niet eens fysiek uitdrukken – het was er wel. Het was er altijd geweest. En ik kreeg bijna zin om alles op te biechten en mezelf over te geven aan de genade van de jury. Maar dat zou ik nooit hoeven doen, of wel? Het leven was weer zoals in het begin, voordat ik opkeek uit mijn krant en een witte dij en een wiegende, zwarte pump had gezien.
'Nog één ding,' zei ik.
'Wat?'
'Ik ben mijn portefeuille kwijtgeraakt. Toen ik uit de taxi viel. Zoals ik al zei: je gelooft nooit wat mij vandaag allemaal is overkomen.'
'Een portefeuille is maar een portefeuille. Ik maak me meer zorgen om jou.'
'Ik heb de creditcardbedrijven al gebeld en de kaarten laten blokkeren. Ik wilde het je alleen even laten weten. Je kunt ze maar beter stukknippen en weggooien. Ze sturen ons morgen nieuwe – dat zeggen ze, tenminste.'
'Mooi. Ik zorg ervoor.'
Ik zei gedag, fluisterde 'Ik hou van je', en maakte aanstalten om op te hangen.
'O, ik was het bijna vergeten,' zei ze.
'Ja?'
'Meneer Vasquez heeft gebeld.'
'Meneer wie?'
'Meneer Vasquez. Hij zei dat hij een zakenlunch met je heeft gehad in het Fairfax Hotel. Hij was vergeten je iets te zeggen.
Charles...?'
'Ja?'
'Waarom heeft hij je niet op kantoor gebeld?'

Ontspoord 12

Ik belde Lucinda op het zakelijke nummer dat ze me had gegeven.

'Hallo, u spreekt met Lucinda Harris van Morgan Stanley. Ik ben er op het moment niet, maar als u uw naam en een kort bericht achterlaat, bel ik u zo snel mogelijk terug.'

Dus ik liet een kort bericht achter. 'Help.' Niet dat ik dat precieze woord gebruikte, natuurlijk, maar het gaat om de gedachte.

'Ik moet met je praten,' zei ik. 'Die... persoon uit het hotel heeft me gebeld.' Ik probeerde de paniek uit mijn stem te weren, net zoals toen Deanna me vertelde dat 'meneer Vasquez' had gebeld. Beide keren slaagde ik er niet in.

'Gaat het wel?' had Deanna me gevraagd.

'Het komt door de codeïne,' had ik gezegd. 'Ik word er een beetje suf van.' Wat ik had willen zeggen, was: 'Het komt door meneer Vasquez. Hij maakt me doodsbang.'

Eliot kwam mijn kantoor binnen om zijn medeleven te betuigen vanwege mijn neus. Misschien probeerde hij het ook weer goed te maken; we waren immers vrienden, of niet? Meer dan alleen maar collega's, meer dan alleen maar baas en personeel. Eliot was al die jaren mijn rabbijn geweest; had hij me geen promotie gegeven en de loftrompet over me gestoken en me meer dan gulle loonsverhogingen geschonken? Het was verkeerd van me om Eliot de schuld te geven van het feit dat ik uit het creditcardteam was gezet. Dat was hun beslissing geweest, niet die van hem. Ellen Weischler en haar bende van vier. Eliot probeerde de strijdbijl te begraven en onze vriendschap weer op te pakken.

En ik kon nu wel een vriend gebruiken.

'Hoeveel hou je van me?' vroeg ik wel eens aan Anna toen ze nog heel klein was.

'Van de aarde tot aan de maan,' antwoordde ze dan. En heel soms: 'Oneindig veel.'

En zo hard had ik op dit moment misschien wel een vriend nodig. Het was een even oneindige als acute behoefte.

Ik had zin mijn hart bij hem uit te storten. 'Ik wil je graag vertellen over iets wat me is overkomen,' zou ik dan tegen hem zeggen. 'Ik weet dat het moeilijk te geloven is; ik weet dat het nogal belachelijk is. Ik heb een meisje ontmoet.' En Eliot zou knipogen en knikken en glimlachen, want Eliot had ook wel eens een meisje ontmoet; zijn drie huwelijken waren daarvan het bewijs. Vrouw nummer drie lag op het moment aan de beademing.

'Ik heb een meisje ontmoet,' zou ik zeggen. 'Ze is getrouwd,' en Eliots glimlach zou alleen maar breder worden, als dat mogelijk was, want ook hij had wel eens een getrouwd meisje ontmoet. 'We zijn samen naar een hotel gegaan...' En op dat punt zou Eliot zich nog verder vooroverbuigen, een en al oor, want er was toch zeker niets heerlijkers dan luisteren naar een vriend die je alle smerige details vertelt, behalve dan zelf degene te zijn die de smerige details vertelt?
'We zijn samen naar een hotel gegaan,' zou ik verdergaan, 'maar toen we bij de kamer aankwamen, kwam er iemand achter ons aan naar binnen.'
En Eliot zou zijn glimlach kwijtraken. Want dit verhaal nam een gemene wending naar links en eindigde met die iemand die onze kamer binnen kwam, de vrouw verkrachtte en mij thuis probeerde te bellen. Met mijn vróúw praatte.
Eliot vroeg me of er iets aan de hand was.
'Nee,' zei ik.
'Misschien kun je maar beter naar huis gaan,' zei Eliot. 'Je ziet een beetje bleek.'
'Komt door mijn neus,' zei ik.
'Ja... je neus ziet er niet best uit.'
'Nee.'
'Nou, ga dan naar huis.'
'Misschien doe ik dat ook wel.'
Eliot gaf me een klopje op mijn schouder – toch weer vrienden.

Dus ik ging naar huis.
'Waarom heeft hij je thuis gebeld, Charles?'
Om te bewijzen dat hij dat kon, Deanna.
Ik nam wat geld uit de kas voor de trein, de plaats delict. Het delict: het begeren van de vrouw van een andere man, het leven van een andere man. Toen ik acht jaar was en de constante kritiek van mijn ouders was uitgemond in een hoog oplaaiend conflict, heb ik mijn footballhelm en wat schoon ondergoed ingepakt en verkondigd dat ik van huis ging weglopen. Daar liep ik dan, de straat op, een straat verder, twee straten verder, totdat ik besefte dat er niemand achter me aan zou komen. Uiteindelijk bleef ik staan tussen de ronddwarrelende herfstblaadjes en keerde weer terug naar huis. Vijfendertig jaar later was ik opnieuw van huis weggelopen. Maar dit keer keerde ik rennend terug.
Mijn mobiele telefoon ging. Even vroeg ik me af of híj het was, mijn zakenrelatie uit het Fairfax Hotel. Maar hij kon het niet zijn, want hij had dit nummer niet. Maar iemand anders wel.

'Hallo,' zei Lucinda.
Ze klonk anders dan vanochtend. Ze had toch weer wat emotie in haar stem, alleen was het een ander soort emotie dan ik gewend was. Doodsangst, zou ik zeggen. Eerst doods, vervolgens doodsangst, en dat allemaal binnen één middag.
'Hij heeft me thuis proberen te bellen, Lucinda,' zei ik.
'Nou, dan ben je niet de enige.'
'Wat?'
'Hij heeft mij ook thuis gebeld,' zei ze op fluistertoon, alsof ze probeerde te voorkomen dat iemand anders haar zou horen. Was haar echtgenoot ergens in huis?
Tot op dat moment hoopte ik heel vurig dat meneer Vasquez me niet thuis had proberen te bellen. Of dat er inderdaad een meneer Vasquez had gebeld, maar dat het gewoon iemand was die mijn weggeworpen portefeuille had gevonden in een vestibule van het hotel en belde als een soort goede Samaritaan. Of omdat hij een beloning verwachtte. Belachelijk, misschien. Maar er was altijd hoop, nietwaar?
Nu niet meer.
'Heb je hem gesproken?'
'Ja.'
'Wat wilde hij?' vroeg ik. Dat was hier immers de hamvraag, je moet weten wat een man wil voordat je kunt besluiten wat je moet doen.
'Ik weet niet wat hij wilde.'
'Nou, wat heeft hij dan gezegd? Heeft hij...'
'Hij vroeg me hoe ik hem vond.'
'Hoe je hem vond? Ik begrijp niet...'
'Of ik ervan genoten had. Hij wilde weten of ik ervan genoten had. Hij wilde bevestiging; is dat niet wat mannen je vragen nadat ze...' Maar ze kon zichzelf er niet toe zetten de zin af te maken. Ik vermoed dat zelfs valse bravoure zo zijn grenzen heeft.
'Het spijt me, Lucinda.'
Weer een verontschuldiging. Ik had het gevoel dat als ik haar de rest van mijn leven elke dag mijn verontschuldigingen zou aanbieden, en daar vervolgens mee zou doorgaan tot ver in het hiernamaals, het nog steeds niet genoeg zou zijn. En bovendien waren er nog zoveel andere mensen aan wie ik mijn verontschuldigingen moest aanbieden.
'Ik denk dat hij wilde weten...' zei ze.
Plotseling kwam de gedachte bij me op dat ik luider sprak dan ik zou moeten doen. Luider, of zachter, want mensen in de trein zaten me blikken toe te werpen: de vrouw omringd door tassen van Bloomingdale's die tegenover

me zat en de twee meisjes met neusringen die elkaars hand vasthielden en aan de andere kant van het gangpad zaten.
'Wat wilde hij weten?' vroeg ik.
'Of we iets hadden gedaan. Of we naar de politie waren gestapt...'
We zullen niet naar de politie stappen, had ik hem beloofd. Het soort belofte dat de meeste slachtoffers van geweldsdelicten waarschijnlijk uit pure angst doen. Alleen was het in dit geval een belofte die Vasquez min of meer kon geloven als hij dat wilde. 'Deze vrouw lijkt niet op jou,' had hij tegen Lucinda gezegd. 'En deze man... die kerel lijkt helemaal niet op jou.'
Vasquez had die ochtend iedereen kunnen pakken. Maar hij had geluk gehad. Hij had de ideale slachtoffers gevonden. Want wij moesten het feit dat we slachtoffers waren verborgen houden.
'Wat doen we nu?' vroeg Lucinda me nu; het was dezelfde vraag die ik haar in de hotelkamer had gesteld. Want plotseling was 'niets' niet genoeg. Niet meer.
'Ik weet het niet.'
'Charles...'
'Ja?'
'Wat als hij...'
'Ja?'
'Laat maar.'
'Wat als hij wát, Lucinda?' Maar ik denk dat ik wel wist wat ze me wilde vragen. Ik wilde het haar alleen niet hardop horen zeggen, niet nu, nog niet.
'Oké, wat moeten we nu doen, Charles?'
'Wat we misschien al veel eerder hadden moeten doen. Naar de politie gaan, misschien.'
'Ik ben niet van plan het tegen mijn man te zeggen.'
De echte emotie was dus toch weer teruggekeerd in haar stem. Een plotselinge, onloochenbare vastberadenheid die geen ruimte liet voor verdere discussie. 'Als ík het stil kan houden, moet jij het ook kunnen.' Ik ben degene die verkracht is, zei ze feitelijk tegen me. Ik ben degene die zes keer verkracht is terwijl jij daar maar zat en niet ingreep. Als ik ervoor kan kiezen het stil te houden, dan kun jij het ook. Dan móét jij het ook.
'Oké,' zei ik. 'Oké. Als hij nog een keer belt, zal ik met hem praten. Ik zal proberen erachter te komen wat hij wil.'

Deanna bemoederde me toen ik thuiskwam. Anna ook; misschien was ze blij dat er eindelijk eens iemand anders medische zorg nodig had. Ze bracht me een warm kompres dat ik op mijn gezwollen neus kon leggen en wreef zachtjes over mijn arm terwijl ik halfdood op het bed lag.

Ik was weer terug aan de boezem van mijn gezin – tevreden, dankbaar, een toonbeeld van huiselijk geluk.
Behalve dat ik, steeds als de telefoon ging, ineenkromp alsof ik een stomp in mijn maag kreeg.
Een vriendin van Deanna. Een verkooptelefoontje van een hypotheekmakelaar. Mijn secretaresse, die wilde weten hoe het met me ging.
Maar het kon altijd het volgende telefoontje zijn, nietwaar?
En ze wilden per se alles horen over het ongeluk. Anna wilde weten hoe ik zo 'spastisch' had kunnen doen. Terwijl ik uit een taxi stapte, nog wel. In een gat!
Ik zei dat ik er niet over wilde praten. En ik vroeg me af of steeds dezelfde leugen vertellen hetzelfde was als steeds een andere leugen vertellen. Of het een erger was dan het ander. Geen van beide opties voelde echt prettig aan, niet nu mijn dochter me een warme handdoek aanbood en mijn vrouw haar onvoorwaardelijke liefde.
Ik probeerde in de studeerkamer een potje basketbal te kijken en de zwoegende Knicks aan te moedigen. Maar ik had moeite me te concentreren; mijn gedachten dwaalden steeds af. Zo zat er een speler in het team van de Indiana Pacers die een beetje leek op... Zwart, maar Latijns-Amerikaans. Lopez, heette hij, een reserveverdediger. Langer, natuurlijk, maar...
'Hoeveel staat het?' vroeg Anna me. Ze keek al sinds haar negende niet meer samen met mij naar basketbalwedstrijden, maar ik vermoed dat ze gewoon aardig wilde zijn tegen haar bont en blauwe vader.
'We staan achter.' Dat was tegenwoordig een veilig antwoord, zelfs als je eigenlijk niet wist wat de stand was.
Precies op dat moment werd de stand getoond in de linkerhoek van het scherm. De Knicks hadden hun achterstand weten weg te werken tot vier punten.
'86-82,' las Anna voor.
'Het scheelt niet veel,' zei Charles. 'We hebben nog een kans.'
'Papa?'
'Ja?'
'Papa, heb jij ooit basketbal gespeeld?'
'Jawel.'
'In een team?'
'Nee, niet in een team.'
'Waar speelde je dan?'
'Met vrienden. In het park. Je weet wel.' Murray Miller, Brian Timinsky, Billy Seiden. Ze waren mijn beste vrienden toen we nog jong waren, maar langzaam maar zeker verdwenen ze een voor een uit mijn leven. Jaren gele-

den heb ik Billy Seiden een keer gezien in een supermarkt, maar ik ben weggegaan zonder hem gedag te zeggen.
Ik omhelsde Anna. Ik wilde haar iets vertellen over liefde en het leven en hoe vluchtig het allemaal kan zijn als je je er niet aan vastklampt – dat je datgene wat belangrijk voor je is angstvallig moet bewaken – maar ik kon niet op de juiste woorden komen.
Want de telefoon ging.
Anna nam op nadat hij twee keer was overgegaan.
'Voor jou,' zei ze.
'Wie is het?'
'Een of andere Spaanse vent,' zei Anna.

Ontspoord 13

Het gesprek.
'Hé, hallo, Charles.'
'Hallo.' Zijn stem leek uit zijn verband gerukt. Hij hoorde thuis in een hotelkamer die stonk naar bloed, niet hier in de veilige haven van mijn eigen studeerkamer. Tenzij mijn studeerkamer niet meer veilig was.
'Hoe staat het ermee, Charles?'
'Wat wil je?'
'Gaat het wel, Charles?'
'Prima. Wat wil je?'
'Weet je zeker dat het wel gaat, Charles?'
'Ja, het gaat prima.'
'Je hebt je toch geen stomme dingen in je hoofd gehaald, Charles, of wel? Je gaat toch niet naar de politie rennen?'
Lucinda had gelijk: hij wilde weten of we naar de politie waren gestapt.
'Nee,' zei ik.
'Ik weet wel dat je het beloofd hebt en zo, maar ik ken je niet zo goed, snap je wel?'
'Ik ben niet naar de politie gestapt.' Ik sprak op gedempte toon; ik had Anna de kamer uit gewerkt, maar dat betekende niet dat ze niet meer binnen zou komen. En dan was er nog Deanna, die misschien de telefoon zou oppakken en zich zou afvragen met wie ik aan het praten was.
'Dat is mooi, Charles.'
'Wat wil je?' vroeg ik hem opnieuw.
'Wat ik wil?'
'Luister, ik...'
'Je gaat toch geen stomme dingen doen, Charles, of wel? Als je het aan de politie vertelt, moet je het ook aan het vrouwtje vertellen, dat besef je toch wel, Charles? Dan moet je haar vertellen dat je Lucinda geneukt hebt, dat besef je toch wel, Charles? Waarom zou je dat nou doen? Nou?'
Hij had het voor me uitgespeld. De kern van de situatie, voor het geval ik er niet aan had gedacht.
'Ik ga niet naar de politie,' herhaalde ik.
'Dat is mooi, Charles. Moet je horen, ik moet wat geld lenen.'
Oké. Het ging over de vraag die Lucinda me aan de telefoon had proberen te stellen. 'Wat als hij...' Ze had de zin niet helemaal afgemaakt, maar als ze

dat wel had gedaan, zou ze gevraagd hebben: 'Wat als hij om geld vraagt?'
'Ik vind het vreselijk het te moeten vragen, snap je wat ik bedoel?' zei hij. 'Maar ik zit een beetje krap, zie je.'
'Luister, ik weet niet wat je denkt...'
'Niet zo veel, Charles. Een klein bedrag, weet je. Laten we zeggen, tien mille...'
'Ik heb geen tien mille.'
'Je hebt geen tien mille?'
'Nee.' Ik had gehoopt dat het voorbij zou zijn, maar het was niet voorbij.
'Shit. Dan hebben we een probleem.'
'Hoor eens, ik kan niet zomaar aan grote, contante bedragen komen. Het is allemaal...'
'Dan hebben we echt een probleem, Charles. Ik moet echt dat geld lenen, dus...'
'Ik heb gewoon geen...'
'Dan kun je er maar beter voor zorgen dat je het wel krijgt.' Hij liet onuitgesproken waarom ik daar dan maar beter voor kon zorgen.
'Het is allemaal vastgezet. Ik kan gewoon niet...'
'Je luistert niet naar me, Charles. Ik praat tegen je en je luistert gewoon niet. Ik heb tien mille nodig, Charles. Oké? Zo is het gewoon. Je bent verdomme een hoge piet, Charles. Dat staat hier op je visitekaartje. Senior' – hij sprak het uit als 'señor' – 'creative director. Ex-e-cu-tive vice pre-si-dent. Dat is nog eens indrukwekkend, Charles. En dan beweer je dat je geen tien mille hebt? Wie probeer je eigenlijk voor de gek te houden?'
Niemand, dacht ik.
'Charles.'
'Ja.'
'Jouw cashflow kan me geen reet schelen, oké? Ik wil tien mille van je. Begrepen?'
Ja, dacht ik.
'Als je het begrepen hebt, zeg dan tegen me dat je die tien mille voor me regelt.'
Deanna riep me vanuit de keuken. 'Heb je zin in kippensoep?'
'Ik zal het voor je regelen,' zei ik.
'Wat zul je voor me regelen?'
'Ik zal die tienduizend dollar voor je regelen.'
'Geweldig. Dank je. Ik vind het vreselijk dat ik het je moet vragen en zo, maar je weet hoe het gaat.'
'Waar?'
'Ik bel je nog wel een keer, oké, Charles?'

'Kun je alsjeblieft naar kantoor bellen? Kun je...'
'Neuh. Ik bel liever hiernaartoe. Ik bel je hier wel terug, oké, Charles?'
Klik.

Wat als hij ons om geld vraagt, had Lucinda zich afgevraagd.
Ook al had hij ons geld meegenomen, ook al had hij gezegd 'Kijk maar, hier is je geld al', hij had niet ál ons geld, of wel soms?
En zolang wij niet van plan waren naar de politie te gaan, kon hij er gewoon om blijven vragen.
The Knicks stonden nog achter toen het eindsignaal klonk.
Deanna vroeg me wat er aan de hand was, en dat was wat ik haar vertelde: dat het team verloren had en dat ik hen had zitten aanmoedigen.
'Arme schat,' zei ze.
En dat was precies wat Lucinda die dag in de trein tegen me had gezegd, 'Arme schat', terwijl ze me een klopje op mijn arm gaf en iets in mijn oor fluisterde. Iets over dat ik sexy was.
En misschien was ik dat ook wel, voordat ik een clown werd.
Vasquez wilde tienduizend dollar.
Ik had niet zomaar ergens tienduizend dollar liggen. Het lag niet onder een matras en was ook niet ergens op een bankrekening rente aan het vergaren. Wat ik wel had, was ongeveer honderdvijftigduizend dollar aan aandelencertificaten, in de dossierkast op de zolder boven mijn studeerkamer. Aandelen in het bedrijf, die me dankzij Eliots gulheid elk jaar opnieuw werden uitgereikt.
Deanna en ik hadden een naam voor die aandelencertificaten, een benaming die geen enkele ruimte voor twijfel liet met betrekking tot de bestemming. Niet ons vakantiefonds, of ons pensioenfonds, of zelfs ons appeltje voor de dorst. Anna's fonds. Zo noemden we het. Anna's fonds, dat we konden gebruiken voor wat er in de toekomst ook mocht gebeuren. Noem het maar extra dekking tegen een toekomstige financiële tegenvaller.
Een operatie, bijvoorbeeld.
Of tien operaties. Of andere dingen waarbij ik niet noodzakelijkerwijs wilde stilstaan.
Anna's fonds. Elke papieren cent ervan.
Maar wat kon ik anders doen dan hem betalen?
Ik lag in bed met Deanna en Deanna begon al in te dommelen, hoewel het niet veel later dan een uur of negen kon zijn. Die zesentwintig derdegroepers vergen veel energie... en nu dit, wat zou dít wel niet van haar vergen? Als ze het wist, tenminste, als ze erachter zou komen. Als ik zou instorten en het haar zou vertellen, waarmee ik niet mijn belofte aan Lucinda zou bre-

ken, niet precies, tenminste, want ik zou het niet tegen de politie zeggen. Alleen tegen haar.
Dan zou ik Vasquez het geld niet hoeven geven, of wel? Tenzij...
Tenzij Vasquez het aan iemand anders dreigde te vertellen. Tenzij hij zei: oké, dus je vrouw weet het, geweldig, maar Lucinda's man... die weet het niet. Lucinda had gezworen dat hij het nooit te weten zou komen, wat er ook gebeurde; dat hij nooit te weten zou komen dat ze met een andere man naar een hotelkamer was gegaan om seks te hebben en uiteindelijk meer seks had gekregen dan ze had kunnen bedenken.
Als ik het kan, kun jij het ook, had Lucinda tegen me gezegd.
Dat was ik haar verschuldigd, nietwaar? Nadat ik haar had laten verkrachten door een andere man, nadat ik daar had zitten toekijken hoe ze werd verkracht door een andere man? We zaten in hetzelfde schuitje.
En trouwens, ik kon fantaseren wat ik wilde over hoe ik het Deanna zou vertellen, maar de waarheid was dat ik me net zomin kon voorstellen dat ik Deanna zou vertellen wat ik had uitgespookt, dan dat ik het Anna zou vertellen. Ik kon de bewoordingen repeteren die ik zou gebruiken; ik kon me voorstellen hoe de last van mijn schouders zou vallen... Zie je? Weg last. Maar het was fantasie, het was niet echt.

Toen Deanna veilig in slaap was gevallen, ging ik boven naar de zolder om in onze dossierkast te rommelen. Bij de A van Anna's fonds.
Alleen moest ik, om het te vinden, eerst door een stel andere dingen bladeren, aangezien de dossierkast in de loop der jaren ten prooi was gevallen aan algehele wanorde en chaos. Diploma's van de middelbare school, bullen van de universiteit, geboortecertificaten... een archief, min of meer, van ons. De familie Schine. Mijlpalen, geleverde prestaties, gebeurtenissen die ons leven hadden veranderd. Een piepklein stel voetafdrukjes, welwillend ter beschikking gesteld door Anna Elizabeth Schine. Een diploma van Anna's kleuterschool. En nog ouder: een huwelijkscertificaat. Charles Schine en Deanna Williams. Een belofte om te eren en lief te hebben, een belofte die ik harteloos naast me had neergelegd in een hotel in het centrum.
Het had iets surrealistisch dat ik mijn aandelencertificaten uit de dossierkast haalde om een verkrachter af te kopen. Er bestond geen gebruiksaanwijzing voor een situatie als deze, geen zelfhulpboek dat beloofde dat het alles kon oplossen.
Toen ik de studeerkamer weer verliet, kwam ik langs Anna's slaapkamer: een slapende Anna die baadde in het maanlicht, of was het gewoon het licht van haar nachtlampje? Dat lampje had ze weer in het stopcontact gestopt toen ze ziek werd. Omdat ze plotseling doodsbang was om alleen te zijn in

het donker. Omdat ze bang was dat ze met een te lage bloedsuikerspiegel wakker zou worden en niet in staat zou zijn om haar suikertabletten te vinden, of misschien helemaal niet meer wakker zou worden.
De slaap leek haar te verlossen van al haar woede en verdriet, dacht ik.
Ik liep op mijn tenen naar binnen en boog me over het bed heen. Haar adem streek langs mijn gezicht als de vleugels van vlinders. (Ik herinnerde me opeens hoe ik ooit de vleugels van een koningsvlinder tussen mijn duim en wijsvinger had gehouden om het diertje aan een vier jaar oude Anna te laten zien, voordat ik hem voorzichtig in een schoongemaakt jampotje liet zakken.) Ik drukte een kus op een van haar koele wangen. Ze bewoog, kreunde zachtjes, draaide zich om.
Ik liep naar beneden en liet de aandelencertificaten in mijn koffertje glijden.

Ontspoord 14

Ik sprak met Lucinda af bij de fontein op de hoek van 51st Street en 6th Avenue.
Toen ik haar belde en haar vertelde wat Vasquez wilde, verviel ze in stilzwijgen en vroeg ze me vervolgens haar op deze plek te ontmoeten.
Ik had er een minuut of tien gezeten toen ik haar 51st Street zag oversteken. Ik stond op en maakte aanstalten mijn hand op te heffen ter begroeting. Maar ik bedacht me, want er was een andere man bij haar. Ze kwam op me aflopen en heel even zweefde ik tussen zitten en opstaan, tussen gedag zeggen en mijn mond houden. Ik ging weer zitten; iets zei me dat ik me beter gedeisd kon houden.
Ik bleef daar gewoon op de rand van de fontein zitten terwijl Lucinda en de man pal langs me heen liepen, zonder me een blik toe te werpen.
De man was gekleed in een respectabel blauw pak en pasgepoetste schoenen. Hij was rond de vijftig, zijn haar begon wat dunner te worden en hij had bedachtzaam zijn lippen op elkaar geklemd. Lucinda zag er weer bijna normaal uit, dacht ik, beeldschoon, dus, zolang je haar niet al te aandachtig bekeek. Als je niet ingespannen naar de vage kringen onder haar ogen keek, die overigens lang niet zo duidelijk waren als de kringen onder mijn ogen, die zo zwart waren als de zalf die footballspelers op hun jukbeenderen smeerden; maar ze zaten er wel, onmiskenbaar. Een vrouw die eruitzag alsof ze de laatste tijd niet veel geslapen had, alsof ze had liggen woelen en draaien, ondanks de twee valiumtabletten en het glas wijn.
Ze leek met de man te praten, maar haar woorden werden opgeslokt door de kakofonie van New Yorkse geluiden: het getoeter van auto's, het gerinkel van fietsbellen, de muziek van fluitisten, de motoren van bussen. Ze passeerden me op anderhalve meter afstand en ik kon geen woord verstaan van wat ze zei.
Ik wachtte terwijl ze op weg gingen naar een zijstraat. Ik was omringd door de gebruikelijke mengeling van toeristen die hun ogen uitkeken, middagrokers die met onverholen wanhoop trekjes namen van hun sigaret en hier en daar een dakloze die in zichzelf liep te mompelen.
Ik staarde naar de kerstversieringen van de Radio City Music Hall aan de overkant van de straat. SPECTACULAIRE KERSTSHOW stond erop en de hele markies was bedekt met hulst. Op de stoep bij de voordeur stond een kerstman met een bel te rinkelen en te roepen: 'Vrolijk kerstfeest, allemaal!' Hier bij de fontein was het koud en guur.

Ik wachtte vijf minuten, vervolgens tien.
Toen zag ik Lucinda terugkomen. Ze kwam haastig om de hoek gelopen en keek me recht aan. Aha. Dus ze had me wel degelijk gezien.
'Bedankt,' zei ze.
'Graag gedaan. Hoezo?'
'Omdat je geen gedag zei. Omdat je helemaal niets zei. Dat was mijn man.'
Dat was mijn man. De golfer. Degene die het nooit te weten mocht komen.
'O,' zei ik.
'Hij verraste me op kantoor, met bloemen. Hij stond erop met me mee te gaan toen ik een taxi nam vanuit het centrum. Sorry.'
'Dat geeft niet. Hoe gaat het met je?'
'Geweldig, gewoon. Kan niet beter.' De manier waarop ze het zei, suggereerde dat het nogal stom van me was om dat te vragen, net als die televisiereporters die ergens waar zich een onvoorstelbare tragedie had afgespeeld aan de nabestaanden van de slachtoffers vroegen hoe ze zich op dat moment voelden.
'Heeft hij je nog gebeld?' vroeg ze aan me.
'Niet sinds hij om die tienduizend dollar heeft gevraagd. Nee.'
'En?' vroeg ze. 'Ga je hem het geld geven?'
'Ja.'
Ze keek omlaag naar haar handen. 'Dank je.'
'Je hoeft me niet te bedanken.' Ik wilde het er eigenlijk helemaal niet met haar over hebben. Want steeds als ik erover begon, werd het echter, iets wat werkelijk ging gebeuren.
'Moet je horen,' zei ze, 'ik heb hier duizend dollar. Een rekeningetje waar mijn man niets van af weet.' Ze stak haar hand in haar handtasje.
'Hoeft niet,' zei ik. 'Laat maar.'
'Neem het nou aan,' zei ze, alsof ze probeerde te betalen voor haar eigen chocolaatjes en frisdrank en ik met alle geweld ouderwets wilde zijn en haar op alles wilde trakteren.
'Nee. Ik regel het wel.'
'Hier,' zei ze, en ze propte tien briefjes van honderd dollar in mijn hand. Na een kort potje touwtrekken gaf ik het op. Ik stopte het geld in mijn zak.
Toen vroeg ze: 'Denk je dat het hiermee afgelopen is?'
En dat was natuurlijk de grote vraag. Zou het hiermee afgelopen zijn of niet?
'Ik weet het niet, Lucinda.'
Ze knikte en zuchtte. 'Wat als het doorgaat? Wat als hij om nog meer geld vraagt? Wat dan?'
'Dan weet ik het nog steeds niet.' Dan zijn we de klos, Lucinda.

'Hoe heeft dit kunnen gebeuren, Charles?' vroeg ze, zo zachtjes dat ik in eerste instantie niet zeker wist of ik haar wel goed had verstaan.
'Wat?'
'Hoe heeft het kunnen gebeuren? Hoe, in vredesnaam? Soms denk ik dat ik het gedroomd heb. Het lijkt ongelooflijk, vind je niet? Dat het ons werkelijk is overkomen. Ons. Soms...'
Ze depte haar ogen droog; ze waren vochtig geworden en ik bedacht me dat haar ogen me die ochtend in de trein als tweede waren opgevallen. Eerst haar dij, misschien, en toen haar ogen. Ik had iets teders bespeurd in die ogen en ik had bij mezelf gezegd: ja, dat kan ik wel gebruiken. Daar heb ik op het moment behoefte aan.
'Misschien kun je het ook maar beter als zodanig beschouwen,' zei ik. 'Als een boze droom.'
'Maar dat was het niet. Dus dat slaat nergens op.'
'Nee. Dat slaat nergens op.'
'Als hij erachter kwam, zou het zijn dood worden,' zei ze.
Haar man, ze had het weer over haar man.
'Als hij erachter kwam, zou hij mij vermoorden.'
'Hij komt er niet achter.' We zaten in hetzelfde schuitje, verzekerde ik haar. We hebben onze echtgenoten misschien bedrogen, maar we zullen elkaar niet bedriegen.
'Wat heb je tegen je vrouw gezegd?' vroeg ze me. 'Over je neus?'
'Dat ik gevallen ben.'
'Ja,' zei ze, alsof zij dat in mijn plaats ook gezegd zou hebben.
'Hoor eens, ik wilde tegen je zeggen...' Wat wilde ik haar eigenlijk precies vertellen? Dat ik haar in de steek had gelaten, denk ik, dat ik haar in de steek had gelaten, maar dat ik dat niet nog eens zou doen.
'Ja?'
'Ik had... Nou ja, ik had hem moeten tegenhouden.'
'Ja.'
'Ik heb het geprobeerd. Maar niet hard genoeg.'
'Hij had een pistool,' zei ze.
Ja, hij had een pistool. Hij had een pistool dat hij soms op mij gericht hield en soms ook niet. Terwijl hij haar aan het verkrachten was, niet. Het pistool lag toen gewoon op de grond, hooguit een meter bij me vandaan, misschien, meer niet.
'Het geeft niet,' zei ze. Maar ik zag dat ze het niet meende, dat ze wel degelijk vond dat ik beter mijn best had moeten doen, dat ik haar had moeten redden. En ik herinnerde me hoe ik haar die avond in het café had beschermd en hoe ze me er achteraf een kus voor had gegeven. Maar mannen

die je lastigvallen in een café zijn natuurlijk iets heel anders dan gewapende verkrachters.
'Ik denk dat we elkaar maar beter niet meer kunnen spreken, Charles,' zei ze. 'Vaarwel.'

'Ben je er tot nu toe blij mee?' vroeg David Frankel me.
'Wát?'
'Ben je er tot nu toe blij mee? Met de commercial?'
We waren de aspirinecommercial aan het opnemen in studio tien van Silvercup Studios in Astoria.
'Ja hoor. Het ziet er prima uit.'
'Ja. Corinth is een oude prof.'
Nou, oud is hij zeker, wilde ik eigenlijk zeggen. Robert Corinth was de regisseur van de aspirinecommercial. Hij was klein en kalend, met een stom ogend paardenstaartje onder een halvemaan van zongebruinde huid. Het paardenstaartje schreeuwde: ik mag dan ten prooi zijn gevallen aan de vernederingen van de ouderdom, maar ik ben nog steeds cool, ik ben nog steeds hip. We waren met take 22 bezig.
'Wie doet de muziek voor het spotje?' vroeg ik hem.
'Muziek?'
'Ja, de track. Wie doet die?'
'T&D Music House.'
'Nog nooit van gehoord.'
'O, ze zijn goed, hoor.'
'Oké.'
'Ze doen alle tracks voor mijn projecten.'
'Oké. Prima.'
'Je vindt ze vast geweldig. Ze berekenen ons altijd een gunstige prijs.'
Ik was van plan hem te vragen waarom hij zo tegen me zat te glimlachen. Maar ik werd onderbroken door Mary Widger, die in mijn oor fluisterde.
'Charles,' fluisterde ze, 'kan ik je even spreken?'
'Natuurlijk.'
'Meneer Duben vindt dat het potje aspirines verder omhoog moet.'
'Verder omhoog?' Meneer Duben was mijn nieuwe cliënt. Hij had me begroet met de woorden: 'Ah, dus jij bent het nieuwe bloed.'
'Ja, bloedgroep 0,' had ik geantwoord, en hij lachte en zei: 'Mooi, dat is precies wat we nodig hebben.'
'Verder omhoog. In beeld.'
'Natuurlijk. Kun je tegen Robert zeggen dat hij de aspirines hoger in beeld moet houden, David?'

'Geen probleem,' zei David. 'Ik leef voor dat soort dingen.'
Later die middag, ergens tussen take 48 en take 49 in, dreef Tom Mooney me bij de koffieautomaat in een hoek.
'Hé, maatje,' zei hij.
Tom was mijn maatje niet. Hij was de vertegenwoordiger van Headquarters Productions en zijn modus operandi was zich zo irritant mogelijk te gedragen, zodat cliënten hem werk zouden geven in een poging van hem af te komen. Dat was een methode die hem geen windeieren had gelegd.
'Hoe gaat het met je, Tom?'
'Met mij gaat het prima. De vraag is: hoe gaat het met jou?' Hij stond naar mijn gezicht te kijken.
'Ik ben gevallen,' zei ik. Voor de honderdste keer.
'Ik bedoel wat het werk betreft.'
Tom wist precies hoe het met me ging wat het werk betrof. Hij wist bijvoorbeeld dat ik tot een paar weken geleden nog een prominente creditcardcliënt onder mijn hoede had gehad, maar nu persoonlijk verantwoordelijk was voor de aspirinecliënt. Dat wist hij, want de reclamebusiness is een klein wereldje en zoals in de meeste kleine wereldjes, deed nieuws als een lopend vuurtje de ronde, en slecht nieuws nog sneller.
'Prima,' antwoordde ik hem.
Hij vroeg of ik zijn kerstkaart had ontvangen.
'Nee.'
'Ik heb je een kaartje gestuurd.'
'Ik heb het niet gekregen.'
'Nee?'
'Nee.'
'Nou, zalig kerstfeest. Cadeautjes volgen nog,' zei hij.
'Cadeautjes zijn niet nodig, Tom.'
'Doe niet zo raar. Ome Tommy vergeet nooit een cliënt.'
'Als het een petje is van Headquarters, laat dan maar. Die heb ik al,' zei ik.
'Wie heeft het hier over petjes?' zei Tom. 'Heb ik iets gezegd over petjes?'
'Ik heb ook al een T-shirt van Headquarters.'
'Hé, je bent nu een cliënt van Headquarters, man.'
'Dat is zeker waar.'
'Dus zie mij maar als de kerstman.'
'Wat vreemd. Je ziet er niet uit als de kerstman.' Met zijn glad achterovergekamde haar en hyperbeweeglijke maniertjes zag Tom er eerder uit als een honkbalcoach aan de amfetamine.
'Hoe weet jij dat? Heb jij de kerstman ooit gezien, dan?'
Toen Anna nog klein was, ongeveer vijfenhalf, had ze me gevraagd hoe de

kerstman nu bij Toys "R" Us kon gaan winkelen als hij op de noordpool woonde. Ik had per ongeluk de sticker van de winkel op een My Little Pony laten zitten.
'Leuk je te ontmoeten, kerstman.'
'En wat wil de kleine Charley graag hebben voor Kerstmis?'
Als Tom de hele dag de tijd had gehad, had ik het hem kunnen vertellen.
'Niets, Tom. Ik hoef niets.'
'Hé, je neemt reclames met me op, toch?'
'Inderdaad.'
'Je werkt samen met Frankel, of niet?'
'Frankel? Ja zeker.'
'Oké. Vraag hem maar wat hij voor Kerstmis krijgt.'
Wat betekende dat nu weer?
'Het enige wat ik wil voor Kerstmis, is een mooi spotje, Tom.'
'Waarom heb je ons dan ingehuurd?' vroeg hij.
Maar toen ik er niet om kon lachen, voegde hij eraan toe: 'Grapje.'

Die avond belde Vasquez me thuis op en zei tegen me dat ik naar Alphabet City op de hoek van 8th Street en Avenue C moest komen.

Ontspoord 15

Ze noemden het Alphabet City omdat het zich uitstrekte van Avenue A tot D in het zuiden van Manhattan. Vroeger was dit het terrein van Latijns-Amerikaanse benden geweest, totdat er een invasie plaatsvond van kunstzinnig volk, zodat het gebied nu zowel gevaarlijk als hip was. Kruideniers en galerieën stonden gebroederlijk naast elkaar en verkochten gevulde pasteitjes en kinetische kunst.

Ik was hier voor het laatst geweest toen ik begin twintig was. Ik herinnerde me vagelijk een taxirit zonder duidelijke bestemming die hier was geëindigd; we hadden ons met zijn zevenen in de taxi gepropt en waren op zoek gegaan naar vertier. Ik kon me niet herinneren hoe die avond was geëindigd.

Vandaag was ik niet op zoek naar vertier.

Ik was op zoek naar Vasquez.

Deanna had de telefoon opgenomen toen hij belde. 'Hoe gaat het met u, mevrouw Schine?' had hij tegen haar gezegd. Ze keek een beetje verward toen ze mij de telefoon gaf.

'Zakenrelatie,' had ik later tegen haar gezegd.

Vasquez had me gevraagd of ik het geld had. Ja. Hij had me gevraagd of ik nog steeds een brave jongen was (vertaling: geen politie). Ja. Hij had me opgedragen hem te komen opzoeken in Alphabet City.

Toen Deanna de kamer had verlaten, zei ik tegen hem dat het tienduizend dollar was en geen cent meer, begreep hij dat? Dit was alles.

Vasquez zei: 'Tuurlijk, kerel.'

Om elf uur 's ochtends bood de hoek van Avenue C en 8th Street een representatief beeld van de buurt. Vijf Latijns-Amerikaanse jongeren waren de tijd aan het doden op de motorkap van een auto met verhoogde wielen, terwijl een straatartiest een bord ophing waarop hij zijn hennatatoeages aanprees. Geen Vasquez te zien.

Een zwarte man botste tegen me op.

'Waarom kijk je verdomme niet uit waar je loopt?' zei hij.

Ik was natuurlijk helemaal niet aan het lopen geweest; feitelijk stond ik daar maar een beetje. 'Sorry,' zei ik toch maar.

'Sorry?' De man was groter dan ik, ongeveer zo groot als een gemiddelde jeep.

'Ja,' zei ik.

'Wat als sorry niet goed genoeg is?'

'Hoor eens, ik zag u niet...'
De man lachte.
'Het geeft niet,' zei hij. 'Maak je niet te sappel. Charles, hè?'
Hij wist mijn naam. De man die me ervan beschuldigd had dat ik niet uitkeek waar ik liep, kende mijn naam.
'Charles,' zei hij nogmaals. 'Toch?'
'Wie bent u?'
'Heb ik je niet net een vraag gesteld? Ben jij Charles of ben jij niet Charles?'
'Ja, ik ben Charles.'
'Noemen ze je Chuck? Als je mijn maatje was, zouden we je Chuck noemen.'
'Nee.' *Chuck, Chuck, bo buck, banana fana fo fuck...* Een liedje waar de andere kinderen in mijn buurt veel plezier om hadden gehad toen ik acht was.
'Waar is Vasquez?' vroeg ik hem.
'Ik ga je naar hem toe brengen. Waarom denk je anders dat ik hier ben?'
Ik wilde niet naar hem toe gebracht worden.
'Als ik jou nu eens gewoon het geld geef...'
'Jij geeft mij helemaal niets, begrepen? We gaan een eindje wandelen.'
'Hoe ver?'
'Hoe ver?' aapte hij me na. 'Gewoon een eindje verder over straat.'
Hij liep weg en keek af en toe achterom om te controleren of ik wel achter hem aan kwam; en ik herinnerde me hoe ik vroeger, toen Anna klein was, hetzelfde deed: samen met haar lopen, maar niet bij haar lopen, en in de gaten houden of ze niet in een gevaarlijke richting zou afdwalen. Alleen liep ik nu al in een gevaarlijke richting.
Toen we een steegje tussen twee gerenoveerde flatgebouwen passeerden, bleef de man op me staan wachten, waarna hij me in de richting van de nauwe doorgang begon te duwen. Ik probeerde me te verzetten, totdat de man met zijn hand mijn arm dreigde te vermorzelen. Ik gaf het op.
Hij smeet me tegen de muur. Dit is nu precies wat er altijd in steegjes gebeurt, nietwaar, dacht ik. Mensen worden in elkaar geslagen en neergestoken en beroofd. Soms gebeurt het in hotelkamers, maar meestal in steegjes. Ik wachtte op het onvermijdelijke, dat snel en bruut en volledig zou zijn. Alleen sloeg hij me helemaal niet in elkaar.
'Eens kijken,' zei de man, en hij begon me te betasten. Hij liet zijn handen over mijn benen, mijn borst en mijn armen omhoog en omlaag glijden. Hij was me aan het fouilleren.
'Geen microfoontje. Dat is mooi, Charles, kerel...'
'Ik heb toch tegen hem gezegd dat ik niet naar de politie zou stappen.'
'Ja. En hij gelooft je.'

'Hoor eens, ik moet nu echt terug,' zei ik. Ik kon de paniek in mijn eigen stem horen en probeerde voorzichtig weg te schuiven van de muur.
'Kom mee,' zei hij, 'nog maar een klein stukje...'
Ik was maar een klein stukje verder gegaan toen ik voor het eerst naast Lucinda ging zitten en toen nog een klein stukje verder toen ik haar meenam naar het Fairfax Hotel, en nu werd me gevraagd om weer een klein stukje verder te gaan, terwijl ik eigenlijk maar één ding wilde: teruggaan naar dat oord dat 'gisteren' heette.
Ik liep achter de man aan naar de andere kant van het steegje, een straat op waar het naar zuurkool en pommade rook. We passeerden een haarsalon die gespecialiseerd was in dreadlocks en haartatoeages. De man sloeg links af en liep het portiek van een gedeeltelijk gerenoveerd flatgebouw binnen.
Hij belde aan bij een naam en er klonk een zoemer als antwoord.
'Kom mee,' zei hij, terwijl hij de beschadigde glazen deur voor me openhield. Weer 'kom mee'. Ik volgde tegenwoordig alleen nog maar bevelen op, als een nieuwe rekruut in het leger van de moreel berooiden. Me bewust van het feit dat ik met elke stap verder doordrong in vijandelijk terrein, maar niet vrij was om te weigeren. In dit leger werden deserteurs mogelijk bestraft door middel van executie.
Vasquez zat in een appartement op de begane grond. Daar was hij, vlak achter de deur toen die openging om ons binnen te laten.
Ik kromp ineen toen Vasquez zijn hand uitstak. Ik had die hand andere dingen zien doen, met Lucinda en mij. Maar Vasquez wilde me niet de hand schudden.
'Geld,' zei hij.
Hij was gekleed in een laag afhangende broek waar een stukje van zijn Calvin Klein-slip bovenuit piepte en een sjofele, groene trui. Gangsta-stijl. Dit was de eerste keer dat ik hem eens goed kon bekijken. En het verraste me hoe anders hij eruitzag dan ik me herinnerde, qua algemene indruk, tenminste. Hij leek fysiek een stuk minder ontzagwekkend, magerder en onmiskenbaar beniger. En ik vroeg me af hoeveel criminelen er op grond van een onjuist ooggetuigenverslag naar de elektrische stoel waren gegaan – een heleboel, waarschijnlijk, aangezien het nogal moeilijk was om iemand goed in je op te nemen terwijl hij je hersens tot moes sloeg of je vriendin verkrachtte.
Ik gaf hem de tienduizend dollar in gloednieuwe briefjes van honderd dollar. Ik had het gevoel dat ik met een huishoudelijke aanschaf bezig was: een wasmachine, een breedbeeldtelevisie voor in de studeerkamer, tuinmeubelen... Alleen kocht ik bij deze huishoudelijke aanschaf feitelijk een gezinsleven. Vijfduizend dollar voor Anna en vijfduizend dollar voor Deanna.

Zonder geldteruggarantie. Een aankoop in goed vertrouwen, terwijl er geen sprake was van goed vertrouwen.
'Negenduizendnegenhonderd...' Vasquez telde alles ijverig tot op het laatste biljet na, waarna hij naar me opkeek met die afschuwelijke glimlach, de glimlach die ik me herinnerde van de hotelkamer.
'Bijna vergeten,' zei hij, en gaf me een stomp in mijn buik.
Ik ging tegen de vlakte.
Ik kon geen lucht krijgen; ik begon in de lucht te klauwen, happend naar adem.
'Dat was omdat je je creditcards hebt geblokkeerd, Charles. Dat kwam mij niet zo goed uit, aangezien ik net op het punt stond iets aan te schaffen.'
De andere man vond de hele situatie nogal grappig. Hij begon te lachen.
Toen zei Vasquez: 'Wij gaan nu, Charles.'
Het duurde vijf minuten voordat ik weer normaal kon ademhalen; vervolgens kostte het me nog eens vijf minuten om overeind te komen, waarbij ik de muur als steun gebruikte. Gedurende die vijf minuten die ik op de vloer doorbracht in een poging weer lucht te krijgen, heb ik ook gehuild, gedeeltelijk vanwege de klap tegen mijn middenrif en gedeeltelijk vanwege het besef waar ik was.
Op de vloer, naast een bakje met Chinees van twee dagen oud, vol kakkerlakken.

Ontspoord 16

Ik ben de volgende dag lang op kantoor gebleven.
Ik voelde me tegenwoordig thuis nogal zenuwachtig en beschaamd, niet noodzakelijkerwijs in die volgorde. Steeds wanneer ik naar Anna keek, moest ik denken aan de tienduizend dollar die ik uit haar fonds had geroofd. En steeds wanneer de telefoon overging, moest ik die kwellende seconden ondergaan die verstreken voordat iemand daadwerkelijk opnam, en in de tussentijd stelde ik me volledige gesprekken voor, die altijd eindigden met Deanna die boos de slaapkamer of de studeerkamer of de kelder binnen kwam lopen en mij ervan beschuldigde dat ik haar leven had verwoest en onze dochter had vermoord.
Ik had liever dat dat via de telefoon zou gebeuren, aangezien ik me niet kon voorstellen dat ik haar daadwerkelijk in de ogen zou moeten kijken terwijl ze mijn lange lijst misdaden opsomde. In mijn kantoor kon ik de deur dichtdoen, de lampen uitdoen en naar mijn spiegelbeeld staren op het computerscherm, dat in constante slaapstand stond – een stand waarvan ik wenste dat ik mezelf er op de een of andere manier in kon zetten. Hier kon ik nadenken over hoe ik mezelf kon ontdoen van dit afschuwelijke iets dat mijn leven dreigde te doen ontsporen. Thuis kon ik slechts de gevolgen ondergaan.
Op het moment probeerde ik T&D Music House op te zoeken.
Ik wilde hen morgen opbellen met wat ideetjes voor de track voor het aspirinespotje. Iets wat emotioneel klonk, zonder overdreven sentimenteel te worden. Iets wat misschien de banale dialoog en houterige spreektrant van de acteurs kon verhullen.
Ik kon het bedrijf niet terugvinden in de gids. T&D, dat had Frankel toch gezegd? Of waren het soms andere letters geweest? Nee, ik was er vrij zeker van dat het T&D was.
Misschien was de postproductiegids die ik gebruikte niet meer accuraat. Misschien...
Ik hoorde een luide bons.
Het was al acht uur geweest en de conciërges waren al klaar met hun ronden. Ik was er vrij zeker van dat er, behalve ik, niemand anders aan het overwerken was.
Ik hoorde het weer.
Een soort schurend geluid, nu, wat gerinkel, weer een bons. Er was iemand

in de kamer naast de mijne, in het kantoor van Tim Ward, en ik had Tim met eigen ogen een sprintje zien trekken om de trein van zes uur achtendertig naar Winchester te halen.
Toen iets anders. Iemand was *My Girl* van de Temptations aan het fluiten. Misschien was het toch een van de conciërges; misschien moest er nog een klusje afgemaakt worden terwijl het kantoor sluimerde. Conciërges verschenen immers, net als de kabouters van schoenmakers, voornamelijk 's nachts om op magische wijze de vruchten van hun arbeid achter te laten. Een nieuw tapijt, fris geschilderde muren, een gerenoveerde airconditioner. Dat was het, het was gewoon een van die kabouters.
Rinkel. Bons. Boem.
Ik stond op uit mijn stoel en liep over mijn met papieren bezaaide tapijt om te gaan kijken. Toen ik de deur opende, hield het lawaai op. Het gefluit ook. Ik meende iemand scherp te horen inademen.
Er brandde licht in het kantoor van Tim Ward. Het bureaulampje, vermoedde ik; een koel, geel licht scheen door het matglas als zonlicht dat door de ochtendmist probeert te dringen. Heel even wist ik niet wat ik moest doen. Je hoeft in principe niets te doen als je iemand 's avonds in het kantoor naast je hoort fluiten. Het mag wel, maar het hoeft niet.
Ik deed de deur van Tims kantoor toch maar open.
Iemand was iets met Tims computer – een Apple G4, net als die van mij – aan het doen.
'Hallo,' zei Winston Boyko. 'Ik ben hem aan het repareren.'
Alleen leek het niet alsof Winston hem aan het repareren was.
Het leek alsof hij hem aan het stelen was.
'Tim zei dat hij steeds aan en uit flakkerde,' zei hij, maar zijn gezicht was rood aangelopen en zijn stem klonk onvast. De computer was aan de muur bevestigd door middel van een dunne, stalen kabel, die Winston waarschijnlijk aan het doorknippen was. Dat kreeg ik door toen ik zag dat Winston iets in zijn hand had wat op een draadschaar leek.
'Heeft Tim jóú gevraagd om hem te repareren?' vroeg ik.
'Ja. Ik ben behoorlijk goed met computers, wist je dat niet?'
Nee, dat wist ik niet.
'We hebben een computerafdeling, Winston. Om computers te repareren.'
'Krijg nou wat. Nou, dan hoef ik het dus niet te doen.'
'Winston?'
'Ja?'
'Tom heeft je niet gevraagd om zijn computer te repareren,' zei ik.
'Niet met zoveel woorden, nee.'
'Je weet helemaal niets over computers, of wel?'

'Jawel, hoor.'
'Winston...'
'Ik weet hoeveel ze opleveren.' En toen haalde hij zijn schouders op. Oké, het is gedaan met de poppenkast, wilde hij daarmee zeggen. Ik kon het toch proberen?
'Waarom steel je computers, Winston?' Misschien was dat een vreemde vraag om te stellen aan de persoon die hem aan het stelen was. Waarom steelt men immers iets? Om geld te verdienen, natuurlijk. Maar waarom Winston, die wandelende honkbalencyclopedie en in alle opzichten vriendelijke vent? Waarom hij?
'Ik weet het niet. Op dat moment leek het een goed idee.'
'Jezus... Winston...'
'Weet je wat een G4 opbrengt? Ik zal het je vertellen. Drieduizend, tweedehands. Dat is nog eens een Apple'tje voor de dorst, nietwaar?'
'Het is toevallig wel illegaal.'
'Ja, daar heb je gelijk in.'
'En ik heb gezien dat je hem aan het stelen was. Wat moet ik nu?'
'Tegen me zeggen dat ik het niet nog een keer moet doen?'
'Winston... Ik weet niet zeker of je...'
'Moet je horen. Ik heb hem niet gestolen, toch? Kijk maar, de computer staat er nog. Niets aan de hand.'
'Is dit dan de eerste keer?'
'Ja hoor.'
Maar nu herinnerde ik me dat ik iets had gehoord over verdwenen computers. Daarom hadden ze ze om te beginnen met een stalen kabel aan de muur bevestigd, nietwaar?
'Moet je horen,' zei Winston. 'Het zou erg vervelend voor mij zijn als je er iets over zei.'
En voor het eerst voelde ik me een beetje ongemakkelijk. Een beetje nerveus. We hadden het dan wel over Winston, mijn gesprekspartner over basketbalfeitjes en mijn maatje uit de postkamer. Maar hij was ook een dief die hier laat op de avond, nu er verder niemand meer was, met een draadschaar in zijn hand stond. Ik vroeg me af of het een goed wapen zou zijn en besloot dat dat waarschijnlijk wel het geval was.
'Dus kunnen we het gewoon vergeten? Oké, Charles? Ik beloof dat ik het niet meer zal doen.'
'Mag ik er even over nadenken?'
'Natuurlijk.' Toen, nadat er nog een moment verstreken was, en nog een: 'Moet je horen,' zei Winston. 'Ik zal je vertellen waarom het mij nogal zou verneuken. Afgezien van het feit dat ik hier ontslagen zou worden, natuur-

lijk, wat niet zo'n vreselijke ramp zou zijn, relatief gesproken. Ik zal eerlijk tegen je zijn, oké?'
'Oké.'
'Ik zal je vertellen hoe het zit.' Hij ging op Tims stoel zitten. 'Ga zitten, je ziet eruit alsof je op het punt staat uit het raam te springen.'
Ik ging zitten.
'Het zit zo,' begon Winston.

Winston had in de bak gezeten.
'Niets ernstigs,' verzekerde hij me. 'Ik gebruikte partydrugs.'
'Is dat alles?'
'Nou, ik dealde ook in partydrugs.'
'O.'
'Kijk niet zo naar me. Ik verkocht geen H, hoor. Voornamelijk X.'
Sinds wanneer werden drugs aangeduid door middel van letters uit het alfabet? Was er nu een drug voor elke letter?
'Het was mijn bijbaantje toen ik op de universiteit zat,' zei Winston. Hij krabde aan zijn bovenarm, in de buurt van zijn tatoeage. 'Ik had ook in de schoolkantine kunnen gaan werken, natuurlijk. Dit leek alleen gemakkelijker.'
'Hoe lang heb je...?'
'Ik ben veroordeeld tot tien jaar. Maar ik heb er vijf van uitgezeten. Vijfenhalf jaar in Sing Sing. En die bajes is al zo'n honderd jaar oud.'
'Wat erg.' Maar ik wist niet zeker of ik het erg vond dat Winston in de gevangenis had gezeten of dat ik het erg vond dat ik hem op heterdaad had betrapt terwijl hij een computer probeerde te stelen, waardoor hij misschien opnieuw naar de gevangenis zou moeten. Misschien wel allebei.
'Dat vind ik ook. Over een slechte carrièrestap gesproken. Toen ik vrijkwam, lag ik zes jaar achter op de rest. Ik heb geen bul. Ik heb geen werkervaring, behalve boeken opstapelen in de gevangenisbibliotheek en ik denk niet dat dat meetelt. En al had ik een bul, dan nog zou niemand me graag in de directie hebben. Ik had in mijn eerste jaar een cijfergemiddelde van boven de negen en nu breng ik post rond.'
'Weten ze dat je in de bak hebt gezeten?' vroeg ik hem.
'Hier, bedoel je?'
'Ja.'
'Ja hoor. Je zou eens naar de postkamer moeten komen. Wij zijn de natte droom van iedere liberaal. We hebben twee ex-bajesklanten, twee mongolen, een ex-junkie en een vent die aan alle ledematen verlamd is. Hij is onze kwaliteitscontroleur.'

'Waarom ben je niet teruggegaan naar de universiteit toen je vrijkwam?'
'Zou jij mijn lesgeld betaald hebben, dan?'
Daar had Winston ook weer gelijk in.
'Luister, ik ben voorwaardelijk vrij,' ging Winston verder. 'Ze hebben bepaalde regels als je voorwaardelijk vrij bent. Je mag niet zonder toestemming de staat verlaten. Je moet twee keer per maand contact opnemen met je reclasseringsambtenaar. En, o ja, je mag ook geen computers stelen. Wat dat betreft heb ik er misschien wel een zootje van gemaakt. Ze hebben echter nog een regel als je voorwaardelijk vrij bent. Je kunt je eigen brood niet verdienen. Niet echt, tenminste. Weet je wat ze me betalen om je post rond te brengen?'
We konden zoveel over sport praten als we wilden, wilde Winston duidelijk maken, maar we bevonden ons aan twee verschillende kanten van het socioeconomische spectrum. Ik zat in de directie en hij was maar een postbezorger.
'Hoeveel computers, Winston?'
'Ik zei toch al, dit is de eerste keer...'
'Dat je betrapt wordt. Ik weet het. Hoe vaak ben je niet betrapt?'
Winston leunde achterover en glimlachte. Hij spande de spieren in zijn arm, de arm met de hand waarmee hij de draadschaar vasthield. Hij haalde zijn schouders op. 'Een paar keer.'
'Oké. Een paar keer.' Ik voelde me opeens moe; ik wreef over mijn voorhoofd en keek omlaag naar mijn schoenen. 'Ik weet niet wat ik moet doen,' zei ik hardop. Dat was een uitspraak die inmiddels op alles in mijn leven van toepassing was.
'Natuurlijk wel. Ik heb net mijn ziel voor je blootgelegd, man. Ik heb iets stoms gedaan. Dat geef ik toe. Het zal niet weer gebeuren. Beloofd.'
'Oké. Prima. Ik zal niets zeggen.' Op het moment dat ik dat zei, vroeg ik me af waarom ik precies dat besluit had genomen. Misschien omdat ik me niet minder een dief voelde dan Winston. Ja, dat was het. Had ik geen geld gestolen uit Anna's fonds? Laat op de avond, zelfs, zodat niemand me zou zien, net als Winston? Was dat geen criminele etiquette: nooit een collegacrimineel aangeven? Hij zou voor mij hetzelfde doen, nietwaar?
'Bedankt,' zei Winston.
'Als ik hoor dat er nog een computer gestolen wordt...'
'Hé, ik ben een dief. Geen stommeling.'
Dat klopt, dacht ik. Ik ben hier de stommeling.

Ontspoord 17

'Papa...'
Het woord dat je overdag bijna nooit te vaak kunt horen, wordt het woord waarvan je vreest dat je er midden in de nacht door gewekt zult worden. Het was als een brandalarm in een pikdonkere bioscoop, midden in de hoofdfilm, een soort huiselijk drama over mij en Deanna en een vrouw met groene ogen.
'Papa!'
Ik hoorde het opnieuw en dit keer werd ik helemaal wakker en viel ik bijna uit het bed.
Herinneringen aan andere nachten zoals deze wedijverden om mijn onverdeelde aandacht, maar ik probeerde ze uit alle macht af te weren en me te concentreren op de fysieke handeling van opstaan en met blote voeten over een donkere, kille overloop rennen.
Naar Anna's kamer.
Ik knipte het licht aan terwijl ik naar binnen stormde: met mijn ene hand drukte ik op de schakelaar, met de andere reikte ik al naar haar. Zelfs met half dichtgeknepen ogen tegen het felle licht zag ik dat Anna er uitzonderlijk en beangstigend raar uitzag. Ze was, daar was ik vrijwel zeker van, in een hypoglykemische shocktoestand verzeild geraakt.
Haar ogen waren omhooggerold in hun kassen, in de richting van het deel van haar brein dat tolde door suikergebrek; haar lichaam was gevangen in een eindeloos gestotter. Toen ik mijn armen om haar heen sloeg, was het net alsof ik een angstig puppy vasthield, die hevig rilde en beefde. Alleen, als Anna bang was, was ze niet in staat me dat te vertellen.
Toen ik tegen haar schreeuwde, weigerde ze terug te schreeuwen. Toen ik haar hoofd heen en weer schudde en in haar oor fluisterde, toen ik haar zachtjes in het gezicht sloeg: geen reactie.
Er was me verteld wat ik moest doen als dit gebeurde. Ik was erop voorbereid en getraind en eraan herinnerd en ervoor gewaarschuwd. Ik kon me er alleen geen woord van herinneren.
Ik wist dat er een injectiespuit in een felrood, plastic koffertje zat. Ik dacht dat het koffertje beneden in een keukenkastje stond. Ik geloofde dat het koffertje opengemaakt moest worden en dat de injectiespuit gevuld moest worden met een bruin poeder dat ook in het koffertje zat. En water, er moest wat water bij gedaan worden.

Deze zaken schoten door mijn hoofd als een dyslectische zin die ik niet helemaal kon bevatten. Ik wist echter wel wat het in grote lijnen betekende, en het was een afschuwelijke en genadeloze boodschap.
Mijn dochter was stervende.
Plotseling stond Deanna pal achter me.
'De spuit,' zei ik tegen haar, of misschien schreeuwde ik het wel.
Maar ze had de spullen al in haar hand. Ik werd even overspoeld door een golf van pure liefde jegens haar, jegens die vrouw met wie ik was getrouwd en met wie ik Anna had gecreëerd; ondanks al mijn angst voelde ik de aandrang om me op mijn knieën te laten vallen en mijn armen om haar heen te slaan. Ze deed het koffertje voor me open, haalde kalm de injectiespuit tevoorschijn en bestudeerde de vetgedrukte aanwijzingen op weg naar Anna's badkamer. Ik wiegde Anna heen en weer op mijn schoot en fluisterde dat alles wel goed zou komen. Anna, ja, alles zou weer goed komen, 'Je wordt weer beter, Anna, ja zeker, schat van me', terwijl ik daarbinnen het water hoorde stromen. Toen kwam Deanna weer tevoorschijn, de injectiespuit in haar hand heen en weer schuddend.
'Diep,' zei Deanna terwijl ze me de spuit gaf. 'Door het vet heen, tot in de spieren.'
Ik had als een berg opgezien tegen dit moment, had me keer op keer proberen voor te stellen hoe het zou zijn. Toen ze me in het begin de fijne kunst van het injecteren van insuline hadden aangeleerd, waarbij je een dunne naald van iets meer dan een halve centimeter lang net in het vetweefsel van de heup, de arm of de bil moest prikken, hadden ze het ook over deze spuit gehad. Dat er uiteindelijk een moment zou komen waarop ik hem waarschijnlijk zou moeten gebruiken. Niet iedere ouder hoefde hem te gebruiken, maar aangezien Anna een extreem agressieve vorm had en aangezien Anna het al zo jong had gekregen... Deze naald was niet slechts een halve centimeter lang, maar eerder tien centimeter en dik genoeg om je in de verleiding te brengen je blik af te wenden. Want de pure suikermix die erin zat, moest zó snel naar de hersencellen vervoerd worden, dat ze de kans niet kregen om af te sterven.
Die naald lag nu in mijn hand, alleen beefde mijn hand net zo erg als die van Anna, want ik had het gevoel dat ik haar ging neersteken, ook al deed ik het dan met het geschenk van het leven. Ik zette hem tegen haar bovenarm, maar aangezien we allebei zo beefden, was ik bang om hem erin te steken, bang dat ik zou missen, de naald bot zou maken en de vloeistof zou verspillen.
'Geef maar.' Deanna nam de naald van me over.
Ze zette hem tegen Anna's heup, met vaste hand, en stak hem diep in haar

lichaam. Toen drukte ze langzaam de zuiger helemaal naar beneden totdat alle bruine vloeistof verdwenen was.
Het had bijna onmiddellijk effect.
Het ene moment was mijn dochter nog van de wereld. Het volgende moment rolden haar ogen weer naar voren; haar lichaam kwam langzaam tot rust op het bed.
En ze begon te huilen.
Anna begon te huilen, nog erger dan de ochtend waarop de diagnose was gesteld en we haar vertelden wat haar min of meer te wachten stond. Nog veel erger dan toen.
'Papa... oh, papa... oh, papa...'
Dus ik begon ook te huilen.

Ik bracht haar voor de zekerheid naar het ziekenhuis: de kinderafdeling van Long Island Jewish Hospital. Ik was daar sinds die eerste ondraaglijke weken niet meer geweest, en zodra ik de geur opsnoof, ging ik terug in de tijd naar dat moment om vier uur 's nachts, toen ik door de gangen liep te ijsberen en besefte dat het mooiste deel van mijn leven achter me lag. Anna voelde het ook; in de twintig minuten die het ons kostte om naar het ziekenhuis te rijden, was ze erin geslaagd wat te kalmeren, maar zodra we de wachtkamer betraden, kroop ze dicht tegen me aan en verborg zich daar, zodat ik haar zowat naar binnen moest dragen.
Het was twee uur 's nachts; we werden toegewezen aan een Indiase arts-assistent die een overwerkte en afwezige indruk maakte. Toen we het huis verlieten, was Deanna aan het proberen Anna's arts te bellen.
'Wat is er gebeurd, alstublieft?'
'Ze werd hypoglykemisch,' zei ik. 'Ze heeft een toeval gehad.' Anna zat op de onderzoekstafel, slap tegen mij aan geleund.
'U hebt de injectie toegediend?'
'Ja.'
'Hm-hm...' Hij was haar tijdens ons gesprek aan het onderzoeken, al die dingen aan het controleren die een dokter hoort te controleren: hartslag, bloeddruk, ogen, oren; dus misschien wist hij toch wel wat hij deed. 'We kunnen maar beter haar bloedsuiker controleren, niet?'
Ik vroeg me af of hij me om mijn medische opinie vroeg of gewoon een retorische vraag stelde.
'We hebben het gemeten voordat we hiernaartoe kwamen. Eén drieënveertig. Ik weet niet wat het was voordat ze...' Ik wilde iets zeggen in de trant van wegviel, flauwviel, bewusteloos raakte, maar wilde het liever niet uitspreken waar Anna bij was. Ik zag dat zich al een blauwe plek had gevormd

op de plek waar Deanna haar de injectie had gegeven en bedacht dat andere ouders die hun kinderen blauwe plekken bezorgden, gearresteerd en opgesloten werden.
'Eén drieënveertig, ja?'
'Ja.'
'Nou, we zullen eens kijken...'
Hij vroeg om Anna's hand, maar Anna was niet van plan hem die te geven.
'Nee,' zei ze, en ze meende het.
'Kom nou, Anna, de dokter moet je bloedsuiker meten om te controleren of alles in orde is. Je doet het vier keer per dag, dus zo erg is het niet.'
Maar natuurlijk was het wel erg, juist omdat ze het al vier keer per dag deed, want nu vroegen we haar om het een vijfde keer te doen, een zesde keer, zelfs, aangezien ik haar bloedsuiker ook nog een keer gemeten had voordat we hiernaartoe gingen. Het was erg omdat ze weer in het ziekenhuis was waar ze voor het eerst te horen had gekregen dat ze niet was zoals alle andere mensen, dat haar lichaam een vreselijk gebrek had dat haar dood kon betekenen. Het was misschien niet zo erg voor de dokter of voor mij, maar wel voor haar.
Maar ja. Ze zat om twee uur 's nachts in het LIJ omdat ze bijna was doodgegaan en nu had de dokter een beetje bloed nodig. 'Kom op, Anna, wees een grote meid, oké?' zei ik terwijl ik terugdacht aan die eerste paar dagen thuis, toen ik haar steeds moest smeken me haar arm te geven en haar soms gewoon moest dwingen: bruut geweld, gevolgd door brute pijn, en elke keer was ik ervan overtuigd dat ik haar onderwierp aan de vreselijkste vorm van mishandeling.
'Ik doe het zelf wel,' zei Anna.
De dokter begon nu zijn geduld te verliezen; zoveel patiënten en zo weinig tijd. 'Luister, juffie, we moeten...'
'Ze zegt dat ze het zelf zal doen,' zei ik, en ik herinnerde me nog iets over toen. Dat Anna, na haar diagnose, twee weken hier was gebleven om te leren omgaan met die ziekte die diabetes heette en dat het ziekenhuisprotocol voorschreef dat alle patiënten zichzelf ten minste één keer een insuline-injectie moesten toedienen voordat ze ontslagen konden worden. En Anna, die net zo bang was voor naalden als sommige mensen voor slangen of spinnen of donkere kelders, had mij doen beloven dat zij dat niet zou hoeven doen. En ik had gezegd: 'Ik beloof het.' En op de dag dat ze ontslagen zou worden, was de verpleegster binnengekomen en had Anna gevraagd het te doen: de injectiespuit te vullen met twee soorten insuline en het zelf in haar nu al bont en blauwe arm te spuiten. En in eerste instantie hadden allebei haar ouders, Deanna en ik, niets gezegd en de verpleegster de kans gegeven

te proberen haar vriendelijk en toen een stuk minder vriendelijk ertoe over te halen datgene te doen waarvoor ze zo overduidelijk doodsbang was. En uiteindelijk, toen de stilte van haar enige medestanders bijna oorverdovend was geworden, had Anna me met een pure, onverhulde smeekbede in haar ogen aangekeken. En hoewel ik wist dat het waarschijnlijk goed voor Anna zou zijn als ze zichzelf een injectie toediende, zei ik tegen de verpleegster: 'Nee. Dat hoeft ze niet te doen.' Ik had haar een belofte gedaan en ik hield me eraan. Haar lichaam had haar dan misschien verraden, maar haar vader niet. Het was zo'n moment dat je het liefst in brons zou laten gieten, zodat je het later, als je al het andere had verraden, uit de kast kon halen om ernaar te kijken.

'Ze doet het zelf wel,' herhaalde ik.

'Oké,' zei de Indiër. 'Nou, laat het haar dan maar meteen doen, alsjeblieft.'

Ik gaf haar de lancetpen en keek toe terwijl Anna hem met onvaste hand ophief naar haar middelvinger en snel een sneetje maakte in de vingertop. Een felrode bloeddruppel begon zich al te vormen toen ze de pen weghaalde. Ik bood aan de bloedmeter voor haar vast te houden, maar ze pakte hem van me af en deed het zelf, kleine Anna, die niet zo klein meer was, en kon knokken als geen ander.

Haar bloedsuiker was prima: één tweeëntwintig.

Ik zei tegen de arts-assistent dat de internist van mijn dochter, dokter Baron, elk moment even langs kon komen.

Maar dokter Baron kwam helemaal niet langs. De pieper van de arts-assistent ging af, waarop hij haastig de eerstehulpafdeling verliet, en toen hij terugkwam, zei hij: 'Dokter Baron zegt dat ze naar huis mag.'

'Komt hij dan niet?'

'Niet nodig. Ik heb hem haar waarden voorgelezen. Hij zegt dat ze naar huis mag.'

'Ik dacht dat hij wel even naar haar zou komen kijken.'

De arts-assistent haalde zijn schouders op. Doktoren, bedoelde hij te zeggen, wat moet je ermee?

Ik zei: 'Mooi is dat.'

'Kan ik u misschien even spreken?' zei hij.

'Natuurlijk.' Ik liep achter de arts-assistent aan naar het andere uiteinde van de afdeling, waar een Chinese man in een stoel zat te kijken naar zijn bloedende hand.

'Hoe is haar zit, alstublieft?'

'Haar wat?'

'Haar zit.'

O, haar zícht. 'Redelijk,' zei ik. 'Ze heeft een bril die ze gebruikt om te

lezen. Die zou ze moeten gebruiken, tenminste.' Ik bedacht dat het al een tijdje geleden was dat ik haar voor het laatst met haar bril op had gezien.
'Hoezo?'
Hij haalde zijn schouders op. 'Er is sprake van enige schade. Het is niet erger geworden?'
'Ik weet het niet. Ik geloof van niet.' Ik voelde weer die bekende, zeurende pijn in mijn buik, alsof daar iets klem zat wat ze zelfs in het Long Island Jewish Hospital niet chirurgisch zouden kunnen verwijderen.
'Oké,' zei de arts-assistent, waarna hij me een klopje op mijn schouder gaf. Overwerkt, misschien een beetje ongeduldig, maar wel een vriendelijke man.
'Is er iets wat ik tegen dokter Baron moet...'
'Nee, nee,' zei de arts-assistent. 'Ik wilde het alleen even weten.'
Nadat ik wat papieren had ondertekend en mijn nieuwe creditcard had overhandigd, kregen we te horen dat we naar huis mochten.
Buiten in de kille winterlucht, op weg naar de auto, vermengden mijn en haar adem zich tot één grote, dampige wolk die ons over de hele parkeerplaats achtervolgde. Het zou een zwarte wolk moeten zijn, dacht ik. Was dat niet het teken van pech?
'Hé, meid,' zei ik, 'zie je nog wel goed?'
'Nee, pa, ik ben stekeblind.'
Nou, haar bloedsuikerspiegel mocht dan behoorlijk uit de hand zijn gelopen, haar sarcasme was onaangetast en kerngezond.
'Ik vroeg me alleen maar af of je soms iets gemerkt had, dat is alles. Aan je ogen, bedoel ik.'
'Er is niets mis met me.'
Maar tijdens de rit naar huis kroop Anna dicht tegen me aan, zoals ze vroeger toen ze nog klein was altijd deed als ze een dutje wilde doen.
'Weet je dat verhaaltje nog, pa?' vroeg ze me toen we al een paar straten verder waren.
'Welk verhaaltje?'
'Dat verhaaltje dat je me altijd vertelde toen ik nog klein was. Je hebt het zelf verzonnen. Over de bij.'
'Ja.' Een verhaaltje dat ik ter plekke uit mijn duim had gezogen toen Anna gestoken was en ik haar vertelde dat de bij dood was, om haar op te vrolijken. Alleen had het haar niet opgevrolijkt; het vervulde haar met afschuw dat bijen doodgaan wanneer ze iemand steken, zelfs de bij die haar had gestoken.
'Vertel het nog eens,' zei Anna.
'Ik weet niet meer hoe het ging,' loog ik. 'Zal ik anders het verhaal van de

paarden vertellen? Je weet wel, van de oude man die op zoek gaat naar het avontuur?'
'Nee,' zei ze. 'Ik wil het verhaaltje over de bij.'
'Jeetje, Anna, ik weet niet eens meer hoe het begon.'
Maar zij wel. 'Er was eens een bijtje,' begon ze, 'dat zich afvroeg waarom hij een angel had.'
'O ja, dat klopt.'
'Vertel nou.'
Waarom nu juist dat verhaaltje, Anna?
'Hij vroeg zich af waarom hij een angel had,' zei ik.
'Want...' zei Anna ongeduldig.
'Want hij zag dat de andere bijen steeds doodgingen als ze hun angels gebruikten.'
'Zijn beste vriend,' ze stootte me aan, 'en...'
'Zijn beste bijenvriend,' corrigeerde ik haar, 'zijn tante Bija, zijn oom Hommel... ze gebruikten allemaal hun angel en gingen toen dood.'
'Daar was hij heel verdrietig over,' zei Anna zachtjes.
'Ja, daar was hij heel verdrietig over. Want hij vroeg zich af wat het dan voor zin had. Dat ze een angel hadden, dat ze bijen waren.'
'Dus toen...'
'Dus toen stelde hij iedereen die vraag. Alle andere dieren in het bos.'
'In de tuin,' corrigeerde Anna me.
'In de tuin. Maar niemand kon hem helpen.'
'Behalve de uil.'
'De wijze uil. De uil zei: "Als je hem gebruikt, zul je het begrijpen."'
'En...'
'Op een dag was de bij in het bos – in de tuin – en zag hij een pauw. Natuurlijk wist hij niet dat het een pauw was. Hij wist niet wat een pauw nu precies was. Gewoon een doodnormaal uitziende vogel, kennelijk.'
'Je zei nooit "kennelijk" toen ik nog klein was,' zei Anna.
'Nou, je bent ook niet klein meer. Kennelijk.'
'Nee.'
'Gewoon een doodnormaal uitziende vogel, dacht hij. Totdat hij op de rug van de pauw landde en hem dezelfde vraag stelde die hij alle andere dieren had gesteld. "Waarom heb ik een angel?"'
'Waarom?' vroeg Anna, alsof ze werkelijk het antwoord op de vraag wilde weten, alsof ze het was vergeten en het opnieuw moest horen.
'En de pauw zei tegen de bij: "Scheer je weg." Waarop de bij boos werd.'
'En de pauw stak,' maakte Anna het verhaal voor me af. 'En de pauw zei "au" en al zijn veren gingen recht overeind staan. Allemaal. In alle kleuren

van de regenboog. En het bijtje vond dat het mooiste wat hij ooit had gezien. En toen ging hij dood.'
Toen we Yale Road op draaiden, stond Vasquez daar. Als een wachtpost onder een straatlantaarn.

Ik reed vlak langs hem heen en toen bijna de stoep aan de overkant van de straat op.
'Papa!' Anna zat niet langer knus tegen me aan, maar recht overeind en alert en misschien zelfs geschrokken.
Op de een of andere manier slaagde ik erin de auto weer op de straat te krijgen en vervolgens de oprit van Yale Road 1823 op te sturen.
'Wat is er?' vroeg Anna.
'Niets.' Een onoprechter 'niets' had nog nooit iemand uitgesproken. Ik zeker niet. Maar Anna was te beleefd om door te vragen, zelfs toen ik haar bij de arm greep en haar zowat het huis in sleurde.
Deanna was nog op en zat te wachten. Ze had koffiegezet, de lampen waren aan en de tv in de keuken stond op Food Channel, terwijl ze wachtte totdat de liefdes van haar leven veilig zouden thuiskomen.
Hoe dan ook, we waren terug.
Het is mogelijk dat ze de angst op mijn gezicht ten onrechte in verband bracht met wat er die nacht was gebeurd: wakker worden en onze dochter bewusteloos en in shocktoestand aantreffen. Zij zou geen andere oorzaak kunnen bedenken voor het feit dat ik lijkwit was geworden en door de keuken heen en weer ijsbeerde.
'Is alles goed met haar?' vroeg Deanna. Ze had Anna zelf die vraag ook al gesteld, maar op dat moment was ze alweer helemaal de dwarse tiener die we zo goed kenden en was ze zonder een woord te zeggen langs haar heen de trap op gebeend, naar haar kamer.
'Ja,' zei ik. 'Prima. Haar bloedsuiker was alweer gedaald naar één tweeëntwintig.'
'Hoe gaat het met haar? Is ze bang?'
'Nee,' zei ik. Ik ben degene die bang is, wilde ik eraan toevoegen.
Anna was een taaie en met Anna kwam alles wel weer prima in orde. Maar Charley hier, dat was een heel ander geval. Ik probeerde de aandacht van mijn vrouw af te leiden van de deur, waar de man die me chanteerde elk moment op de bel kon drukken.
Vasquez bevond zich op nog geen veertig meter afstand van mijn vrouw en kind.
Ik liep naar het raam en staarde naar buiten, de duisternis in.
'Waar kijk je naar?' vroeg Deanna me.

'Nergens naar. Ik dacht dat ik iets hoorde...'
Ze stond nu achter me. Ze legde haar hoofd tegen mijn nek en bleef daar, half op mij steunend, staan; een van ons dacht dat het gevaar geweken was, de ander wist dat dat niet zo was.
'Gaat het echt goed met haar?' vroeg Deanna me.
'Wat?' Ik voelde me even gekalmeerd door de warmte van haar lichaam.
'Misschien moest ik vannacht maar bij haar slapen.'
'Dat staat ze nooit toe.'
'Ik kan naar binnen glippen als ze slaapt.'
'Ik denk niet dat het nodig is, Deanna. Er gebeurt vannacht niets meer met haar.' Het sleutelwoord was, uiteraard, 'vannacht'. Ik kon niet garant staan voor morgennacht of de nacht daarna. Natuurlijk was het ook mogelijk dat er met ons allemaal iets zou gebeuren vannacht.
Waarom was Vasquez hiernaartoe gekomen? Wat wilde hij?
'Waarom kijk je zo bezorgd, Charles? Ik dacht dat dat mijn afdeling was.'
'Nou, je weet wel... het ziekenhuis en zo.'
'Ik ga slapen,' zei ze. 'Ik ga het in elk geval proberen.'
'Ik kom straks,' zei ik.
Maar toen Deanna de trap op was gelopen, telde ik tot tien, waarna ik naar de open haard liep en een pook pakte. Ik zwaaide hem een paar keer heen en weer.
Ik deed de voordeur open en ging naar buiten.
Het was ongeveer vijfentwintig passen van mijn voordeur naar het begin van de oprit. Dat wist ik omdat ik ze stuk voor stuk telde. Om iets te doen te hebben – wat dan ook – en zo te voorkomen dat ik in paniek zou raken. Natuurlijk was het mogelijk dat ik allang in paniek was geraakt. Ik liep immers over mijn oprit met een haardpook in mijn handen.
Toen ik de stoep bereikt had, haalde ik drie keer diep adem en zag dat Vasquez er niet was.
De straatlantaarn verlichtte een grimmig lege straathoek.
Was het mogelijk dat ik het me had ingebeeld? Begon ik Vasquez nu ook al te zien als Vasquez er niet eens was, als mijn eigen, persoonlijke spook?
Ik was oprecht bereid het te geloven, sterker nog, ik wilde het wanhopig graag geloven. Maar pas toen ik plichtsgetrouw helemaal naar de hoek was gelopen en zelfs zijn naam had uitgeroepen – niet hard, natuurlijk, maar wel zo hard dat onze setter begon te blaffen – pas toen ik me had omgedraaid en langs mijn oprit naar de andere hoek was gelopen en nog steeds geen Vasquez zag, was ik bereid het zonder meer aan te nemen.
Misschien zag ik inderdaad dingen die er niet waren. Ik had vannacht een bijna-doodervaring beleefd – die van mijn dochter, natuurlijk, maar toch.

Als je eenmaal een keer flink geschrokken bent, schrik je daarna ook sneller. Een punt voor mijn oude vriend Angst. Mijn nieuwe vriend, eigenlijk: we brachten tegenwoordig veel tijd met elkaar door.
Maar toen ik de eikenboom passeerde die de grens van mijn perceel markeerde, zag ik vocht dat langs de knoestige stam omlaag droop. En ik rook iets.
Zurig, vies, de stank van het stadion van de Giants in de rust. Zoveel biertjes die geconsumeerd waren, zoveel biertjes die er weer uit waren gekomen, in een stadion dat wel één grote wc leek. Zo rook het hier.
Achtergelaten door een passerende hond? Dat zou kunnen, alleen was er die eenvoudige, natuurkundige wet. Een hond kon simpelweg niet zo hoog tegen een boom plassen. Zelfs Curry, onze setter, niet; zelfs een Deense dog niet. Als honden tegen een boom pissen, is dat een heel serieus ritueel. Dat had ik tenminste ergens gelezen: het was een manier om hun territorium af te bakenen.
Daarom had Vasquez het gedaan.
Ik had me niets ingebeeld. Nee hoor.
Vasquez was langsgekomen en had een visitekaartje achtergelaten. Kijk eens, had hij gezegd, dit is mijn territorium: jouw huis, jouw leven, jouw gezin.
Het is nu allemaal van mij.

Ontspoord 18

'Hallo, Charles.'
Het was woensdagavond, kwart over tien. Ik zat in de studeerkamer, waar ik de wacht hield bij de telefoon. Het was zenuwslopend: steeds als hij overging, nam ik op en wachtte af wie er gedag zou zeggen. Het snelste antwoordapparaat in het Westen: één keer overgaan en ik had de hoorn al in mijn hand. Ik wist dat hij zou bellen; ik wilde niet dat Deanna als eerste zou opnemen.
'Waarom stond je bij mijn huis?' vroeg ik.
'Was ik dat?'
'Ik vroeg wat je daar deed.'
'Ik was vast een wandeling aan het maken.'
'Wat wil je van me? Wat?'
'Wat wil jij van mij?'
Oké, dat overdonderde me een beetje: het feit dat hij mijn vraag met een vraag beantwoordde.
'Wat ik wil?'
'Inderdaad. Zeg het maar.'
Nou, om te beginnen wilde ik dat Vasquez niet meer langs mijn huis zou komen. Verder wilde ik dat hij zou ophouden mij thuis te bellen. Dat zou fijn zijn.
'Ik wil dat je me met rust laat,' zei ik.
'Oké.'
'Ik weet niet zo goed wat je bedoelt...'
'Is er iets aan "oké" wat je niet begrijpt? Jij zegt dat je wilt dat ik je met rust laat, ik zeg oké.'
'Mooi,' zei ik, en ik was zo stom om een vaag hoopvolle toon in mijn stem te laten sluipen, hoewel ik wist, gewoon wist...
'Je moet me alleen nog wat geld geven.'
Nog wat geld.
'Ik heb je al geld gegeven,' zei ik. 'Ik heb toch al gezegd...'
'Dat was toen. Dit is nu.'
'Nee.' De kassa was leeg, er lag niets meer in de kast. Ik had één keer geld weggenomen uit Anna's fonds. Dat was meteen de laatste keer geweest.
'Ben je niet goed wijs of zo?'
Nee. Waarschijnlijk niet.

'Ik heb geen geld meer voor je,' zei ik.
'Luister, Charles. Goed opletten, nu. We weten allebei dat je het geld hebt. We weten allebei dat je het aan mij gaat geven, want we weten allebei wat er gebeurt als je dat niet doet.'
Nee, dat wist ik niet. Maar ik kon het wel raden.
Dus vroeg ik hem wat voor bedrag hij in gedachten had. Hoewel het me eigenlijk niets kon schelen wat voor bedrag hij in gedachten had, want het zou hoe dan ook te veel zijn.
En Vasquez zei: 'Honderd mille.'
Dat zou geen verrassing voor me mogen zijn, maar dat was het wel.
Dat was nog eens inflatie: in een oogwenk van tienduizend naar honderdduizend. Maar hoeveel is een leven precies waard? Hoeveel zijn drie levens waard? Wat is tegenwoordig het gangbare tarief voor een vrouw en dochter? Voor het feit dat je hen in de ogen kunt kijken zonder er afkeer in te hoeven zien? Misschien was honderdduizend dollar wel goedkoop. Misschien was dit wel een koopje.
'Ik wacht,' zei Vasquez.
Hij zou moeten blijven wachten. Het was een koopje dat ik me simpelweg niet kon veroorloven.
En trouwens, het zou hiermee nog steeds niet afgelopen zijn. Was dat niet hoe het werkte met afpersing? Kende afpersing niet, net als het heelal, zijn eigen, onveranderlijke wetten en was het niet, net als het heelal, oneindig? Vasquez kon wel zeggen dat het zou ophouden, maar Vasquez loog. Het zou pas ophouden als ik Vasquez een halt toeriep. Dat was een eenvoudige waarheid die zelfs een idioot kon begrijpen, zelfs iemand die niet goed bij zijn hoofd was kon dat vatten. Alleen kon ik Vasquez geen halt toeroepen; ik wist niet hoe. Behalve door nee te zeggen en maar te zien wat er zou gebeuren.
'Ik heb het niet,' zei ik.
En ik hing op.

Toen Winston me de volgende ochtend de post kwam brengen, trof hij me vooroverliggend op het bureau aan.
'Ben je dood,' vroeg Winston, 'of doe je maar alsof?'
'Ik weet het niet. Ik heb het gevoel dat ik dood ben. Misschien is dat ook wel zo.'
'Mag ik dan je computer hebben?'
Ik keek op en Winston stak zijn handen omhoog en zei: 'Grapje.' Sinds die avond op kantoor gedroeg Winston zich weer precies zoals de Winston van voor die avond op kantoor. Geen steelsheid, geen gevlei, geen valse nederig-

heid. Als Winston zo van me was geschrokken dat hij weer op het rechte pad was teruggekeerd, zou je dat niet direct zeggen. Ik had de laatste tijd echter niets meer gehoord over verdwenen computers, dus misschien had Winston zijn leven gebeterd.

'Maar even serieus,' zei Winston. 'Is er iets?'

Waar moest ik beginnen? En hoe graag ik het ook zou willen, ik kon niets tegen Winston zeggen.

'Hoe was het?' vroeg ik hem in plaats daarvan.

'Hoe was wat?'

'De gevangenis.'

Winstons gezicht betrok, ja, duidelijk een omslag van zonnig naar bewolkt, met mogelijk kans op enkele onweersbuien. 'Waarom vraag je dat?'

'Ik weet het niet. Gewoon uit nieuwsgierigheid.'

'Het is moeilijk te beschrijven als je er zelf nooit geweest bent,' zei hij kortaf. Misschien hoopte hij dat ik gewoon 'oké' zou zeggen en het daarbij zou laten. Maar ik zei niet 'oké'. En hoewel Winston me absoluut geen antwoord schuldig was, had hij nu misschien zelf wel het gevoel dat hij me een antwoord schuldig was. Want hij gaf me een antwoord.

'Wil je echt weten hoe het was in de gevangenis?'

'Ja.'

'Hoe was het? Het was net zoiets als... koorddansen,' zei hij. Hij liet die eenvoudige stelling even in de lucht zweven. 'Net zoiets als koorddansen, alleen kon je er niet af. Je moest je vreselijk concentreren, want als je eraf viel, was je dood. Constant, vierentwintig uur per dag, begrijp je? Je probeerde nergens bij betrokken te raken, dat was je mantra, want als je wel ergens bij betrokken raakte, betekende dat bijna altijd problemen. Dus probeerde je iedereen te negeren, rond te lopen met je kop in je reet. Maar daar is enorm veel concentratie voor nodig. Om te doen alsof je blind bent. Want er gebeurt allerlei rottigheid om je heen, rottigheid van het ergste soort. Verkrachtingen, mensen die in elkaar worden getrapt, mensen die worden neergestoken, allerlei bendeoorlogen. Je probeert onzichtbaar te zijn. Weet je hoe moeilijk het is om onzichtbaar te zijn?'

'Ik kan het me voorstellen,' zei ik.

'Nee, man, je kunt het je niet voorstellen. Het is het allermoeilijkste wat je kunt doen. Het is eigenlijk niet te doen. Vroeg of laat raak je ergens bij betrokken, want er is altijd wel iemand die ervoor zorgt dat je erbij betrokken raakt.'

'En iemand heeft daarvoor gezorgd?'

'Ja zeker. Ik was eersteklas prooi daarbinnen. Ik was niet aangesloten, dus was ik eersteklas prooi.'

'Ben je...?'
'Gepakt? Nee. Maar alleen omdat ik iemand die het probeerde in elkaar heb geslagen en twee maanden in isolatie heb gezeten. Dan mag je je cel niet uit. Alleen om te douchen. Geen recreatie. Niets. Wat ik eigenlijk wel best vond, want ik wist dat ik zodra ik uit mijn cel kwam, in de problemen zou raken, aangezien de kerel met wie ik gevochten had aangesloten was.'
'Wat heb je toen gedaan?'
'Ik heb me aangesloten.'
'Bij wie?'
'Bij een bende. Wie denk je dat daarbinnen de baas is?'
'Zomaar?'
'Nee. Ik moest het verdienen. Je krijgt daar niets voor niets, Charles. Je moet altijd een prijs betalen.'
'Wat was de prijs?'
'De prijs? De prijs was dat ik iemand met een stiletto tussen de ribben moest steken. Een soort bloedinwijding, alleen was het bloed van iemand anders. Zo word je lid van een bende. Door iemand anders te laten bloeden.'
'Wie waren ze?'
'Wie waren wie?'
'De bende?'
'O, gewoon een stel mannen. Aardige kerels, eigenlijk, je zou ze best mogen. Ze hadden echter een paar heel stellige overtuigingen. Zo geloven ze bijvoorbeeld dat alle zwarten minder dan menselijk zijn. En alle Latijns-Amerikanen ook. Ze zijn ook niet zo dol op joden. Verder zijn het geweldige kerels.'
En nu viel me opnieuw iets op. Winstons tatoeage. AB. Misschien stond dat toch niet voor Amanda Barnes.
'Je hebt die tatoeage in de gevangenis laten zetten, of niet?'
Winston glimlachte. 'Jou ontgaat ook niets. Trots lid van de Arische Broederschap. We hebben zelfs een geheime handdruk en zo.'
Je moest toch bewondering hebben voor Winston, dacht ik. Hij was in een vreselijke situatie verzeild geraakt en had gewoon gedaan wat hij moest doen. Misschien kon ik daar wel iets van leren.
'Tot vanmiddag,' zei Winston. 'Maar geen vragen meer over de gevangenis, oké? Dat verpest mijn dag een beetje.'

Ontspoord 19

Toen ik op Merrick Station uit de trein stapte, belde ik Deanna om te vragen of ze me wilde komen ophalen. Ik overwoog te gaan lopen, maar er stond een stevige wind vanaf de oceaan en ik werd bijna weer terug in de trein geblazen toen ik op het perron stapte.

Maar toen Deanna de telefoon opnam, vroeg ze of ik tien minuten wilde wachten. De schoorsteenveger die ik had ingehuurd was er en ze wilde hem niet alleen laten met Anna.

Dus zei ik tegen haar dat ik toch maar ging lopen.

De kerst had wat gewoonlijk een stille, gereserveerde straat in een woonwijk was, veranderd in een soort kermis. Al die knipperende lichten. Al die plastic rendieren die plastic kerstmannen in plastic sleeën trokken. Hier en daar een plastic kerststalletje. Verscheidene sterren van Bethlehem die precair balanceerden op ooit zo statige levensbomen.

Ik ademde grote happen lucht in, die vreemd zwaar en vochtig aanvoelde, terwijl ik langs de huizen liep en de tentoonstelling bekeek.

En toen opeens: de redding.

Er werd getoeterd, en toen nog een keer.

Ik draaide me om en zag dat de Lexus van mijn buurman naast de stoeprand stond te snorren.

Ik liep naar de passagierskant terwijl mijn buurman Joe het raam op een kiertje opende.

'Spring erin,' zei hij.

Dat hoefde hij me geen tweede keer te vragen. Ik deed de deur open en glipte een soort oerwarmte binnen, het soort warmte dat holbewoners moeten hebben ervaren toen ze die eerste vlammen creëerden en eindelijk als door een wonder ophielden met rillen.

'Bedankt,' zei ik.

'Koud daarbuiten, hè?' zei Joe. Je kon veel van Joe zeggen, maar hij was wel opmerkzaam.

'Ja.'

Joe was chiropractor, waarvan ik niet zeker wist of het wel een echt beroep was. Niemand had me ooit naar volle tevredenheid kunnen uitleggen wat het nu precies inhield.

'Hoe is het met je dochter?' vroeg Joe.

'Oké,' zei ik, en ik bedacht dat ik nu precies zo klonk als Anna. 'En met

jouw kinderen?' Joe had drie kinderen met steeds een jaar ertussen, onder wie een meisje van ongeveer dezelfde leeftijd als Anna, een meisje dat academisch georiënteerd, sportief begaafd en afschuwwekkend gezond was. Joe zei dat het prima ging met hen.
'Hoe gaat het op je werk?' vroeg hij me.
'Prima.' Mensen stelden je altijd uit beleefdheid vragen waarop ze niet echt een antwoord wilden horen, bedacht ik, maar wat als ik nu eens antwoord gaf? Wat als ik zei 'Fijn dat je het vraagt, Joe', om hem vervolgens onomwonden het verhaal van Eliot en Ellen Weischler uit de doeken te doen? 'Ik ben door een cliënt voor wie ik al tien jaar werk uit het team gezet en nu hebben ze me op een waardeloze opdracht gezet waar niemand een moer om geeft.' En als ik dan toch bezig was, kon ik hem gelijk bijpraten over Vasquez en Lucinda. Wat zou hij dan zeggen?
Maar dat deed ik niet. Ik vroeg: 'Hoe gaat het met jou?'
'Er zijn altijd wel mensen met rugklachten,' zei Joe.
Zelfs nadat ze bij jou onder behandeling zijn geweest, wilde ik eigenlijk zeggen. Maar ook dat deed ik niet.
'Hebben jullie nog plannen voor de feestdagen?' vroeg Joe. We stonden stil voor een stoplicht; iedereen was het erover eens dat dit het traagste stoplicht in Merrick was. Hele dagen konden voorbijgaan terwijl dat stoplicht op rood bleef staan. Koninkrijken kwamen op en gingen ten onder, presidenten kwamen en gingen, maar het licht weigerde koppig op groen te springen.
'Nee. We gaan naar Deanna's moeder, zoals elk jaar.'
'Hm-hm.'
Toen, nadat ik Joe hetzelfde had gevraagd en Joe me verteld had dat hij een paar dagen naar Florida ging, werd het stil in de auto, omdat we allebei beseften dat dit het wel zo'n beetje was; we hadden niets meer om over te praten.
'Tjonge, wat is het koud,' zei Joe uiteindelijk, een herhaling van wat hij eerder die rit al had gezegd.
'Rij door rood, Joe,' zei ik.
'Wat?'
'Rij door rood!' Er was opeens iets tot me doorgedrongen.
'Waarom zou ik...'
Deanna had me gevraagd op het station te wachten, omdat de schoorsteenveger die ik had ingehuurd er was en ze hem niet alleen wilde laten in het huis.
'Rij verdomme door rood!'
Ik had helemaal geen schoorsteenveger ingehuurd.

'Hoor eens, Charles, ik wil geen boete krijgen en ik snap niet waarom je opeens zo'n haast hebt...'
'Rijden! Nu!'
Dus dat deed Joe. Het was de duidelijk hoorbare paniek in mijn stem die Joe uiteindelijk aanspoorde tot actie. Hij liet de motor brullen en reed dwars door het rode licht, waarna hij Kirkwood Road in draaide, twee straten van onze huizen verwijderd.
'Als ik een bekeuring krijg, betaal jij hem,' zei Joe, die probeerde wat van zijn waardigheid te hervinden nadat hij zonder goede reden blindelings zijn buurman had gehoorzaamd. Wie dacht ik wel niet dat ik was? Niemand kon hem zomaar commanderen.
'Stop hier maar,' zei ik.
Joe was duidelijk van plan geweest zijn auto op zijn eigen oprit te rijden en mij naar mijn eigen huis te laten lopen. Maar daar kon ik niet op wachten. Voor de tweede keer binnen twee minuten deed Joe wat hem opgedragen werd. Hij zette de auto voor Yale Road 1823 stil en ik sprong eruit.
Toen ik mijn voordeur opensmeet, zag ik Deanna tegen de trapleuning staan. Ze was iemand aan het vertellen dat Curry niet iedereen zo aardig vond, dat hij behoorlijk selectief was met zijn genegenheid.
En toen zag ik de persoon tegen wie ze dat stond te vertellen.

'Meneer Ramirez zegt dat hij ons een speciale prijs zal berekenen,' zei Deanna.
We zaten in de woonkamer, met zijn drieën.
'Maar alleen omdat hij dol is op Curry, en vice versa,' ging Deanna verder.
Deanna wist altijd een prettige verstandhouding te creëren met allerlei soorten klusjesmannen; ze knoopte een vriendschap met hen aan en vergastte me dan later op verhalen over hun vrouw en kinderen.
'Ja,' zei Vasquez, 'ik ben nu eenmaal dol op honden.' Hij glimlachte; het was diezelfde glimlach die hij op zijn gezicht had gehad toen hij Lucinda rechtop tegen het bed zette om haar nog een laatste keer te verkrachten.
'Meneer Ramirez...' begon Deanna, maar ze werd onderbroken.
'Raul,' zei Vasquez.
'Raul zegt dat er iets kapot is in onze schoorsteen, het... Hoe noemde je het ook alweer?'
'Rookkanaal.'
'Ja, ons rookkanaal is kapot.'
'Ja. Het is een oude schoorsteen,' zei Vasquez. 'Wanneer is dit huis gebouwd?'
'In 1912,' zei Deanna. 'Geloof ik.'

'Ja. Er is waarschijnlijk nog nooit iets aan gedaan.'
'Dan wordt het wel tijd, dunkt me,' zei Deanna.
'Dat klopt. Inderdaad.'
Ik had nog niets gezegd. Maar nu wachtten ze totdat ik iets zou zeggen, dat ik het probleem dat ze hadden geschetst zou erkennen en dat ik zou zeggen wat ik eraan wilde doen. Ik had nog niets gezegd omdat ik niets kon bedenken.
'Dus,' ging Deanna verder, 'Raul is bereid het mankement te repareren en de schoorsteen schoon te maken. Maar de beslissing is aan jou.'
'Je wilt geen kapot rookkanaal in huis,' zei Vasquez. 'Zoiets kan hartstikke gevaarlijk zijn. Al die koolstofdioxide kan op een gegeven moment niet meer weg, man, en dat spul doodt je in je slaap. Snap je wel?'
Ja, ik snapte het volkomen.
'Ik heb een gezin gekend dat hun rookkanaal niet heeft laten repareren,' zei Vasquez. 'Op een avond gingen ze slapen, en 's ochtends werden ze niet meer wakker. Allemaal dood. Een heel gezin.'
'Nou, wat vind je ervan?' vroeg Deanna me. Ze keek nu een beetje geschrokken. 'Wat wil je doen?'
Anna wandelde de kamer binnen, gekleed in een pyjama.
'Wat is de hoofdstad van North Dakota?' vroeg ze me.
Dat waren al twee vragen, maar ik wilde er eigenlijk maar een van beantwoorden.
Staatshoofdsteden voor honderd punten, graag.
'Bismarck,' zei ik.
'Anna, dit is Raul,' zei Deanna, altijd de perfecte gastvrouw.
'Hoi,' zei Anna. Ze schonk hem haar beleefdste glimlach, de glimlach die ze speciaal bewaarde voor verre familieleden, oude vrienden van haar ouders en, kennelijk, klusjesmannen.
'Hallo,' zei Vasquez, en hij stak zijn hand uit en woelde door haar haar. Die hand op het hoofd van mijn kind.
'Hoe oud ben je?' vroeg Vasquez aan haar.
'Dertien,' zei Anna.
'O ja?'
Hij had zijn hand niet van haar hoofd gehaald. In plaats van hem weer weg te halen, zoals de bedoeling was, liet hij hem daar onplezierig lang liggen, vijf seconden, toen tien, toen vijftien. Anna begon zich ongemakkelijk te voelen.
'Je lijkt precies op je moeder,' zei Vasquez tegen haar.
'Dank u.'
'Vind je het leuk op school?'

Anna knikte. Mijn dochter, die over het algemeen haar best deed niemand voor het hoofd te stoten, wilde duidelijk dolgraag dat die hand zou verdwijnen, maar wist al even duidelijk niet precies hoe ze dat moest aanpakken. Ze keek naar mij, vroeg me om hulp.
'Hoor eens,' zei ik.
'Ja?' Vasquez keek me recht aan. 'Zei je iets?'
Ik zei: 'Ga maar naar boven, Anna, en maak je huiswerk af.'
'Oké.' Dat wilde ze ook wel, maar het probleem was dat Vasquez zijn hand nog niet van haar hoofd had gehaald. Dus bleef ze daar maar staan en smeekte me met haar ogen om hulp.
'Ga nu maar, schatje.'
'Oké.'
Maar Vasquez haalde nog steeds zijn hand niet weg, stond daar nog steeds te glimlachen terwijl het stil werd in de kamer. Een van die ongemakkelijke momenten, zoals wanneer je ziet dat een vriend van de familie je vrouw net iets te intiem kust op een feestje waarop de drank rijkelijk vloeit en je niet weet of je gewoon moet toekijken of hem moet uitdagen tot een handgemeen.
'Ik moet mijn huiswerk gaan maken,' zei Anna.
'Huiswerk? Aah... mooie meisjes als jij hoeven hun huiswerk niet te doen. Je moet zorgen dat de jongens dat voor je doen.'
Dit was het punt waarop ik hoorde in te grijpen. Waarop ik hoorde te zeggen: haal die hand van het hoofd van mijn dochter, eikel, want ze voelt zich er verdomme ongemakkelijk onder en ze wil naar boven, of spreek ik soms koeterwaals, achterlijke garnaal?
De stilte was luid genoeg om je trommelvliezen te doen barsten.
Toen... 'Ze doet haar huiswerk liever zelf,' zei Deanna. Waarmee ze er een eind aan maakte. En eindelijk, gelukkig, voegde ze zich tussen Vasquez' arm en Anna's hoofd, waarna ze onze dochter met vastberaden hand buiten de gevarenzone leidde.
Toen Anna op haar kousenvoeten de woonkamer verliet, wierp ze me over haar schouder een blik toe waarmee ze me leek te willen berispen. Kennelijk, zo stond op haar gezicht af te lezen, had ze zich voor hulp tot de verkeerde ouder gewend.
Ik hoorde haar voetstappen op dubbele snelheid de trap op gaan.
Het was weer stil. 'En?' zei Deanna, die haar keel schraapte. 'Misschien wil je hier even over nadenken, schat?' Kennelijk was dit een klusjesman met wie ze bij nader inzien niet bevriend wilde raken.
'Het zou niet zoveel tijd kosten,' zei Vasquez, nog steeds glimlachend. 'Je wilt de gezondheid van je gezin toch niet op het spel zetten?'

Ik voelde iets zurigs diep in mijn buik, iets wat tegelijkertijd ijskoud en kokend heet aanvoelde. Ik dacht even dat ik zou gaan overgeven.
'Nee,' zei ik. 'Ik neem binnenkort nog wel contact met je op.'
'Oké, bel me maar als je een beslissing hebt genomen.'
'Ja.'
'Laat Raul maar even uit,' zei Deanna, die hem duidelijk graag het huis uit wilde hebben.
Dus liep ik met hem mee naar de voordeur, waar Vasquez zich omdraaide en zijn hand uitstak, precies zoals je zou verwachten van een vriendelijke schoorsteenveger.
'Weet je wat ze ons in het leger hebben geleerd, Charles?' fluisterde hij. 'Voordat ik eruit werd getrapt?'
'Wat dan?'
Vasquez liet het me zien.
Hij liet zijn ene hand precies waar hij was, uitgestoken in een vriendschappelijk gebaar, maar gebruikte de andere om mijn testikels vast te grijpen. Te vermorzelen met zijn vingers.
Mijn knieën begaven het.
'Grijp ze bij de ballen. Dan volgen hun hart en hun verstand snel genoeg.'
Ik probeerde iets te zeggen, maar ik kon het niet. Ik wilde het uitschreeuwen, maar ik kon het niet. Deanna stond nog geen zeven meter achter me en was zich absoluut niet bewust van de moorddadige pijn die uitstraalde naar mijn benen. Nog even en ik zou het uitschreeuwen.
'Ik wil het geld, Charles.'
Ik voelde dat mijn ogen begonnen te tranen. 'Ik zal...'
'Wat? Ik kan je niet verstaan...'
'Ik zal...'
'"Ik zal nooit meer zomaar de hoorn op de haak gooien?" Is al goed, excuses aanvaard. Ik wil het geld, verdomme.'
'Ik kan geen adem krijgen...'
'Honderdduizend dollar, oké?'
'Ik...'
'Wat?'
'Alsj...'
'Honderdduizend dollar en ik geef je je ballen terug.'
'Ik... al...'
En toen deed hij het ook.
Hij gaf ze terug. In elk geval tijdelijk. Hij ontspande zijn vingers en ik zakte tegen de deurpost ineen.
'Schat,' zei Deanna, 'wil je alsjeblieft de groenbak op de stoep zetten?'

Ontspoord 20

Ik was de offerte voor de aspirineopdracht aan het bekijken.
Zie het maar als een soort vermijdingstherapie. Zolang ik de offerte voor de aspirineopdracht aan het bekijken was, kon ik mezelf niet afvragen wat ik moest doen, hoe ik dit moest overleven.
Dus dat was wat ik aan het doen was.
Nauwgezet de offerte voor die aspirinecommercial bekijken. Want er was iets mis mee, maar ik wist niet wat. Wat wás het nu?
Deze vermijdingsstrategie was maar gedeeltelijk succesvol.
Ik was net halverwege een kolom met keurig getypte getallen toen ik Vasquez voor me zag, met zijn hand op het hoofd van mijn dochter.
Als hij geen honderdduizend dollar kreeg, zou hij terugkomen.
Ik overwoog het tegen Deanna te zeggen.
Keer op keer probeerde ik te zeggen: ze vergeeft me vast wel, echt waar. Keer op keer probeerde ik mezelf te vertellen dat Deanna van me hield, en dat die liefde een dergelijke indiscretie wel zou overleven. Keer op keer poneerde ik de theorie dat elk huwelijk zo zijn pieken en dalen kent en dat dít dal weliswaar bijna onderaards diep was, maar dat het, na een periode vol lijden en herstel, vast ook wel weer gevolgd zou worden door een nieuwe piek. Maar hoe vaak ik het ook probeerde te rationaliseren, het overpeinsde en overwoog en wat dies meer zij, ik slaagde er niet in mezelf ervan te overtuigen dat ik die blik in Deanna's ogen ook maar één seconde zou kunnen verdragen. Die blik die ze ongetwijfeld onmiddellijk in haar ogen zou krijgen zodra ze hoorde wat ik had uitgespookt.
Ik had die blik al eens eerder gezien. Die ochtend toen ze ons op de eerstehulpafdeling vertelden wat Anna mankeerde. Die blik waarmee ze uitdrukte dat ze zich volkomen en hopeloos verraden voelde. Ik was gedwongen hem het hoofd te bieden toen het nieuws langzaam tot haar doordrong, want ze keek mij recht aan, als een zwemmer die door de onderstroom wordt meegevoerd.
Ik dacht niet dat ik het nog een keer zou kunnen verdragen.
Terug naar het blaadje dat voor me lag. Een lijst van alle kosten die met de commercial verbonden waren.
De gage voor de regisseur, bijvoorbeeld. Dagtarief: vijftienduizend dollar. Dat was wel ongeveer het gemiddelde voor een B-regisseur; een A-regisseur kostte rond de twintig- à vijfentwintigduizend dollar per dag. Dan was er

nog decoropbouw. Vijfenveertigduizend, dat was wel zo'n beetje het standaardtarief voor een bovenmodale keuken in een studio in New York.
Al die duizenden dollars deden me denken aan de duizenden dollars die ik zelf niet had. Waarom zat ik eigenlijk naar deze kostenraming te kijken? Er was iets mis mee. Maar wat precies, dat wist ik niet.
Er stond een post voor montage. Voor het omzetten van film naar band. Voor kleurcorrectie. Voor voice-overkosten. En dan was er nog de muziek. Ja, T&D Music House, dat was inderdaad de juiste naam. Vijfenveertigduizend dollar. Compleet orkest, studio-opname, mix. Leek in orde.
Ik belde David Frankel.
'Ja,' zei David toen hij opnam.
'Met Charles.'
'Ik weet het. Ik zag je toestelnummer op mijn telefoon.'
'Oké. Ik heb geprobeerd de muziekstudio te bellen, maar ik kan het nummer niet vinden.'
'Welke muziekstudio?'
'T&D Music.'
'O. Waarom wilde je hen bellen?'
'Waarom wilde ik hen bellen? Ik wilde met hen praten over het spotje.'
'Waarom praat je niet met mij over het spotje? Ik ben de producent van het spotje.'
'Ik heb nog nooit gehoord van T&D Music,' zei ik.
'Je hebt nog nooit gehoord van T&D Music.'
'Nee.'
'Waarom hebben we dit gesprek eigenlijk precies?' verzuchtte David. 'Heb je soms met Tom gepraat?'
'In het algemeen, bedoel je?'
'Hoor eens, hoe wil je dat de muziek klinkt? Zeg het maar gewoon tegen mij.'
'Ik wil liever met de arrangeur praten.'
'Waarom dan?'
'Omdat ik mijn indrukken rechtstreeks wil overdragen.'
'Oké, prima.'
'Hoezo "Oké, prima"?'
'Draag je indrukken maar rechtstreeks over. Ga je gang.'
'Ik heb hun telefoonnummer nodig.'
Weer een zucht, nu, een zucht waarmee hij uitdrukte dat hij me een idioot vond, een volslagen debiel.
'Daar bel ik je nog wel over terug,' zei David.
Ik wilde eigenlijk vragen waarom David me moest terugbellen, aangezien ik

alleen maar om een telefoonnummer vroeg. Ik wilde hem vragen waarom hij zich gedroeg alsof ik een hersenbeschadiging had opgelopen. Ik wilde hem eraan herinneren dat het de taak van een producent was om dingen te produceren en dat dat soms betekende dat hij zoiets simpels als een telefoonnummer moest produceren.
Maar David hing op.
Pas op dat moment, terwijl ik weer die bekende vraag hoorde die in mijn oor werd gefluisterd – 'Wat ga je nu doen, Charles?' – besefte ik dat ik inderdaad een beetje een hersenbeschadiging had. Dat ik een beetje traag van begrip was geweest.
T&D Music House.
Tom en David.
Tom and David Music House.
Natuurlijk.

Ik volgde Winston vijf à zes straten lang in de vrieskou.
Winston rookte een sigaret. Winston keek naar de etalage van een van die videotheken waar burgemeester Giuliani met de bezem doorheen was gegaan: ooit hing de etalage vol pornografische posters die vleselijke geneugten beloofden; nu hing hij vol met kungfuposters die vleselijke vernieling beloofden. Winston wierp wellustige blikken op twee tienermeisjes met minirokjes en wollen leggings.
Ik was in eerste instantie niet van plan Winston te volgen. Wat ik van plan was geweest, was aan het eind van de dag recht op hem aflopen en hem vragen of hij zin had een biertje met me te gaan drinken. Maar ik voelde nogal wat terughoudendheid.
Twee keer per dag grapjes maken met een man die de post rondbracht, hem vragen welke linkshandige honkbalspeler het hoogste slaggemiddelde in de geschiedenis had, kwinkslagen en puntengemiddelden uitwisselen was één ding. Een biertje met hem gaan drinken was iets heel anders. Ik wist niet eens zeker of Winston wel een biertje met me wílde gaan drinken.
Maar hadden we geen geheimen uitgewisseld? Of liever, had een van ons dat niet gedaan? En was de ander nu niet klaar om hetzelfde te doen? Dat bracht me op de tweede reden waarom ik niet in staat was gebleken gewoon op Winston af te stappen en hem een pilsje aan te bieden.
Winston blies in zijn handen. Hij walste bij een rood stoplicht de straat over en wist op het nippertje een taxi te vermijden die er kennelijk opuit was iemand voor het leven te verminken. Winston bleef bij een verkoper van hartige krakelingen staan en vroeg hoeveel ze kostten.
Ik was dichtbij genoeg om te kunnen verstaan wat ze zeiden. Ik wou dat

Winston zich zou omdraaien om me te begroeten. Nog een paar straten en ik zou doodvriezen.
Aan de overkant van de straat stond een katholieke missiepost met een rijkelijk versierde bijbelse stelling, die ik me nog herinnerde van de zondagsschool, boven de deur: O HEER, DE ZEE IS ZO GROOT EN MIJN BOOTJE ZO KLEIN. En zo is het, dacht ik.
Toen ik weer in Winstons richting keek, was hij er niet meer. Ik rende naar de krakelingverkoper en vroeg hem waar zijn laatste klant naartoe was gegaan.
'Hè?' vroeg de krakelingverkoper.
'De lange man aan wie u net een krakeling hebt verkocht. Hebt u gezien waar hij naartoe ging?'
'Hè?'
De man was een Libanees, misschien. Of een Iraniër. Of een Irakees. Hoe dan ook, hij sprak geen Engels.
'Eén dolla,' zei hij.
Ik zei: 'Laat maar.' Ik liep weg en dacht: ik praat morgen wel met Winston. Of misschien verander ik morgen wel van gedachten en praat ik helemaal niet tegen hem.
Iemand greep me bij de arm.
Ik wil geen krakeling, stond ik op het punt te zeggen. Maar het was de krakelingverkoper niet.
'Oké, Charles,' zei Winston. 'Waarom loop je me verdomme steeds achterna?'

Ontspoord 21

Op kerstavond werd ik dronken.
Het probleem was de speciale advocaat van mijn schoonmoeder, en wat er speciaal aan was, was dat hij voor tweederde uit rum bestond.
'Kom bij papa,' zei ik tegen Anna nadat ik er anderhalf glas van ophad, maar dat leek ze geen leuk idee te vinden.
'Je ziet er suf uit,' zei ze tegen me.
'Ben je dronken, Charles?' vroeg Deanna me.
'Natuurlijk niet.'
Mevrouw Williams had een piano die al minstens zeventig jaar oud moest zijn. Deanna had er les op gehad totdat ze op tienjarige leeftijd in opstand was gekomen en zei dat ze er genoeg van had. Geen *Heart and Soul* en *Für Elise* meer. Mevrouw Williams had haar dat nooit echt vergeven; haar straf was dat ze kerstliedjes uit de piano moest rammen, die we met zijn allen moesten meezingen. 'Hoor, de eng'len zingen de eer', bijvoorbeeld. Deanna en ik waren geen van beiden erg gelovig, maar in een oorlog bestaan er geen atheïsten. Ik brulde: 'God verzoent der mensen schuld...' alsof mijn leven ervan afhing. Mijn syncope klopte niet helemaal meer, aangezien ik al met mijn derde glas advocaat bezig was.
'Je bent wél dronken, papa,' zei Anna stug. Ze vond liedjes zingen met oma ongeveer net zo leuk als zichzelf injecties geven.
'Praat niet zo tegen je vader,' zei Deanna, die halverwege een akkoord ophield. Deanna, mijn verdediger en beschermer.
'Ik ben niet dronken, en ik heb het tegen jullie allebei,' zei ik. 'Willen jullie me in een rechte lijn zien lopen?'
Kennelijk niet.
Anna snoof en zei: 'Moeten we nu echt die stomme liedjes zingen?'
'... in Bethlehem,' zong ik terwijl ik mijn blik vestigde op de kerstster boven op de boom. Hij was in de loop der jaren verkleurd geraakt en sprankelde niet meer zoals in de tijd dat ik Anna tijdens het zingen van de kerstliedjes op mijn arm moest zetten, zodat ze hem kon zien. Een matte ster was het nu; je kon zien dat het helemaal geen ster was, maar papier-maché met overal lijmvlekken.
'Nou, dat was leuk,' zei mevrouw Williams toen het liedje afgelopen was. En toen niemand haar antwoord gaf: 'Of niet soms?'
'Ja zeker,' zei ik. 'Laten we er nog een zingen.'

'Krijg de rambam,' zei Anna.
'Wat betekent dat?' vroeg ik.
'Het betekent "nee",' zei Deanna.
'Ik dacht al dat het dat betekende,' zei ik. 'Ik vroeg het maar even, voor de zekerheid.'
'Jij krijgt geen advocaat meer,' zei mevrouw Williams.
'Maar ik ben dol op uw advocaat.'
'Ik geloof dat je er een beetje te dol op bent. Wie rijdt er straks naar huis?'
'Ik,' zei Deanna.
'Wanneer gaan we?' vroeg Anna.
Na het eten maakten we de cadeautjes van mevrouw Williams open. Anna zou die van haar morgenochtend krijgen: twee nieuwe cd's, waaronder een van Eminem. Twee shirtjes van de exclusieve kledingwinkel Banana Republic. En een mobiele telefoon. Tegenwoordig was je een ongelooflijke sul als je geen eigen telefoon had. Je wist immers nooit wie je misschien wel moest bellen: een vriendinnetje, een vriendje, een ambulance.
Mevrouw Williams kreeg een prachtige trui van Saks. Ze bedankte ons allemaal plichtsgetrouw – zelfs mij, hoewel ik natuurlijk geen idee had wat er in die doos zat.
'Ik wil graag een toost uitbrengen,' zei ik.
'Ik heb je glas advocaat weggezet,' zei Deanna.
'Dat weet ik. Daarom wil ik ook een toost uitbrengen.'
'Jeetje, Charles, wat heb jij ineens?'
'Ik weet wel wat hij heeft,' zei mevrouw Williams. 'Hij heeft mijn advocaat gedronken.'
'En het is verdomd goeie advocaat,' complimenteerde ik haar.
'Charles!' Deanna keek boos.
Anna giechelde en zei: 'O, help, mijn papa heeft "verdomd" gezegd. Bel de politie.'
'Nee,' zei Charles. 'Geen politie. Geen goed idee.'
'Hè?'
'Grapje.'
Mevrouw Williams was een kan koffie aan het zetten. 'Heeft iemand zin in koffie?' vroeg ze.
'Ik weet zeker dat Charles graag een kopje wil,' zei Deanna. In feite wilde ik helemaal geen kopje. Het was duidelijk een samenzwering: ze probeerden me weer nuchter te krijgen.
Ondertussen fluisterde Anna iets tegen Deanna. Iets over dat ze haar niet zo op de huid moest zitten. 'Ik gedraag me prima,' hoorde ik haar zeggen.
Ik had me inmiddels op de bank in de woonkamer laten zakken en vroeg me

af of ik in staat zou zijn om overeind te komen als het tijd werd om te vertrekken.
'Hoe gaat het met je neus, Charles?' vroeg mevrouw Williams.
'Hij zit er nog aan,' zei ik, en ik raakte hem even aan voor haar. 'Ziet u wel?'
'O, Charles...'
Mevrouw Williams had het televisiestation met het brandende haardvuurtje opgezet. Ik staarde in de vlammen en mijn gedachten dwaalden af. Het voelde warm en prettig aan. Totdat ik afdwaalde naar gevaarlijke gebieden en het onprettig werd. Die ijskoude straathoek in de stad.
De Charles die dronken was van de kerstgedachte – maar vooral van het kerstdrankje – schreeuwde me toe dat ik er niet aan moest denken.
Maar ik kon er niets aan doen.
Ik wil geen krakeling, stond ik op het punt te zeggen. Weet je nog?
Ik wilde iets anders.

'Oké, Charles, waarom loop je me verdomme steeds achterna?'
Winston met zijn arm nonchalant om mijn schouder geslagen, hoewel ik de kracht kon voelen die erin besloten lag, en ik had sterk de indruk dat Winston ook wilde dat ik die kracht zou voelen.
'Ik liep je niet achterna,' zei ik. Liegen leek me in dit geval instinctief de beste oplossing, en trouwens, ik liep niet echt achter Winston aan; ik probeerde eigenlijk vooral te besluiten óf ik achter hem aan moest lopen.
'Jawel. Dankzij Sing Sing heb ik nu ogen in mijn achterhoofd, weet je nog?'
'Ik wilde je alleen maar vragen of je een biertje wilde gaan drinken. Echt waar.'
'Waarom? Ben je eindelijk op die zeven spelers met een achternaam van elf letters gekomen?'
'Daar ben ik nog mee bezig,' zei ik. Ik wist niet goed wat ik nu moest doen.
'Waarom heb je het me niet gewoon gevraagd? Als je zo graag een biertje wilde gaan drinken?'
'Ik zag je een straat verderop lopen. Ik probeerde je alleen maar in te halen.'
'Oké,' zei Winston. 'Nou, dan gaan we toch een biertje drinken.'
En hij glimlachte.
We gingen naar een tent die O'Malley's heette, en hij zag er echt uit zoals je zou verwachten van een tent die O'Malley's heette. Er stond een biljarttafel achterin, er hing een dartsbord in de hoek en er was een tv die afgestemd was op een Australian-footballwedstrijd. Er zaten twee dronken stamgasten; ik nam tenminste aan dat ze min of meer vaste klanten waren, aangezien een van hen zijn hoofd plat op de bar had gelegd en de bartender niet de moeite nam om hem wakker te maken. De andere was een bekende van Winston,

want hij zei 'Hé, kerel' en gaf hem een kort klopje op zijn rug toen we hem passeerden.
'Wat wil je drinken?' vroeg Winston nadat we een plaatsje hadden gevonden aan de bar.
'Ik trakteer,' zei ik.
'Hé, jij hebt mij een dienst bewezen, weet je nog?' wierp Winston tegen.
Ja, dat wist ik nog. Goed genoeg om te denken dat Winston op zijn beurt misschien bereid zou zijn mij een dienst te bewijzen.
'Een pilsje,' zei ik.
Winston vroeg de bartender om twee pils. Toen wendde hij zich weer tot mij.
'En, is alles in orde?' vroeg hij. 'Je ziet er de laatste dagen een beetje depri uit. Is er iets met je dochter? Die heeft toch een of andere ziekte?'
Ik had Winston nooit iets verteld over Anna, maar hij zou het wel van iemand anders gehoord hebben. Zo gaat dat met die dingen.
'Nee, daar gaat het niet om,' zei ik.
Hij knikte en keek toe hoe de bartender twee biertjes voor ons neerzette.
'Ik heb een probleem,' zei ik, en dat woord bood me om de een of andere reden wat troost. Problemen waren immers hanteerbaar. Als je een probleem had, moest je gewoon een manier bedenken om het op te lossen.
'Luister, als je gewetenswroeging hebt over die avond, laat dan maar. Heb je nog iets gehoord over gestolen computers? Ik zei dat ik ermee zou ophouden en dat heb ik ook gedaan.'
'Ja, dat weet ik,' zei ik.
'Wat is dan het probleem?'
Winston nam een grote slok bier. Ik had mijn bier nog niet aangeraakt; eronder vormde zich een waterplas die steeds groter werd, waardoor de bar zo donker als bloed leek.
'Ik heb iets stoms gedaan,' zei ik. 'Ik ben een beetje uit mijn dak gegaan. Met een vrouw.'
Winston keek een beetje verward. Ik begreep het wel, hij vroeg zich waarschijnlijk af waarom iemand die in de strikte zin van het woord geen vriend van hem was, hem zat te vertellen over andere vrouwen, over dingen waarover je alleen met je allerbeste vrienden praatte.
'Heb je een verhouding gehad of zoiets?'
'Of zoiets.'
'Oké. Maar is het nu dan voorbij?'
'Het is voorbij, ja.'
'Wat is er dan? Je voelt je er schuldig over. Je wil je hart luchten? Prima. Maak je er geen zorgen over. Iedereen op kantoor heeft wel een verhouding.

Soms zelfs met elkaar. Waar denk je dat we beneden in de postkamer over praten? Over wie er met wie neukt.'
Ik zuchtte. 'Dat is het niet.'
'Oké,' herhaalde Winston. 'Wat is het dan wel?'
'Er is iets gebeurd.'
'Wat? Is ze zwanger?'
'Nee. We zijn betrapt door iemand,' zei ik.
'Hè?'
'In de hotelkamer.'
'O,' zei Winston. Zijn vrouw zeker, dacht hij natuurlijk.
'Er kwam een man binnen en die heeft ons aangevallen,' zei ik.
'Wát?'
'Hij besprong ons toen we de kamer wilden verlaten. Hij heeft ons beroofd en... haar verkracht.'
Nu had ik Winstons onverdeelde aandacht. Misschien vroeg hij zich nog steeds af waarom ik hem dit allemaal precies vertelde, maar in elk geval was hij geïnteresseerd in wat ik te vertellen had.
'Hij heeft haar verkracht. In een hotel?'
'Ja.'
'Welk hotel?'
'Gewoon een hotel. In het centrum.'
'Shit, Charles. Wat is er gebeurd? Is hij ontkomen? Hebben ze hem niet te pakken gekregen?'
Nee, ze hadden hem niet te pakken gekregen. Want om hem te pakken te krijgen, moesten ze eerst van iemand te horen krijgen dat hij iets gedaan had waarvoor hij gepakt diende te worden.
'We hebben hem niet aangegeven,' zei ik.
'Jullie hebben hem niet aangegeven.' Winston was in de ongelukkige gewoonte vervallen om zo'n beetje alles wat ik zei te herhalen. Waarschijnlijk omdat zo'n beetje alles wat ik zei nogal moeilijk te geloven was.
'We kónden hem niet aangeven,' zei ik. 'Begrijp je wel?'
'O,' zei Winston, die eindelijk de situatie begreep. 'O ja. Natuurlijk, ik snap het. Dus hij heeft jullie geld meegenomen en is verdwenen?'
'Nee, hij is niet verdwenen.' Eindelijk nam ik een slokje bier; het smaakte verschaald en warm. 'Dat is het probleem.'
Winston keek weer verward.
'Hij chanteert ons,' zei ik. 'Zo zou je het geloof ik moeten noemen. Hij wil geld van ons, anders vertelt hij het aan Deanna. Mijn vrouw. En aan haar man.'
Winston zuchtte en schudde zijn hoofd. Je bent nogal in een rotsituatie verzeild geraakt, zei hij met die zucht. Ik voel met je mee.

Ik wilde dat Winston meer voor me zou doen dan met me meevoelen. Ik wilde dat hij voor me in actie zou komen. En daar was meer voor nodig dan medeleven. Er was een soort *quidproquo* voor nodig; er was een ander soort chantage voor nodig.
'En, heb je hem betaald wat hij wilde?' vroeg Winston.
'Ja en nee.'
'Nou, wel of niet?'
'Ik heb hem wel iets betaald. Nu wil hij meer.'
'Hm-hm,' zei Winston terwijl hij nog een slok bier nam. 'Dat was wel een beetje te verwachten, nietwaar? Willen ze niet altijd meer?'
'Ik weet het niet. Ik ben nooit eerder gechanteerd.'
Winston begon bijna te lachen. Toen beheerste hij zich en zei: 'Sorry, Charles. Echt, het is helemaal niet grappig, dat weet ik. Alleen is het een beetje moeilijk voor te stellen. Ik bedoel, dat juist jíj zo in de penarie zit.'
Hij hief zijn glas weer en zoog wat schuim op. 'En, wat ga je nu doen?' Winston was eindelijk bij de hamvraag aangekomen.
'Ik weet het niet,' zei hij. 'Ik kan eigenlijk niet veel doen. Ik kan hem niet betalen. Ik heb het geld niet.'
'Hm-hm. Dus je laat het hem je vrouw vertellen,' zei hij, nadat hij alles bij elkaar had opgeteld maar tot de verkeerde conclusie was gekomen. 'Best, laat hem in de stront zakken. Ze houdt toch van je? Dus je hebt naast de pot gepist. Wie niet? Ze vergeeft het je vast wel.'
'Ik denk het niet, Winston. Ik denk niet dat ze het me zal vergeven. Ik denk niet dat ze dat zou kunnen. Niet met al die toestanden rond onze dochter en zo...'
Ik legde de rest van het verhaal uit. Dat Lucinda ook absoluut niet wilde dat haar man erachter zou komen. Dat ik het gevoel had dat ik haar dat in elk geval verschuldigd was.
'Shit,' zei Winston. En toen, na een lange stilte: 'Je hebt een paar geweldige maanden achter de rug, nietwaar, Charles?'
Hij had het over de creditcardcliënt die ik was kwijtgeraakt, vermoedde ik; zelfs in de postkamer zouden ze daar wel iets van hebben meegekregen.
'Dus,' zei Winston zachtjes, 'wat moet je nu doen?' Alsof hij zichzelf die vraag stelde, alsof hij zichzelf misschien in die situatie verplaatste en zich afvroeg wat hij zelf zou doen. En het is mogelijk dat hij toen, op dat moment, eindelijk begreep waarom ik hem had aangeklampt, waarom ik in de vrieskou vier straten lang achter hem aan was gelopen om hem te vragen of hij een biertje met me wilde gaan drinken. Misschien omdat hij bij zichzelf zei: als het mij zou overkomen, zou ik de grond aanvegen met die chanteur. Ik

zou hem vermoorden, echt waar. Alleen zag hij dat voor mij niet als een redelijk alternatief, natuurlijk, aangezien ik niet bepaald het gewelddadige type was. Nee, voor zoiets had je een beetje spiermassa nodig, voor zoiets had je een beetje ervaring met dergelijke zaken nodig, moest je af en toe je handen vuil hebben gemaakt, of in elk geval bloed aan je vuisten hebben gehad. Of niet soms?
Winston zette zijn glas neer, halverwege een slok bier zette hij het glas neer en keek me aan.
'Weet je verdomme wel wat je van me vraagt?' vroeg hij. Hij had eindelijk twee en twee bij elkaar opgeteld; hij was er eindelijk achter.
'Ik hoopte eigenlijk...'
'Wat hoopte je eigenlijk?' onderbrak Winston me. 'Wat?'
'Dat je me zou helpen.'
'Je hoopte dat ik je zou helpen.' Daar ging hij weer: hij was weer aan het herhalen wat ik zei, maar dit keer niet omdat hij niet kon geloven wat ik zei, maar omdat hij het wel degelijk kon geloven.
'... en Sydney Black rukt op met de bal...' De tv stond nog steeds op de Australian-footballwedstrijd, die kennelijk het punt had bereikt waarop het erop of eronder was, want het publiek stond nu te brullen; ze stonden recht overeind en schreeuwden om de overwinning.
'Moet je horen,' zei Winston. 'Ik mag je graag, Charles. Je bent een goede kerel. Ik vind het echt vreselijk van je dochter, man. Ik vind het ook heel erg dat je gechanteerd wordt, echt waar. Maar je bent mijn broer niet, oké? Je bent niet eens mijn beste vriend. Ik heb een beste vriend en er is niet veel wat ik niet voor hem zou doen, maar zelfs als híj van me zou vragen wat ik denk dat jij op het punt staat te vragen, zou ik tegen hem zeggen dat hij de kolere kon krijgen. Begrijpen we elkaar?'
'Ik dacht dat je hem misschien alleen even zou kunnen gaan... opzoeken.'
'Opzoeken. Wat bedoel je daar nu weer mee? En als ik hem ga opzoeken, wat moet ik dan tegen hem zeggen? Nou? "Wees eens een vriendelijke kerel en val mijn vriend niet meer lastig"? En moet ik dat doen voor of nadat ik de vloer met hem heb aangeveegd voor je?'
Winston was niet dom: een cijfergemiddelde van boven de negen, en ondanks het feit dat hij in het verleden drugs had gebruikt, waren zijn hersencellen nog steeds min of meer intact.
'Ik wil je ervoor betalen,' zei ik.
'Je wilt me ervoor betalen. Wat aardig van je. Geweldig.'
'Tienduizend dollar,' zei ik voor de vuist weg. Ik had Vasquez al tienduizend dollar betaald, nietwaar? Tien mille leek me wel een mooi bedrag. Ik zou het

weer moeten weghalen uit Anna's fonds, maar misschien was er een manier om het tekort weer aan te vullen; daar had ik inmiddels wel een beetje over nagedacht.
'Tien mille,' zei Winston, 'en anders?'
'Hoe bedoel je?' vroeg ik, hoewel ik precies wist wat Winston bedoelde. Ik had dat deel eigenlijk liever onuitgesproken gelaten.
'En anders?' herhaalde Winston. 'Als ik die tien mille niet aanneem. En tienduizend dollar is een hoop geld voor mij, dat geef ik toe. Maar stel dat ik je aanbod toch afsla. Wat dan?'
'Hoor eens, Winston... het enige wat ik van je vraag...'
'Je vraagt me een misdaad te begaan. Ik vraag me alleen af waarom je dacht dat ik ja zou zeggen.'
En toen ik hem geen antwoord gaf: 'Hoe verwoordde híj het, Charles? Die verkrachter. Die chanteur.'
'Wat?'
'Toen hij je om geld vroeg, zei hij: je moet me zoveel betalen, anders... Verwoordde hij het niet zo? Min of meer? Dus dat vraag ik je. Ik vraag je wat dat "anders" inhoudt.'
'Hoor eens, ik denk dat je verkeerd begrepen hebt...'
'Nee, ik begrijp het helemaal. Je vraagt me niet om geld, je biedt me geld aan. Dat begrijp ik en het is heel gul van je. Maar als ik je aanbod afsla, als ik vriendelijk bedank, wat dan? Wat is het alternatief voor mij?'
Hij wilde het me hardop horen zeggen. Dat is alles.
Ik heb je op diefstal betrapt. Ik heb je op diefstal betrapt en ik kan uit de school klappen. Post bezorgen is bepaald geen wereldbaantje, maar het is altijd nog een stuk beter dan de gevangenis. Of niet soms?
Ik mocht hem dan als een verloren gewaande vriend een biertje hebben aangeboden, maar vriendschap was niet hetgeen waarop ik rekende.
Ik kon mezelf er alleen niet toe zetten de woorden hardop uit te spreken.
Ik had eigenlijk gehoopt dat Winston het als een wederdienst zou willen doen: ik had ooit zijn hachje gered en nu kon Winston mijn hachje redden. Ik had eigenlijk gehoopt dat tienduizend dollar in dit geval wel genoeg zou zijn. Maar nu Winston me dwong mijn dreigement ook daadwerkelijk onder woorden te brengen, merkte ik dat ik dat niet kon.
En ik dacht: ik ben Vasquez niet.
'Tienduizend dollar, dus,' zei Winston. Hij richtte zijn aandacht weer op de footballwedstrijd. '... de bal wordt het veld in getrapt, Dover vangt hem in de linkerhoek...' Hij wierp een blik op de slapende dronkelap, die heel even wakker werd, voordat hij zijn hoofd weer op de bar liet zakken. Hij trommelde met zijn vingers op de rand van zijn bierglas – *klink*, *klink*, *klink*, als

een windgong die door een plotselinge bries in beweging wordt gebracht. En hij wendde zich weer tot mij en zei: 'Oké.'
Zomaar.
'Oké,' zei hij. 'Goed dan. Ik doe het.'

Ontspoord 22

Ik belde Tom Mooney op en zei tegen hem dat ik hem ergens over wilde spreken.
Over de muziekproductie.
Het was de driedaagse werkweek tussen kerst en oud en nieuw. Die tijd van het jaar waarin mensen hun zaakjes op orde proberen te brengen en een paar goede voornemens maken. Om een paar kilo af te vallen, bijvoorbeeld. Ik was voor mezelf ook een afslankprogramma aan het opstellen. Er drukte ongeveer tachtig kilo te veel op mijn schouders. Ik moest ervan af zien te komen.
Tom kwam vijf minuten te vroeg opdagen, trok met veel vertoon zijn jas uit en de sloot de deur.
'Oké,' zei Tom toen hij ging zitten, 'waar wilde je het precies over hebben?'
'Smeergeld,' zei ik.
Maar misschien was ik te bot, want Mooney schoof opeens achteruit in zijn stoel. Was het mogelijk dat er een soort code was die je hoorde te gebruiken voor dit soort dingen, een taal die door de ingewijden werd gebruikt?
'Smeergeld. Waar heb je het over?' vroeg Tom. 'Sinds wanneer zitten we in de politiek? Voorzover ik weet, maken we commercials.'
'T&D Music,' zei ik. 'Dus jullie schrijven ook muziek.'
'Hé, we zijn een allround productiebedrijf. We doen wat nodig is.'
'En dat is nodig?'
'Heb je die commercials van de laatste tijd gezien?' Hij probeerde grappig te zijn, vermoed ik, want hij leek te wachten totdat ik zou gaan lachen.
Ik had vandaag geen zin om te lachen. 'Hoe lang is dit al gaande?' vroeg ik. 'Met jou en David?'
'Luister, Chaz. Heb je me hiernaartoe gehaald voor een ondervraging? Want misschien heb ik iets verkeerd begrepen toen je me belde. Ik dacht dat je me om een andere reden wilde spreken. Maar misschien heb ik het bij het verkeerde eind.'
Ik bloosde. Misschien bestond er inderdaad een andere taal, of misschien kende ik die taal wel maar was ik niet in staat hem te spreken. Eerst met Winston in de bar en nu hier. Ik had Mooney om een andere reden hiernaartoe gehaald, niet om hem te veroordelen, zelfs niet om alle smerige details uit hem te persen, maar gewoon om mijn hand uit te steken en te zeggen: 'Ik doe mee.'

Dus misschien werd het tijd dat ik dat air van morele superioriteit liet varen, dat wilde Tom eigenlijk zeggen. En hij had nog gelijk ook.
'Twintig mille,' zei ik.
Het verbaasde me een beetje dat ik de woorden zowaar uit mijn mond kon krijgen. 'Twintig mille,' als een onomwonden, feitelijke verklaring, ondubbelzinnig, zonder een smekende stembuiging op het eind. Twintig mille, voor de tien die ik Winston schuldig was en de tien die ik al uitgegeven had. En ik vroeg me af of dit de juiste manier was om dit te doen; of er niet van me werd verwacht dat ik een stukje papier over tafel zou schuiven met daarop het bedrag in potlood.
Maar Tom glimlachte weer, een glimlach waarmee hij zei: je bent een van ons, of niet soms?
Ik voelde me een beetje misselijk, maar minder dan ik verwacht had. Was dit de manier waarop het gebeurde? Raakte je jezelf stukje bij beetje kwijt, totdat er geen 'jij' meer was? Iemand die je naam gebruikte, het bed deelde met je vrouw, je dochter omhelsde, maar in werkelijkheid iemand anders was dan jij?
'Hé,' zei Tom, 'ik zei toch dat ik de kerstman was?'

De volgende dag ontmoette ik Winston zoals afgesproken één straat ten noorden van het spoor van lijn zeven, op de overwegend lege parkeerplaats van een Dunkin' Donuts in Astoria, Queens.
Winstons idee. 'Horen we niet op een afgelegen plek af te spreken?' vroeg hij nadat hij me gevraagd had of ik wist wie de enige pitcher was die ooit vijf Cy Youngprijzen had gewonnen.
'Roger Clemens,' zei ik.
Winston zat op me te wachten in een witte Mazda met niet-bijpassende velgen en een kapot achterlicht. De voorruit was één en al sterretjes.
Ik kwam aanrijden in mijn zilverkleurige Mercedes sedan en voelde me een beetje beschaamd. Ik parkeerde aan het andere eind van de parkeerplaats in de hoop dat Winston me niet zou zien. Maar hij zag me wel.
'Hierzo,' riep hij.
Toen ik de auto bereikt had, boog Winston zich over de passagiersstoel heen en deed het portier aan die kant open.
'Spring erin, maat.'
'Maat' sprong erin.
'Weet je wat mijn lievelingsliedje is?' vroeg Winston.
'Nee.'
'*Money* van de Beatles. En weet je wat mijn favoriete artiest is?'
Ik schudde mijn hoofd.

'Eddie Money.'
Ik zei: 'Ja, die is goed.'
'Mijn favoriete film? *The color of money.* Mijn favoriete basketbalspeler aller tijden: Norm Cash. Een goede nummer twee: Brad Penny.'
'Ja, Winston,' zei ik. 'Ik heb je geld.'
'Hé, wie vroeg hier om geld?' vroeg Winston. 'Ik probeerde alleen maar een gesprek aan te knopen.'
Een trein van lijn zeven ratelde over de verhoogde spoorweg en verspreidde een regen van vonken over de straat.
'Maar nu we het er toch over hebben,' zei Winston, 'waar is het?'
Ik stak mijn hand in mijn zak. Het brandt een gat in mijn zak, dat is een uitdrukking, nietwaar? Een koerier van Headquarters Productions had gisteren de bruine envelop afgeleverd.
'Vijf mille,' zei ik. 'De andere helft achteraf.'
'Heb je dat soms in een film gezien?' zei Winston, nog steeds glimlachend.
'Wat?'
'Dat gedoe over "de andere helft". Heb je dat soms in een film gezien of zo?'
'Hoor eens, ik dacht alleen...'
'Wat is nu eigenlijk de afspraak, maat? Toen ik zei dat ik dit zou doen, uit puur vriendschappelijke overwegingen, overigens, omdat je een maat van me bent en in de problemen zit, had je het over tien mille, geloof ik.'
'Ik weet wat we...'
'Afspraak is afspraak, nietwaar?'
'Ik begrijp het.'
'Wat waren de afspraken?'
'Ik denk dat ik je het best eerst de helft...'
'Vertel me wat de afspraken waren, Charles.'
'Tien mille,' zei Charles.
'Tien mille. Precies. Tien mille waarvoor?'
'Hoe bedoel je?'
'Waar wilde je me tien mille voor geven? Omdat je me zo aardig vindt? Omdat je mijn universitaire studie voor me wilt bekostigen?'
'Hoor eens, Winston...' Plotseling wilde ik liever ergens anders zijn.
'Hoor eens, Charles. Ik geloof dat er enige verwarring is ontstaan. Ik wil het nog even met je hebben over de afspraken. Als je iemand vraagt zoiets voor je te doen, moet je weten wat de afspraken waren.'
'Ik weet wat de afspraken waren.'
'O ja? Zeg het nog maar eens hardop, zodat ik zeker weet dat er geen misverstanden bestaan. Waarvoor geef je me tien mille?'
'Ik geef je tien mille om... om ervoor te zorgen dat Vasquez verdwijnt.'

Winston zei: 'Ja, inderdaad, ik dacht ook al dat we dat afgesproken hadden. Tien mille om ervoor te zorgen dat Vasquez verdwijnt.' Hij trok iets uit zijn zak. 'Dit is het argument dat ik wil gebruiken om hem te laten verdwijnen,' zei hij. 'Wat vind je ervan? Denk je dat hij ernaar zal luisteren?'
'Een pistool.' Ik voelde mezelf terugdeinzen; ik schoof achteruit tegen het raam.
'Hé, jij bent hier goed in,' zei Winston. 'Weet je zeker dat je dit niet al eens eerder hebt gedaan?'
'Hoor eens, Winston, ik wil niet...'
'Wat? Wil je er niet naar kijken? Hij ook niet, waarschijnlijk. Wat dacht je dan dat ik zou doen, Charles ? Hem vriendelijk vragen op te sodemieteren?'
'Ik wil gewoon... snap je... als het enigszins mogelijk is...'
'Ja, nou ja, ik heb hem alleen voor het geval dat helemaal niet mogelijk is.'
'Oké,' zei ik. 'Oké.' Al die tijd had ik in eufemismen gedacht: ervoor zorgen dat Vasquez verdwijnt, iets aan hem doen, met hem afrekenen. Maar dit was de manier waarop je met een Vasquez afrekende, probeerde Winston me duidelijk te maken. Soms was het gewoon niet anders.
'Oké wat?' vroeg Winston.
'Hè?'
'"Oké, hier heb je je tienduizend dollar, Winston"?'
'Ja,' zei ik. Ik gaf het op.
'Geweldig,' zei hij. 'Ik was heel even bang dat je me maar de helft zou geven.'
Ik haalde de envelop uit mijn zak en overhandigde hem aan Winston.
'Je laat je te makkelijk overhalen, Charles,' zei Winston. 'Ik had ook genoegen genomen met driekwart vooraf.'
Toen, nadat hij het allemaal geteld had, vroeg hij: 'Waar?'

Ontspoord 23

Onder de snelweg, de West Side Highway.
Het nieuwe jaar was een week oud.
Ik zat naast Winston in een gehuurde metallicblauwe Sable met leren bekleding. Winston had zijn ogen dicht.
Ik zag een eenzame sleepboot zich puffend een weg banen over een Hudson die zo zwart was, dat het leek alsof hij er helemaal niet lag. Alleen maar een lege, zwarte ruimte waar de rivier hoorde te stromen. Het was koud en het ijzelde; smalle glassplintertjes sloegen door het open raam tegen mijn gezicht.
Ik zat te rillen.
Ik probeerde nergens aan te denken. Ik probeerde kalm te blijven.
Aan de overkant van de straat, op de hoek, stond een hoertje. Ze stond daar al sinds ik in de auto was gestapt.
Ik keek naar haar en vroeg me af waar haar klanten waren.
Een redelijke vraag, aangezien het pas een paar minuten over tien was en ze een doorzichtig, rood négligé en glanzende, zwarte laarzen droeg. Ze was hier afgezet door een jeep met nummerplaten uit New Jersey en wachtte totdat er een volgende auto met nummerplaten uit New Jersey zou langskomen. Maar er waren al tien minuten verstreken en ze stond daar nog steeds in de natte sneeuw. Ze deed niet veel maar stond wel naar de blauwe Sable aan de overkant van de straat te kijken, die ook niet in beweging leek te komen.
Ze zag eruit alsof ze het ijskoud had. Ze had een klein jasje van nepbont om haar schouders geslagen, maar verder had ze niet veel aan; ze vertoonde veel fletse, witte huid, zodat haar klanten die konden zien en er een prijskaartje aan konden hangen.
Maar waar waren haar klanten?
De verzekeringsagent uit Teaneck, de makelaar uit Piscataway, de vrachtwagenchauffeur op weg naar de Lincolntunnel?
Ik stond onder de West Side Highway omdat Vasquez me had opgedragen daarnaartoe te komen.
'Heb je het geld?' had hij me gevraagd.
Ja, dat had ik.
'Je komt om tien uur naar 37th, bij de rivier.'
Ja, dat zou ik doen.

'Je vertelt het aan niemand, begrepen?'
Ja, dat begreep ik. (Nou ja, misschien zou ik het aan één iemand vertellen.)
'Je komt alleen.'
Ja, dat zou ik doen. (Nou ja, misschien niet helemaal alleen.)
Hoe lang stond dat hoertje er eigenlijk al, zonder dat er een klant was gekomen, dacht ik opnieuw. Hoe lang precies?
Toen kwam ze op me afgelopen.
Ze was nu halverwege de straat, dichter bij me dan bij me vandaan, zodat ik wist dat ze niet van plan was zich weer om te draaien. Het getik van de hakken van haar laarzen echode toen ze in een rechte lijn op de blauwe Sable afkwam die daar al die tijd al stond zonder een centimeter te bewegen.
'Wil je een afspraakje?' vroeg ze me toen ze mijn raam bereikt had. Ik kon gewoon zien dat ze kippenvel op haar borsten en benen had, want haar borsten werden maar half verhuld door het rode négligé en haar benen waren bloot, op die kuitlaarzen na.
Nee, ik wilde geen afspraakje. Ik wilde dat ze wegging.
'Nee.'
'Hm-hm,' zei ze. Haar gezicht was jong maar oud, zodat het vrijwel onmogelijk was haar leeftijd in te schatten. Ergens tussen de twintig en de vijfendertig. 'Heb je een sigaret voor me?'
'Nee.'
Maar er lag een pakje sigaretten tussen mij en Winston in op de voorbank – Winstons sigaretten. Ze kon ze daar duidelijk zien liggen; een of twee sigaretten staken zelfs uit het gescheurde pakje.
'Wat zijn dat dan?' vroeg ze.
'Wacht even,' zei ik. Ik stak mijn hand uit naar het pakje, maar toen ik het oppakte, kreeg ik een stukje hersenweefsel van Winston op mijn hand; het pakje zat helemaal onder. Ik haalde er toch een sigaret uit en gaf hem haar door het raampje aan.
'Bedankt,' zei ze, maar ze klonk niet alsof ze het meende.
Toen vroeg ze me om een vuurtje.
'Heb ik niet.'
'En hij dan?' Ze bedoelde Winston, die zijn ogen nog steeds gesloten had.
'Ook niet,' zei hij.
'Wil hij misschien een afspraakje?'
'Ik denk het niet.'
'Wat is er met hem? Is hij bezopen?'
'Ja, hij is bezopen. Hoor eens, ik heb je een sigaret gegeven, dus...'
'Wat heb ik aan een sigaret als ik geen vuurtje heb? Wat moet ik er dan mee, hem opeten?'

'We hebben geen vuurtje voor je, oké?'
Ik zag de weerkaatsing het eerst: een flakkerende, rode poel midden op straat, en toen het geluid van banden die over glas reden.
Een politiewagen.
'Maak dat je wegkomt,' zei ik tegen haar.
'Wát?'
'Hoor eens, ik wil gewoon met rust...'
'Krijg de kolere,' zei ze. 'Jij vertelt mij niet waar ik weg moet komen. Begrepen?'
'Ja, oké... Ik wil gewoon geen afspraakje, oké?' Ik probeerde nu aardig te zijn, probeerde dit beleefd af te handelen, zodat ze misschien weg zou gaan. Want Winston had zijn ogen nog steeds dicht en de politiewagen had onze auto bijna bereikt. En het hoertje... ze ging maar niet weg, nu ik haar goed kwaad op me had gemaakt.
'Ik blijf verdomme als ik dat wil,' zei ze.
En de politiewagen reed helemaal door tot aan de auto en het zijraampje schoof omlaag.
Ik verwachtte dat de politieagent tegen me zou gaan schreeuwen. Dat hij me zou opdragen om uit de auto te komen, misschien... mij en Winston. Ik verwachtte dat de politieagent uit de wagen zou stappen en met zijn zaklamp over de voorbank zou schijnen, waarna hij zou opmerken dat Winston zijn ogen dicht had. En als hij nog wat beter keek, zou hij nog iets opmerken: dat de helft van Winstons hoofd verdwenen was.
'Hoi,' zei de politieagent.
'Jij ook hoi,' antwoordde het hoertje. Als oude vrienden.
'Hoe gaat ie, Candy?'
'Wat denk je,' zei ze.
'Fijne avond om te werken, hè?'
'Wat je zegt.' Gewoon een gesprek over koetjes en kalfjes, tussen vrienden.
Ik zat daar naar hen te luisteren. Maar ik hoorde hen niet echt.
Ik was aan het terugdenken.
Toen ik bij de pier arriveerde, zag ik Winston in de gehuurde blauwe Sable zitten, precies zoals de bedoeling was. Ik keek tien minuten, toen een kwartier toe hoe hij daar zat en toen viel me pas op dat er een raam openstond. Dat Winston geen vin verroerde en al die tijd zijn hoofd niet bewogen had. Dat hij geen sigaret had opgestoken, niet had gekucht of gegaapt of aan zijn neus had gekrabd. Stokstijf stil zat hij, roerloos als een stilleven: *Man in blauwe auto.* Er was iets mis. Dat open raampje, bijvoorbeeld; de natte sneeuw waaide recht naar binnen. Waarom stond het open?
Uiteindelijk stak ik de straat over om even snel te gaan kijken, even snel,

want ik verwachtte Vasquez elk moment en het was de bedoeling dat ik alleen zou komen. Winstons ogen waren dicht, alsof hij zat te slapen. Alleen leek het er niet op dat hij ook ademde. En het raampje was niet open, het was stuk.
Ik stapte in de auto en tikte Winston op zijn schouder en Winston negeerde me. En toen boog ik me voorover over de voorbank om Winstons petje beter te bekijken, en op dat moment realiseerde ik me dat het geen petje was. Het was pulp. De helft van Winstons hoofd was verdwenen. Ik moest overgeven; mijn braaksel vermengde zich met de verschillende stukjes van Winstons hoofd. En ik stond op het punt om gillend uit de auto te stappen en weg te rennen, maar toen zag ik hoe dat hoertje werd afgezet door die jeep. Dus bleef ik zitten waar ik zat.
'Heb je iemand zien in- of uitstappen?' zouden ze haar vragen.
En zij zou nee zeggen.
Tenzij ze besloot de straat over te steken en om een sigaret te vragen.
De Sable begon te stinken. Ondanks dat er constant vlagen koude lucht door het gebroken raampje naar binnen kwamen.
'Je zorgt goed voor jezelf, toch, Candy?' zei de politieagent juist.
'Je kent me,' zei ze.
Niemand had nog de moeite genomen om iets tegen me te zeggen.
Ik kwam in de verleiding om het sleuteltje om te draaien in het contact en ervandoor te gaan. Er waren echter twee problemen, natuurlijk. Ten eerste zat Winston achter het stuur. En ten tweede zouden de politieagenten, die me tot nu toe nog steeds negeerden, me wel móéten opmerken als ik plotseling de auto startte en ervandoor ging.
Maar nu keek een van hen eindelijk in de auto.
'Jij daar,' zei hij.
'Ja?'
'Ben je een transactie aan het voltrekken met Candy hier?'
'Nee. Ik heb haar alleen een sigaret gegeven.'
'Is er iets mis met haar?'
'Wat? Nee... ze is een mooie meid.'
'Inderdaad. Candy is een stuk.'
'Ik zat alleen maar... een sigaretje te roken.'
'Ben je getrouwd?'
'Ja.'
'Weet het vrouwtje dat je rondrijdt op zoek naar hoertjes?'
'Ik zei toch al dat ik alleen maar...'
'En je maatje hier? Is hij ook getrouwd?'
'Nee. Nee... hij is single.' Hij is dood.

'Dus jullie zijn met zijn tweetjes op pad, op zoek naar hoertjes, en jullie doen geen zaken met Candy? Waarom niet?'
'Agent, sorry als u het verkeerd...'
'Waarom zit je je tegenover mij te verontschuldigen? Zeg maar tegen háár dat het je spijt. Ze staat hier te vernikkelen en jullie negeren haar gewoon volkomen. Wat is er met die vriend van je?'
'Hij is...' Dood, agent.
'Misschien moest je Candy maar eens je waardering tonen.'
'Oké.'
'Nou?'
'Oh...' Ik graaide onhandig naar mijn portefeuille. Mijn hand beefde zo vreselijk dat ik gewoon moeite had hem in mijn achterzak te steken. Uiteindelijk slaagde ik erin een onbekend bedrag aan biljetten te pakken en hield ik ze haar voor.
'Bedankt,' zei Candy lusteloos. Ze nam het geld aan en stopte het boven in haar négligé.
'En hij?' vroeg de politieagent. 'Hoe heet je?' vroeg hij aan Winston.
Winston gaf hem geen antwoord.
'Ik vroeg: hoe heet je?'
Winston gaf hem nog steeds geen antwoord.
Ik zag voor me dat ik achter in de politiewagen zat en werd opgebracht – dat was toch de juiste uitdrukking? Ik stelde me voor dat er een proces-verbaal zou worden opgemaakt, dat ze mijn vingerafdrukken zouden nemen en dat ik één telefoontje zou mogen plegen. Ik kende niet eens een advocaat, bedacht ik. Ik stelde me voor hoe ik Deanna en Anna onder ogen moest komen, van hen gescheiden door middel van een bekraste, kunststof wand, me afvragend hoe ik in vredesnaam moest beginnen.
'Oké. Laatste keer,' zei de politieagent. 'Hoe heet je?'
En toen...
Een plotseling gekraak en een statisch klinkende stem doorbrak de kwellende stilte als een donderklap op een drukkend warme en vochtige middag.
'... we hebben een... uh... *ten-four*... hoek van 48th en 5th...'
En opeens vroeg de politieagent Winston niet langer hoe hij heette. In plaats daarvan zei hij iets tegen Candy. 'Ik zie je nog wel,' zo klonk het. En de politiewagen vertrok. Zomaar. *Vroem*, en weg was hij. Nog een paar seconden en ze zouden de man met het halve hoofd ontdekt hebben, en een andere man die kalm naast hem zat op een voorbank die onder het braaksel en het hersenweefsel zat, en nu was het opeens op onverklaarbare wijze voorbij.
En eindelijk, eindelijk kon ik het eruit gooien.
Ik kon huilen om Winston.

Ontspoord 24

Het kwam bijna per ongeluk bij me op. Ik reed zomaar ergens naartoe. Ik volgde de West Side Highway en probeerde niet te gaan beven.
Winston was dood.
Winston was dood, en ik had hem vermoord.
Had ik hem die avond in het café niet in een hoek gedreven en hem min of meer gedwongen dit te doen?
Ik probeerde het te beredeneren, wat was er precies gebeurd? Vasquez had gezegd dat ik alleen moest komen, maar misschien had Vasquez er niet op vertrouwd dat ik alleen zou komen en was hij eerder gekomen om wat rond te snuffelen. Was dat wat er gebeurd was? Daar zat Winston, in een blauwe Sable die daar maar zo'n beetje stond, en misschien werd Vasquez wel achterdochtig en zocht hij hem op, en misschien werd Winston wel agressief; dit was immers een man die in de gevangenis had gezeten, die gewend was mensen dingen aan te doen voordat ze het hem aandeden. Alleen dit keer niet. En Winston had er een half hoofd aan overgehouden.
Dat was logisch, of niet? Het was moeilijk te zeggen of het logisch was, want ik was zo bang, dat ik niet meer logisch kon nadenken.
Ik stikte nu bijna van de stank in de auto. En op dat moment herinnerde ik me een andere afschuwelijke stank die ik wel eens vanaf de voorbank van een rijdende automobiel had geroken. Zo werkte de geest soms, dan speelde hij een spelletje met je: 'stank' plus 'auto' en wat krijg je dan?
Herinneringen aan zondagmiddagen waarop we met de auto naar het huis van tante Kate in het zuiden van New Jersey reden. Om daar te komen, moesten we de Belt Parkway volgen tot aan de Verrazanobrug en vervolgens dwars door het hart van Staten Island rijden. Onderweg kwamen we niet veel tegen, afgezien van hier en daar een groot, overdekt winkelcentrum met een megabioscoop waar zeventien verschillende films tegelijkertijd vertoond werden. En dan, midden in niemandsland, sloeg het met beangstigende snelheid toe. Een misselijkmakende reuk overviel ons plotseling door de raampjes, die op een kiertje openstonden, door de roosters van de airco en het schuifdak. De reuk van afval, de stank van een stortterrein. Enorme hopen grijsbruine aarde aan weerszijden van de snelweg, waar vluchten krijsende meeuwen omheen cirkelden. Visafval.
Dan deed ik de ramen dicht, terwijl Deanna naast me haar neus dichtkneep en Anna op de achterbank zat te krijsen. Dan zette ik de airco uit en contro-

leerde of het schuifdak goed dichtzat, maar toch drong die reuk naar binnen. Het was alsof je je hoofd in een vuilnisbak stopte en hoe hard ik ook reed – en ik drukte altijd uit alle macht het gaspedaal in – ik kon niet snel genoeg rijden. Ik kon de stank niet voorblijven, niet voordat ik een goed kwartier gereden had en het landschap bekoorlijk provinciaal werd.
Een uur later, als ik met een drankje in mijn hand op de zonnewaranda achter het huis van tante Kate stond, roken mijn kleren er nog naar.
Daar ging ik naartoe.
Ik reed over Canal Street naar de Manhattanbrug en nam toen de Belt Parkway naar de Verrazanobrug. Er was weinig verkeer op dit uur van de avond; dat was prettig, gezien het feit dat Winston pal naast me zat te vergaan. 'Heb je soms geen hersens?' klaagde ik wel eens tegen Anna als ik mijn geduld verloor. En Winston had inderdaad geen hersens meer; ze waren uitgesmeerd over de hele auto.
Ik dacht al vooruit naar het tolhuis. Of het een probleem zou worden om te betalen; of de tolbeambte in de auto zou kunnen kijken. Of hij of zij de auto zou kunnen ruiken. Ik probeerde dit probleem hindernis voor hindernis aan te pakken, net als Edwin Moses, die ik ooit op het sportkanaal had horen uitleggen dat hij op de horden precies dezelfde methode gebruikte: één horde tegelijkertijd nemen en nooit naar de finish kijken.
Voor mij was de finish: Winston veilig uit de weg geruimd en ik terug in bed. En Vasquez volledig afbetaald – o, zeker, honderdduizend dollar leek me op dat moment best een koopje. Het mocht dan heel Anna's fonds zijn, maar toch was het een koopje, zoals de dingen er nu voor stonden.
De tolbeambte was een klassieker van James Brown aan het neuriën: *I feel good.* Nou, dat zou snel over zijn als ze de auto rook. Dat zou snel over zijn als ze een blik wierp op mijn reisgenoot en dat hersendiagram op zijn schouders zag hangen. Ik had het geld alvast uit mijn portefeuille gehaald en hield het al voor haar in de aanslag. De auto's voor me had ze in een lekker ritme afgehandeld: arm naar binnen, arm naar buiten, geld naar binnen, wisselgeld naar buiten. Het was net een van die funky dansen uit de jaren zestig, de 'swim' of de 'monkey'. Maar toen ik met het geld in mijn hand de auto stilzette bij haar venster, zei ze tegen me dat ik even moest wachten. Ze begon biljetten te tellen in het hokje en liet mijn geld gewoon liggen waar het lag: in mijn bezwete handpalm.
Het was om gek van te worden. Ik begon me nu zorgen te maken om de andere tolbeambte, die zich rechts van mij en dus dichter bij het lijk bevond. Ik vroeg me af of ze wapens droegen, tolbeambten. Het deed er niet echt toe, want ik wist dat ze radio's bij zich droegen. Eén simpel berichtje naar het politiebureau verderop en ik was er geweest.

Eindelijk, na nog een half liedje – de kleine Stevie Wonder, circa 1965 – stak ze haar hand uit en nam het geld van me aan.
En ik haalde weer adem, oppervlakkig, natuurlijk, met mijn hoofd in de richting van het raampje gekeerd, want de stank omhulde me als een stoomwolk. Winston was de tweede dode die ik ooit had gezien. Ik had een begrafenis met open kist bijgewoond toen ik veertien was – een vriend van de familie die overleden was aan kanker – en ik had mijn blik min of meer op mijn schoenen gericht gehouden, hoewel ik één keer een blik had geworpen op dat gezicht, dat er vreemd genoeg gelukkig uitzag. Zo was het niet met Winston: hij had zijn mond half open alsof hij iets wilde schreeuwen en zijn ogen stijf dichtgeknepen. Hij was onder protest doodgegaan.
Ik heb Winston vermoord, dacht ik opnieuw.
Alsof ik de trekker zelf had overgehaald. Overspel, fraude en nu moord? Het leek nog niet zo lang geleden dat ik een van de naamloze goeden was geweest. Het was een beetje moeilijk om die Charles te rijmen met deze, de Charles die met een dode man over Staten Island reed, op weg naar de vuilstortplaats. Het was een beetje moeilijk te verteren. Als ik echter maar de stortplaats wist te bereiken zonder dat de politie me aanhield; als ik me maar kon ontdoen van Winstons lichaam en de bloederige auto; als ik Vasquez uit mijn leven kon bannen met honderdduizend dollar...
Eén horde tegelijk.
Eerst moest ik de weg naar de stortplaats zien te vinden. Het kon niet ver weg zijn; de stank in de auto had gezelschap gekregen van een andere stank, die nog erger was.
Ik bereikte de afrit naar de stortplaats. Dat dacht ik tenminste, want op het bord bij de volgende afslag stond Goethalsbrug. Ik verliet de snelweg en reed een verlaten, onverlichte tweebaansweg op. Winston zakte tegen het raampje toen ik rechts afsloeg.
Ik volgde de weg een minuut of vijf, zonder ook maar één auto in beide richtingen tegen te komen. Ik vermoedde dat het enige verkeer dat hier kwam óf op weg was naar de vuilstort, óf ervandaan kwam, en op dit uur van de avond deed niemand dat. Behalve ik.
Ik tuurde in de duisternis, op zoek naar een toegangspoort. Ik reed stapvoets, zodat ik er niet onverhoeds langs kon rijden zonder hem te zien.
Daar.
Vlak voor me was inderdaad een poort: een hek met prikkeldraad, dat eindigde in twee openslaande deuren en een wachthuisje. Een weg naar binnen. Ik kon wel huilen van vreugde, of het uitschreeuwen van uitgelatenheid, of in elk geval zuchten van opluchting, ware het niet dat hij stevig op slot zat.

Nou ja, wat had ik dan verwacht? Dit terrein was eigendom van de stad, nietwaar, en geen stortplaats voor iedereen die een lijk had waar hij vanaf moest.
Ik stapte uit de stinkende auto, om slechts tot de ontdekking te komen dat het buiten de auto erger stonk dan erin. Het leek wel of de lucht zelf afval was, alsof alle verrotte geurtjes van New York hier ook gedumpt werden, samen met al dat tastbare spul. Een stortterrein op de grond en een stortterrein in de lucht, met zeemeeuwen die zich met dat alles voedden en schreeuwden om meer. Ratten met vleugels, zo werden ze toch genoemd? En nu begreep ik waarom.
Een hele vlucht was aan mijn voeten neergestreken; de meeuwen tilden hun vleugels op en krasten tegen me alsof ik achter hun eten aan zat. Alsof ik zelf hun eten was. Scherpe, gele snavels die allemaal op mij gericht waren en ik vroeg me af of ze Winstons bloed op mijn kleren konden ruiken; of ze, net als gieren, de geur van de doden en de stervenden konden herkennen.
Ik voelde me belaagd, omsingeld door naderende zeemeeuwen en stank, en ik schreeuwde en wapperde met mijn armen in de hoop dat ik ze op die manier zou afschrikken. Maar ik leek de enige te zijn die verschrikt was: de meeuwen kwamen nauwelijks in beweging. Er waren er misschien een of twee die met hun vleugels klapperden en een centimeter of vijf van de grond kwamen. Ik trok me terug naar de auto, waar ik op de voorbank ging zitten staren naar het dichte hek.
Ik keerde de auto en begon weer over de slingerende Western Avenue te rijden. Ik hield het hek in de gaten en keek uit naar iets wat ik als toegangspoort kon gebruiken.
'Kom op, verras me eens,' zei ik hardop. Het leven had me de laatste tijd een paar gemene streken geleverd, dus ik dacht dat ik inmiddels misschien wel recht had op een paar meevallertjes. Al was het maar één meevallertje, nu meteen, hier in de anus van Staten Island, waar al het afval eruit kwam en wegrotte.
En toen viel het licht van mijn koplampen op een kapot stuk hekwerk, op het punt waar de weg naar rechts afboog. Net groot genoeg om een man door te laten; zelfs groot genoeg voor een man die een andere man met zich meesleepte.
Hij moet ergens een moeder hebben, bedacht ik opeens. Ik stelde me haar voor als een typische moeder uit de voorsteden. Ik wist niet waar hij was opgegroeid, dus misschien was ze helemaal geen moeder uit de voorsteden. Maar zo stelde ik me haar voor. Gescheiden, misschien, inmiddels gedesillusioneerd, maar nog steeds trots op haar zoon, de student met zijn cijfergemiddelde van ruim een negen. Natuurlijk was die trots door de jaren heen

wel op de proef gesteld, toen Winston aan de drugs raakte, vervolgens drugs ging dealen en uiteindelijk, God sta haar bij, in de gevangenis was terechtgekomen wegens het dealen van drugs. Maar was hij nu niet bezig een nieuw leven op te bouwen? Had hij tegenwoordig geen echte baan – oké, voorlopig bracht hij alleen maar de post rond, maar je kon een goede vent er niet eeuwig onder houden, of wel soms? Niet met dat stel hersens van hem. Voor je het wist, zou hij de baas zijn van dat bedrijf, reken maar. En het was ook zo'n goedhartige jongen, en zo sympathiek – iedereen, maar dan ook iedereen, mocht Winston graag – en hij vergat haar nooit een verjaardagskaartje te sturen, nooit. Ze had nog steeds die scheve asbak van klei die hij op de kleuterschool voor haar had gemaakt, hoor. Hij stond nog ergens op de schoorsteenmantel. Winstons moeder, die dit jaar en alle jaren daarna geen verjaardagskaartje meer van hem zou krijgen.
Ik wou dat ik Winston meer vragen had gesteld over zijn leven. Wat dan ook. Of hij inderdaad een moeder had die elk jaar op zijn kerstkaartje zat te wachten, of een vriendin die vanavond nog op was en zich afvroeg waar Winston nu eigenlijk precies naartoe was, of een broer of een zus of een favoriete oom. Maar het enige waarover ik hem ooit vragen had gesteld, was honkbal en de gevangenis, verder niets, en toen had ik hem gevraagd iets te doen wat zijn dood had betekend.
Ik zette de auto pal naast het kapotte stuk hekwerk stil en bleef vervolgens even zitten om te controleren of ik echt alleen was. Ja, voorzover ik kon zien, was ik heel erg alleen, alleen op de stortplaats, alleen op de wereld. 'Deanna,' fluisterde ik, mijn levenspartner, maar alleen in het leven waarvan zij op de hoogte was: Charles de reclameman die van negen tot vijf werkte, niet Charles de overspelige en de medeplichtige aan moord.
Ik stapte uit de auto, ik liep naar de andere kant, ik deed het portier open en keek hulpeloos toe hoe Winston op de grond viel. Ik zou proberen het te beschouwen als 'het lichaam', datgene dat was achtergebleven toen de ziel die Winston tot Winston maakte, opgestegen was. Op die manier was het gemakkelijker.
Ik tilde het lichaam bij de armen op en begon het met me mee te slepen. Ik besefte onmiddellijk dat de uitdrukking 'dood gewicht' geen loze term was. Dood gewicht was het onverzettelijke voorwerp, paniek de onweerstaanbare kracht, maar wie zegt dat de onweerstaanbare kracht het altijd wint? Ik kon het 'lichaam' nauwelijks versleept krijgen, hooguit met een centimeter of acht per keer. Ik had het gevoel dat het terugtrok, dat het rukte aan mijn schouders, mijn ellebogen en mijn pijnlijke polsen. Als het zo doorging, zou ik het lichaam tegen het aanbreken van de ochtend net door het hek hebben, net op tijd voor de aankomst van een heel leger vuilnismannen,

die me zonder moeite zouden kunnen aanwijzen bij een confrontatie op het politiebureau. Dat is hem, zouden ze zeggen, dat is de man die het slachtoffer naar de vuilnisbelt sleepte.
Maar tergend langzaam ging het toch vooruit. Ik ontwikkelde een soort routine: één keer heel hard trekken, vervolgens doodstil blijven staan om op adem te komen, mijn handen los te schudden en me op te laden voor de volgende inspanning. Op die manier slaagde ik erin het lichaam helemaal naar het kapotte deel van het hekwerk te slepen zonder ook maar één hartaanval te krijgen. En het zou nog uren duren voordat de dag aanbrak: het was halfeen, volgens mijn horloge van Movado met de lichtgevende wijzerplaat, het geschenk dat ik op mijn tweeënveertigste verjaardag had gekregen van Deanna, die zich waarschijnlijk begon af te vragen waar ik bleef. Ze maakte zich snel zorgen, en ze deed dat beter en met meer toewijding dan wie dan ook.
Ik viste mijn mobiele telefoon uit de zak van mijn jas, klapte hem met een nu kloppende pols open en drukte op 2, mijn telefoonnummer thuis. Onder voorkeuzetoets nummer 1 stond de praktijk van dokter Baron.
'Hallo?' zei Deanna. Ja, ze klonk inderdaad van streek.
'Hoi, schat. Ik wilde je niet ongerust maken. Het duurt langer dan ik verwachtte.'
'Ben je nog steeds op kantoor?'
'Ja.'
'Waarom bel je vanaf je mobiele telefoon?'
Ja, waarom eigenlijk?
'Ik weet niet. Ik liep over de gang om een kop koffie te halen en toen besefte ik opeens hoe laat het was.'
'O, oké. Hoe lang heb je nog nodig?'
Goede vraag. 'Een uurtje, denk ik... we moeten morgenochtend het storyboard voor die stomme aspirines laten zien.' Het verbaasde me een beetje hoe behendig ik was geworden in de kunst van het liegen; het verbaasde me ook dat ik zo'n doodgewoon huiselijk gesprek kon voeren – 'Ik moet overwerken, schat' – terwijl ik naast een man met een half hoofd stond.
'Nou, werk niet te hard,' zei Deanna.
'Oké, ik zal erop letten.' Toen: 'Ik hou van je, Deanna.' Dit keer zei ik haar naam erbij, en op de schaal van 'ik hou van je's' scoorde dat heel hoog: het was iets wat je zei omdat je het meende, niet als een alternatieve manier om een gesprek te beëindigen. 'Hou van je' was gewoon een intiemere versie van 'tot kijk', maar níét wanneer je er een naam achteraan zei. Dan niet...
'Ik hou ook van jou,' zei Deanna, en ik wist dat ze het meende: daar hoefde ik geen naam voor te horen.

Ik stopte de telefoon weer in mijn zak, zette één voet door het gat in het hek, stak mijn handen uit en begon Winston erdoorheen te slepen.
De stank was hier nog erger – moeilijk voor te stellen, maar het was waar. Buiten het hek rook ik het alleen maar, maar binnen het hek leek ik het zowat te eten; bij elke ademtocht kreeg ik er iets van binnen en ik begon misselijk te worden.
Ik trok het lichaam verder de stort op, dichter bij de rand van een enorme hoop vermalen afval. Nu ik er zo dicht bij was, leek het wel een van die zonnetempels die ik in Mexico-Stad had gezien toen ik daar lang geleden met Deanna geweest was. Dat was vóór Anna; we brachten de ochtenden door met het bezoeken van bezienswaardigheden en de middagen met het marineren van onze levers met tequila. Veel gevrij, gevolgd door lange, dronken dutjes.
Wat nu?
Je kon in algemene termen denken zoveel als je wilde, maar op een bepaald moment beginnen de details te schreeuwen om een oplossing. Ik had het lichaam naar de vuilstort gekregen, ik had het door een hek met prikkeldraad gesleept, ik had het tot aan de voet van de tempel van de afvalgod zelf gebracht.
Ik keek neer op mijn handen, de handen die ook Deanna hadden omhelsd, die Anna insuline-injecties hadden gegeven, die ooit elke centimeter van Lucinda's lichaam hadden verkend, en waarvan nu verwacht werd dat ze zouden meewerken aan een heel andere schnabbel. Het graven van een graf.
Ik begon te graven, schepte handenvol vermalen afval weg: scherpe stukjes metaal en bot, kleverige stukjes kraakbeen en vet, door de mens gefabriceerde karton- en gipswandvezels.
Ik had tot nu toe sowieso al mijn uiterste best gedaan dit alles emotieloos te benaderen, maar nu beschouwde ik het bijna als een heilige plicht. Alsof mijn ziel, zelfs mijn leven ervan afhing, van deze objectivering van de gebeurtenissen die avond. Het waren maar geuren, het waren maar handen, het was maar een lichaam. Ik concentreerde me uitsluitend op het graafwerk: zoveel materiaal dat in een bepaald tempo werd verwijderd, zodat er een steeds groter wordend gat ontstond.
Inmiddels zat ik onder het afval, waren mijn armen tot aan mijn ellebogen bedekt met afval en scheelde het maar gevaarlijk weinig of ik werd zelf afval.
Ik hoorde iets in de verte, het geluid van een onweersbui die misschien wel, misschien niet deze kant op trok; maar misschien was het toch geen onweersbui. Het geluid klonk een beetje te ijl om donder te zijn en bovendien was het, voorzover ik kon zien, een wolkeloze nacht. Ik hoorde het opnieuw – met mijn oren gespitst, dit keer – en herkende het eindelijk voor wat het

was. En terwijl ik het herkende, zag ik het ook voor me: zwarte, puntige oren, een stomp staartje en scherpe, witte tanden waar het speeksel zowat van afdroop.
En het kwam dichterbij. De straathond uit mijn nachtmerries.
Ik begon sneller te graven, schepte met gebroken nagels de vreselijkste rotzooi op, als een hond die naar een been graaft. En met elke minuut die verstreek kon ik de échte hond duidelijker horen: onmiskenbaar geblaf en gegrauw dat tussen de hopen afval door in mijn richting dreef, zoals mijn geur waarschijnlijk de andere kant op dreef.
Het gat was diep genoeg. Ik stond op en haalde een keer, twee keer diep adem terwijl ik me voorbereidde op mijn laatste fysieke inspanning van die avond. Een wolk meeuwen schoot plotseling door mijn blikveld: een krijsende donderwolk van meeuwen, bezwangerd met paniek. Ik zag twee gloeiende ogen naar me staren vanaf de andere kant van de stortplaats.
Al die clichés over angst, over waar echte angst zichzelf het eerst aan je bekendmaakt: in je keel, langs je ruggengraat... ze waren allemaal waar. En ik voelde het ook op plaatsen waar je het wellicht niet zou verwachten. In mijn nek, waar alle haartjes recht overeind leken te staan. In mijn ribbenkast, die vibreerde als een zware basbox.
De twee ogen naderden en met hen een geluid dat het kleine beetje moed dat ik nog bezat in mijn schoenen dreigde te doen zinken. Geen geblaf; nee, één lange, constante grauw. Het soort grauw dat uitdrukt: ik ben niet blij je te zien.
Ik begon achteruit te lopen, langzaam, stapje voor piepklein stapje, terwijl de hond – ik kon niet precies zien wat voor ras het was; laten we het maar op mensenretriever houden – steeds dichterbij kwam.
Toen draaide ik me om en rende weg. Misschien had ik dat beter niet kunnen doen; misschien zou het verstandiger zijn geweest om de confrontatie aan te gaan. Laat een hond nooit merken dat je bang bent, was dat niet het bakerpraatje dat je van jongs af aan wordt bijgebracht? Het maakt ze kwaad, doet hun bloed koken, wakkert hun vleesetende instincten aan.
Maar er is iets wat hun vleesetende instincten nog sterker aanwakkert. Vlees. En ik was zo grootmoedig geweest om daarvan een heleboel achter te laten voor de hond. In de persoon van Winston.
Het duurde enkele minuten – minuten die ik gebruikte om haastig door het gat in het hek te kruipen en in de auto te springen – voordat ik me realiseerde dat de hond me niet volgde.
En toen hoorde ik hem. Het geluid van knarsende tanden, van vlees dat wordt verscheurd, van wellustige, keelachtig klinkende vraatzucht.
De straathond was Winston aan het opvreten.

Ontspoord 25

Ik moest me ontdoen van de blauwe Sable.
Hij was gehuurd van Dollar Rent A Car door ene Jonathan Thomas. Een van de vier rijbewijzen die Winston in zijn verder nogal uitgedunde portefeuille had zitten.
'Je kunt nergens zo gemakkelijk aan komen als aan een identiteitsbewijs,' had Winston me toevertrouwd. En Winston had er vier van. Toen ik nog jong en idealistisch was, werd het vinden van je eigen identiteit beschouwd als een vast onderdeel van volwassen worden. Winston, daarentegen, had die van hem gewoon gekocht – of gestolen – en er een paar extra op de kop getikt, voor het geval dat.
Voor het geval iemand hem zou vragen iemand anders uit de weg te ruimen.
Nu moest ik me ontdoen van de auto.
Dat loste zich eigenlijk vanzelf op. Op mijn weg terug over Western Avenue reed ik de snelweg voorbij; het was donker en ik speelde in gedachten de geluiden van de etende hond nog eens af; tegen beter weten in drukte ik op de terugspoelknop en luisterde er keer op keer naar. Als je het geluid hoort van iemand die opgegeten wordt, is het niet moeilijk om dingen als wegwijzers naar de snelweg over het hoofd te zien. Ik kwam terecht in een deel van Staten Island waarvan ik het bestaan niet eens vermoed had: akkerland, rij na rij braakliggend land met in de verte zowaar een echte, onvervalste graansilo. Twee tellen verwijderd van een van de drukste, meest verstopte stadscentra ter wereld en opeens was ik in Kansas.
Maar niet elk negatief teken van het stadse leven ontbrak. Ik passeerde een enorm autokerkhof. Het leek wel een drinkplaats voor autowrakken, aangezien ze allemaal op een kluitje rond een modderpoel stonden en sommige wrakken er zelfs half in weggezonken waren. Het zou niemand opvallen als er nog een wrak bij zou komen, of wel?
Ik draaide voorzichtig van de weg af, reed het oneffen terrein op en bracht de auto pal aan de rand van het water tot stilstand. Ik keek nog één keer goed om me heen, waarbij ik probeerde de stukjes weefsel op de grond en het leer niet aan te raken. Ik maakte het dashboardkastje open en trof daar een verrassing aan. Een pistool. Dat van Winston, herinnerde ik me; hij had het waarschijnlijk niet eens kunnen pakken, omdat er met een ander pistool een kogel door zijn hoofd was gejaagd voordat hij de kans kreeg. Ik stopte het voorzichtig in mijn zak. Vervolgens zette ik de auto in zijn vrij, stapte

struikelend uit en gaf de auto een zacht duwtje, zodat hij stilletjes de poel in reed, waar hij uiteindelijk tot stilstand kwam met alleen de antenne nog boven de smurrie uit.
Ik had niet veel met religie en ik kende eigenlijk geen enkel gebed. Maar ik bleef toch even staan om een paar woorden te fluisteren. Ter nagedachtenis aan hem.
Ik draaide me om en begon te lopen.
Hoe kwam ik nu thuis?
Ik had een taxi kunnen bellen, natuurlijk, maar ik wist dat ze een registratie bijhielden. Ik moest weer in het centrum zien te komen, waar het feit dat Charles Schine na een avond overwerken op kantoor een taxi naar huis nam niets bijzonders was.
Ik passeerde een tankstation. Ik zag een eenzame, indiaans uitziende man, die in een slechtverlicht hokje een tijdschrift zat te lezen. Ik liep naar de zijkant van het gebouwtje, op zoek naar een toilet. Ik vond er een.
Wc's bij een tankstation hadden veel weg van wc's in Chinatown, die veel weg hadden van zwarte gaten in Calcutta. Dat vond ik op dat moment tenminste. Er was geen toiletpapier. De spiegel was gebarsten en de wasbak was gevuld met slijk. Maar ik moest me wassen. Ik moest een bus of een trein zien te vinden die me terug kon brengen naar de stad en ik stonk naar afval. Er was stromend water bij de wasbak. Er zat zelfs nog wat zeep in het houdertje: een dikke, schuimende, gele massa. Ik waste mijn handen, ik gooide water over mijn gezicht, ik trok zelfs mijn overhemd uit, hoewel het ijskoud was in het toilet en er witte pluimpjes uit mijn mond kwamen wanneer ik uitademde. Ik wreef mijn borst en mijn oksels schoon. Een hoerenwasje, zo noemden ze het toch? En ik was tegenwoordig een gerespecteerd lid van het hoerengilde. Ik had mijn eer en alles waar ik in geloofde voor de wolven gegooid.
Ik deed mijn overhemd weer aan. Ik ritste mijn jas dicht. Ik ging weer naar buiten en begon te lopen.
Ik koos gewoon een willekeurige richting. Ik was niet van plan iets aan de beheerder van het tankstation te vragen, want misschien zou hij zich een verdwaasd uitziend bleekgezicht dat zonder auto was langsgekomen, wel herinneren.
Een halfuur later ontdekte ik een bushalte. En toen er een halfuur daarna een lege bus stopte, stapte ik in. Ik had geluk. De bus was op weg naar Brooklyn, waar ik uiteindelijk bij een metrostation uitstapte.
Ik wist Manhattan te bereiken.

Thuis.
Iets wat ik erg kon waarderen na een avond graf graven. Vier stevige muren

van heldergele steen en een zwartgeteerd dak met een indrukwekkende schoorsteen erop. De makelaar die het huis aan ons had verkocht, had het omschreven als een 'koloniaal huis met een centrale hal'. Dat klonk behoorlijk degelijk. Er kon je niet veel gebeuren in een koloniaal huis met een centrale hal, of wel soms? Natuurlijk konden je buiten het koloniale huis met de centrale hal allerlei dingen overkomen.
Toen de taxi me had afgezet, liep ik naar de achterdeur en probeerde hem zo zachtjes als ik kon open en weer dicht te maken, maar ik hoorde Deanna boven in onze slaapkamer in beweging komen.
Ik maakte nog één uitstapje naar de wc, maar deze zag er een stuk vrolijker uit dan de vorige. En schoner. Fijne, zachte, gele handdoeken hingen aan de muur en boven het toilet hing een reproductie van Degas. *Badende vrouw*? Dit keer kleedde ik me tot op mijn boxershort uit en gebruikte ik een rijkelijk in zeep gedoopte handdoek om mezelf te wassen. Dat leek er meer op. Ik rook bijna draaglijk. Ik haalde het pistool uit mijn broekzak en stopte het in mijn koffertje.
Toen ging ik naar boven, naar de slaapkamer, waar ik me in het pikkedonker een weg zocht – onderweg een keer struikelend over een hooggehakte schoen – en in bed kroop.
Deanna zei: 'Je hebt je gewassen.' Het was niet eens een vraag.
Natuurlijk, ze rook de zeep, ze had de kraan ook horen lopen. Waarom zou een echtgenoot die heeft overgewerkt zich in 's hemelsnaam wassen voordat hij naar bed ging? Dat was de vraag die ze zichzelf stelde, en ik kon daar niet echt een antwoord op geven.
Doe niet zo raar, Deanna, zou ik kunnen zeggen. Ik ben niet bij een andere vrouw geweest. (Zie Lucinda.) Ik ben druk bezig geweest een lijk te begraven. Een vriend van me, die ik heb ingehuurd als huurmoordenaar om iemand uit de weg te ruimen die me chanteerde, omdat ik een tijdje geleden wél iets heb gehad met een andere vrouw. Snap je?
'Ik heb vandaag buiten het kantoor gewerkt,' zei ik, 'en ik heb me niet eens gedoucht.'
Geen geweldig excuus als je erover nadacht, niet op dit uur van de nacht. Ik bedoel, waarom had ik niet gewoon gewacht tot morgenochtend? Maar misschien was het wel voldoende, want Deanna zei: 'Hm-hm.' Misschien vond ze het verdacht; misschien vond ze mijn gedrag de laatste tijd over het algemeen wel verdacht, maar misschien was ze te moe om het grondig te bespreken. Niet om twee uur 's nachts. Niet nu ze de hele avond was opgebleven om te wachten totdat ik thuis zou komen.
'Welterusten, lieverd,' zei ik, en ik boog me voorover om haar een kus te geven. Zacht en warm: thuis.

Ik heb die nacht echter wel gedroomd, en toen ik 's morgens wakker werd, kon ik me nog verscheidene details herinneren.
Ik was iemand gaan opzoeken in het ziekenhuis. Ik had bloemen bij me en een doos bonbons en ik zat in de wachtkamer te wachten totdat ik naar de kamer van de zieke zou worden geroepen. Maar welke zieke? Nou, de identiteit van die persoon veranderde verschillende malen in de loop van de droom, en dat gebeurt vaker in dromen: eerst is het de een, vervolgens is het iemand anders. In eerste instantie ging ik op bezoek bij Deanna's moeder, maar toen ik eindelijk naar boven mocht, was het Anna die in die kamer lag. Ze was verbonden met een spinnenweb van infusen en ze leek niet te weten dat ik er was en ik wilde de dokter spreken. Maar toen ik me omdraaide om weer naar haar te kijken, was het Deanna die daar lag, op het randje van een coma. Deanna. Ik herinnerde me het volgende deel van de droom heel duidelijk: ik schreeuwde door de gang dat er een dokter naar me toe moest komen, hoewel er al een dokter was – dokter Baron, om precies te zijn – die maar bleef uitleggen dat ze geen dokter te pakken konden krijgen, het was onmogelijk; maar ik wilde dat niet accepteren.
Eindelijk leek ik met mijn geschreeuw iets bereikt te hebben: de dokter kwam inderdaad bij me langs. Maar hij veranderde ook van identiteit: eerst was hij Eliot, mijn baas, toen iemand die sterk leek op mijn buurman Joe en het misschien ook wel was, en uiteindelijk, als laatste, Vasquez. Ja, toen ik wakker werd, herinnerde ik me het gezicht van Vasquez, die bij me was in die gang. Zijn gezicht stond beurtelings onaangedaan en boosaardig en spottend, maar hij bleef consequent doof voor mijn smeekbeden. Deanna lag daarbinnen op sterven en hij deed niets om haar te helpen. Helemaal niets.

's Ochtends, toen Deanna naar haar werk was en Anna naar school, maakte ik weer een reisje naar de dossierkast, bracht ik weer een heimelijk bezoek aan Anna's fonds.

Ontspoord 26

In de trein las ik die ochtend niet eerst de sportpagina. Ik las niet over de laatste betreurenswaardige nederlaag van de Giants, over het feit dat de Yankees opnieuw een peperdure, transfervrije speler hadden aangekocht, over de eeuwige zoektocht van de Knicks naar een *point guard*.
Voor die ene dag liet ik mijn Hebreeuwse lezing van het dagblad (van achteren naar voren, dus) achterwege en las ik de krant als een betrokken burger. Een betrokken burger die zich zorgen maakte over de verslechterende situatie in het Midden-Oosten, het Congres dat zich nog steeds in een patstelling bevond, de wild fluctuerende koersen van de Nasdaq. En, natuurlijk, de recente opleving van de criminaliteit in de stad. Wat betreft moord, bijvoorbeeld.
Ik had onder de douche staan luisteren naar het korte nieuwsbericht van het radioprogramma *1010 on your dial* en was blij geweest te horen dat er wat dat betreft niets te melden viel. Er was wel iemand vermoord, er werd altijd wel iemand vermoord in New York City. Maar deze iemand was een vrouw van eenentwintig, een Française. Of een Italiaanse. Een toerist, in elk geval. Het stadskatern van de *Times* leverde ook geen mannelijke slachtoffers op. Hetzelfde gold voor de plaatselijke krant van Long Island. Maar ook al was er iemand ontdekt, dan zou het te laat geweest zijn om daarover nog een artikel in de krant op te nemen.
Dit was echter het moderne tijdperk. Het eerste wat ik deed toen ik op kantoor arriveerde, nadat ik mijn secretaresse gedag had gezegd, was op internet kijken.
Ik zocht de internetedities van twee kranten af. Er stond niets in over een mannelijk moordslachtoffer in New York City.
Mooi.
De rest van de ochtend probeerde ik niet te denken aan Winstons lichaam. Ik probeerde niet te denken aan de honderdduizend dollar van Anna's fonds, dat niet langer van Anna was. Ik probeerde er niet aan te denken dat ik het opgaf; dat ik het eindelijk en vruchteloos opgaf.
Het was gemakkelijker gezegd dan gedaan; rond lunchtijd bracht ik opnieuw een bezoek aan effectenmakelaar David Lerner aan 48th Street.
Het hielp dat ik naar een montagebureau moest om samen met David Frankel de bijna voltooide aspirinecommercial te bekijken. Hij liet de redacteur het spotje een paar keer voor me afspelen. Het was niet de beste verklarende

commercial aller tijden. Het was ook niet de slechtste. Ik lette in het bijzonder op de achtergrondmuziek, die klonk als iets wat geleend was van een stockbureau voor muziek, of door zo'n bureau was afgekeurd. Natuurlijk was het waarschijnlijk ook stock: iets wat voor drieduizend dollar was aangekocht en vervolgens gefactureerd werd voor vijfenveertigduizend.
David, de 'D' uit T&D Music House, gedroeg zich vandaag veel voorkomender. Alsof ik nu werkelijk een partner was in deze onderneming. Misschien omdat we nu inderdaad partners waren. In een onderneming waarbij we het bureau en de cliënt hun op dubieuze wijze verdiende centen afhandig maakten.
'Geloof me maar,' zei David nadat de redacteur – Chuck Willis heette hij – het spotje nog een keer of drie, vier had afgespeeld, 'de cliënt zal het geweldig vinden.'
En ik bedacht me dat het er bij de opdrachten waaraan ik hiervoor had gewerkt nooit toe deed of de cliënt het mooi zou vinden. Dat was altijd ondergeschikt aan de vraag of we het zélf geweldig vonden. Maar het was moeilijk om een spotje waarin een huisvrouw feitelijk de eigenschappen van het product voorlas van een potje aspirines, geweldig te vinden.
Toch moest ik het bekijken en doen alsof het me iets kon schelen. Alsof het de moeite van het bekijken en het geven van nuttige aanwijzingen, suggesties voor verbeteringen, waard was.
Ik wees op plekken waar de film volgens mij ingekort kon worden. Ik vroeg hun op zoek te gaan naar een betere voice-over. Ik zou onder andere omstandigheden ook iets hebben gezegd over het kunstmatige, mierzoete achtergrondmuziekje, maar dan zou iemand er misschien achter zijn gekomen dat we er illegaal ruim veertigduizend dollar aan hadden verdiend.
Toen ik rond een uur of twee terugkwam op kantoor, was iemand die ik nog nooit eerder had gezien mijn post op Darlenes bureau aan het leggen. Natuurlijk, mijn nieuwe postbezorger.
Ik vroeg hem waar Winston was. Men zou van mij verwachten dat ik hem dat vroeg.
De man glimlachte en haalde zijn schouders op. 'Hij's nie' kome' opdage',' zei hij. Hij had moeite om de woorden duidelijk uit te spreken. Ik vroeg me af of dit een van de verstandelijk gehandicapten was over wie Winston het had gehad.
'O,' zei ik gemaakt verrast. 'Op die manier.'
Darlene glimlachte naar de nieuwe postbezorger en zei: 'Jij bent toch veel knapper dan hij.' Dan Winston, bedoelde ze.
De man bloosde en zei: 'Dank u...'
Ik keek hem met een ziekmakend gevoel na toen hij wegliep. Het leven gaat

verder, zeggen mensen altijd wanneer er iemand doodgaat, het gaat gewoon door. En daar was het bewijs, recht voor mijn neus. Winston was pas een dag dood en zijn vervanger was al de ronden aan het maken. Het deed wat gisteravond gebeurd was minder belangrijk lijken, maar dikte het ook aan – allebei tegelijk. Ik werd er misselijk van.

Later die middag organiseerde ik een instructieve bijeenkomst voor het creatieve team.
Precies wat ik nodig had om mijn gedachten af te leiden, hoopte ik. De bijeenkomst vond om halfvier plaats in een vergaderzaal die plichtsgetrouw was gereserveerd door Mary Widger.
Mijn ongelukkige creatieve team luisterde plichtsgetrouw naar me – met blocnotes en potloden in de aanslag, zelfs – en slaagde erin half en half geïnteresseerd te lijken in wat ik te zeggen had. Ze waren ongelukkig omdat het een nieuwe opdracht voor hun nieuwe cliënt betrof – een pil die zowel tegen verkoudheid als tegen hoofdpijn hielp – in plaats van een opdracht voor hun oude cliënt, wat wellicht een commercial zou hebben betekend die de moeite van het maken waard was en waarvoor ze alles uit de kast zouden hebben gehaald. En ze waren ook ongelukkig omdat ik min of meer letterlijk een strategiestatement voorlas dat door Mary Widger was opgesteld. Strategiestatements vertonen veel gelijkenis met de stellingen van Foucault: stompzinnig, complex, en voor iedereen onbegrijpelijk. In mijn vredige tijden van weleer had ik ze gewoon genegeerd; we schreven gewoon de commercial, rolden over de grond van het lachen en schreven toen pas het strategiestatement.
Nu niet meer, nu las ik zonder blikken of blozen woorden voor als 'doelpubliek', als 'comfortniveau' en 'verzadiging'. Een plichtsgetrouwe dar die deed wat darren behoren te doen: onophoudelijk blijven gonzen, of in elk geval totdat de voornoemde strategie tot en met de laatste punt van de laatste zin was voorgelezen.
Ik ging terug naar mijn kantoor en sloot de deur. Ik belde Deanna.
'Hallo,' zei ik. Ik wist niet precies waarom ik haar belde, maar ik herinnerde me de tijd waarin ik haar dagelijks vanuit mijn werk belde, zelfs meerdere keren per dag.
Op een gegeven moment praatten we niet meer met elkaar, niet echt, tenminste: we praatten alleen nog maar over onbelangrijke dingen. Vanaf dat moment had ik haar ook niet meer drie keer per dag gebeld. En er waren dagen waarop ik haar helemaal niet belde, hele tijdspannen van twaalf uur waarin er tussen ons geen enkel woord werd gewisseld.
En nu waren er zoveel dingen waarover ik ook niet met haar kon praten,

dingen waarvoor ik me schaamde, dingen waaraan ik nauwelijks durfde te denken.
Maar toch belde ik haar.
'Jij ook hallo,' zei Deanna. 'Is alles in orde?'
'Ja hoor, prima.'
'Zeker weten, Charles?'
Ik zou later pas beseffen dat Deanna dat niet zomaar zei om het gesprek op gang te houden. Dat ze wist dat er iets niet in orde was met me; ze kende de details niet, maar ze wist genoeg.
Ik maakte echter geen gebruik van de mogelijkheid, nog niet. Ik kon het niet.
'Ja, alles is in orde, Deanna,' zei ik. 'Ik wilde je alleen even gedag zeggen. Ik wilde alleen even weten hoe het met je gaat vandaag. Dat is alles.'
'Het gaat goed met me, Charles. Echt. Ik maak me alleen zorgen over jou.'
'Over mij? Er is niets met me aan de hand. Echt waar.'
'Charles...?'
'Ja?'
'Ik wil niet dat je denkt... nou ja...'
'Nou?'
'Ik wil niet dat je denkt dat je niet met me kunt praten.' Die verklaring had iets hartverscheurends, vond ik. Praten... dat is toch zeker het gemakkelijkste wat twee mensen met elkaar kunnen doen. Tenzij ze het niet kunnen. En dan is het het moeilijkste wat twee mensen met elkaar kunnen doen. De grootste onmogelijkheid ter wereld.
'Ik... Echt, Deanna, er is niets aan de hand. Ik wilde je alleen even gedag zeggen. Zeggen... dat ik van je hou. Dat is alles.'
Stilte aan de andere kant van de lijn. 'Ik hou ook van jou.'
'Deanna, weet je nog...?'
'Weet ik wat nog?'
'Dat ik de goochelaar speelde op dat feestje van Anna? Ik had allemaal trucjes gekocht bij de goochelaarswinkel. Weet je nog?'
'Ja. Dat weet ik nog.'
'En ik was nog goed, ook. De kinderen vonden het geweldig.'
'Ja. Ik ook.'
'Weet je nog toen ik de hoge hoed omkeerde? En ze allemaal dachten dat ze onder de melk zouden komen te zitten? En toen kwam er confetti uit. Kreten van verrukking.' Om de een of andere reden moest ik daar vandaag steeds aan denken, misschien omdat ik nu op zoek was naar een ander soort magie.
'Ja, David Copperfield heeft niets wat jij niet hebt.'

‘Afgezien van een paar miljoen dollar.’
‘Maar wie houdt dat nu bij?’
‘Ik niet.’
‘Denk je erover voor een andere carrière te kiezen?’
‘Ik weet het niet. Het is nooit te laat, of wel?’
‘Jawel. Waarschijnlijk wel.’
‘Dat dacht ik eigenlijk ook al.’
‘Charles?’
‘Ja?’
‘Ik meende wat ik zei. Over dat je met me kunt praten. Oké?’
‘Oké.’
‘Ben je op de normale tijd thuis?’
‘Ja. De normale tijd.’
‘Dan zie ik je vanavond.’
Toen ik ophing, dacht ik dat het misschien toch wel mogelijk zou zijn om alles ten goede te doen keren. Oké, niet alles, maar de belangrijkste dingen wel. En ik wist ook wat de belangrijkste dingen waren: ze staarden me aan vanuit het fotolijstje van tien bij twaalf op mijn bureau.
Vanaf dat moment ging echter alles fout.

Ontspoord 27

Het telefoontje kwam een minuut of twee later.
Twee minuten nadat ik mijn telefoongesprek met Deanna had beëindigd, nadat ik naar de foto van mijn gezin had zitten staren en had gedacht dat ik het uiteindelijk misschien toch allemaal wel in orde zou kunnen maken.
De telefoon ging over. En nog een keer. Darlene was waarschijnlijk verderop in de gang verhalen over jongens aan het uitwisselen met de andere directieassistentes, zoals secretaresses tegenwoordig graag genoemd willen worden ter compensatie van hun lage salaris.
Dus nam ik zelf op.
Er waren meer dan honderd mensen die me logischerwijze op dat moment hadden kunnen bellen – veel later telde ik hen, om maar iets te doen te hebben. Ik telde iedereen die ik kende, misschien een man of honderd, alles bij elkaar, en van wie ik redelijkerwijs kon verwachten dat ze de telefoon ter hand zouden nemen om mij te bellen. Niet dat ik dit telefoontje niet verwachtte, natuurlijk. In vele opzichten was het het enige telefoontje wat ik wél verwachtte. Maar ik had het me heel anders voorgesteld. Ik had me voorgesteld dat ik Vasquez aan de lijn zou krijgen.
Maar het was Vasquez niet.
Zij was het.
Alleen herinnerde haar stem me aan een andere tijd, een andere plaats. Weer dat kleinemeisjesstemmetje. Vreselijk schattig als het afkomstig is van een klein meisje, maar misselijkmakend wanneer dat niet het geval is.
'Alsjeblieft, Charles,' smeekte de stem. 'Je moet hier komen. Nu.'
Ik dacht verschillende dingen tegelijkertijd. Waar 'hier' was, bijvoorbeeld. Haar huis, haar kantoor? Waar? Verder vroeg ik me af wat er gebeurd was, omdat ze weer klonk als een bang kind, maar eigenlijk wist ik wel wat er gebeurd was. Ik wist het.
'Je moet komen... o, god... alsjeblieft,' fluisterde ze.
'Waar ben je dan?' vroeg ik haar. Een goede, logische vraag, een van de vier w's die ze je op de journalistieke opleiding leren: wat, wanneer, waarom, waar. Hoewel ik de vraag stelde met een stem die net zo paniekerig klonk als die van haar. Toen al.
'Alsjeblieft... hij volgt me... hij gaat...'
'Wat gebeurt er, Lucinda? Wat is er mis?' En dat was immers de echte vraag hier.

'Hij gaat me iets aandoen, Charles... Hij... hij wil zijn geld... hij...' En toen klonken haar woorden opeens gedempt en kon ik me voorstellen wat er gebeurde. Ik zag hoe de telefoon uit Lucinda's hand werd gerukt, hoe de hoorn afgedekt werd door een grote, zwarte hand. Ik stelde me de kamer voor, die eruitzag als een kamer in Alphabet City, ook al was het geen kamer in Alphabet City. En ik stelde me haar gezicht voor, terwijl ik tegelijkertijd probeerde mijn blik af te wenden. Ik zag het voor me. Niet kijken... niet doen...

En toen begon er weer iemand te praten. Maar niet zij. Dit keer niet.

'Luister naar me, klootzak.' Vasquez. Maar niet de Vasquez die ik gewend was. Dat quasi-beminnelijke toontje was verdwenen, net als de zorgvuldig bedwongen razernij. De razernij was even losgelaten voor een wandelingetje; hij was van plan zich kostelijk te amuseren en een potje te gaan breakdansen op iedereen die hem in de weg liep.

'Jij dacht dat je mij kon naaien. Dacht je nou echt dat je míj in de val kon laten lopen? Jij stomme rukker. Míj? Gewoon een of ander mietje in een auto zetten en wat verwacht je dan? Dat hij mij op mijn lazer geeft? Ben je soms niet lekker? Ik heb je meisje hier, hoor je me? Ik heb hier dat hoertje van je. Zeg dat je me begrepen hebt, klootzak.'

'Ik heb je begrepen.'

'Je begrijpt er geen ruk van. Denk je soms dat je een harde bent of zo? En dan stuur je maar een of andere idioot om mij te grazen te nemen. Míj?'

'Hoor eens... ik begrijp het. Ik...'

'Je begrijpt het? Je zorgt dat je als de sodemieter hiernaartoe komt met die honderd ruggen of ik maak die stomme hoer van je af. Begrijp je dat ook, Charles?'

'Ja.' Wie zou dat immers niet kunnen begrijpen? Was er iemand op aarde die niet zou begrijpen hoe ernstig die uitspraak was?

Nu was opnieuw de vraag: waar? Ik vroeg om een adres.

Dit keer was het ten noorden van het centrum, in Spanish Harlem. Een buurt waar ik nog nooit was geweest, hoewel ik er op weg naar iets anders – Yankee Stadium of de snelweg, de Cross Bronx Expressway – wel eens doorheen was gereden.

Ik belde Vital voor een taxi. Ik maakte mijn laatje met slot open en stopte het geld in mijn koffertje – ik had het daarin bewaard, in afwachting van dit moment. Ik zag daar ook iets anders liggen: Winstons pistool. Heel even overwoog ik het mee te nemen, maar toen besloot ik het niet te doen. Wat moest ik er in vredesnaam mee?

Op weg naar beneden passeerde ik Mary Widger, die vroeg of er iets mis was.

Een privé-probleem, legde ik uit.
Binnen een kwartier reed ik over Third Avenue. De auto gleed, perste, manoeuvreerde zich tergend langzaam een weg over een hindernisbaan vol stilstaande koelvrachtwagens, koeriersbusjes, verhuiswagens, forenzenbussen, taxi's van centrales en onafhankelijke taxi's.
Maar misschien kwamen we helemaal niet zo langzaam vooruit als ik dacht. Misschien kwam het gewoon doordat ik voor me zag wat Vasquez Lucinda zou aandoen en bedacht ik dat ik dat niet weer kon laten gebeuren, niet twee keer in mijn leven. Het leek alsof ik steeds opkeek naar een straatnaambordje – 64th Street, bijvoorbeeld – en vijf minuten later nog steeds naar hetzelfde bordje zat te kijken.
Halverwege de rit besefte ik dat de hand waarmee ik mijn koffertje vasthield, gevoelloos was geworden. Ik had het handvat zo stevig vast, dat mijn knokkels de kleur hadden gekregen van verbrand hout: asgrijs. En ik herinnerde me een spelletje dat Anna vroeger altijd met me speelde, een soort trucje: dan vroeg ze me haar wijsvinger vast te pakken en er vijf minuten lang in te knijpen, en geen seconde korter, waarna ik haar weer moest loslaten. Ze moest altijd giechelen als ik mijn inmiddels verkrampte vingers probeerde te spreiden. Zo voelde ik me nu, alleen waren het nu niet slechts mijn handen; mijn hele lichaam leek verlamd. Precies zoals ik me had gevoeld in die stoel in het Fairfax Hotel. De vrouw op wie ik verliefd was geworden werd nog geen anderhalve meter bij me vandaan verkracht en ik leek wel een slachtoffer van slaapziekte: ik kon gebruikmaken van al mijn levensfuncties, op één na. Ik kon niets doen.
Uiteindelijk verdwenen de chiquere delen van East Side uit het zicht. Boetiekjes, tassenwinkels en voedselwarenhuizen maakten plaats voor winkels met tweedehands goederen en kruideniers en het aantal Spaanse woorden op de winkelgevels die we passeerden nam toe.
Het flatgebouw bevond zich aan 121st Street, tussen 1st en 2nd Avenue. Het werd omringd door een pand waar je cheques kon verzilveren, een kapper, een kruidenier op de hoek en twee uitgebrande gebouwen. Een man die geroosterde kastanjes en iets wat eruitzag als ongepelde maïskolven verkocht, had midden op de stoep voor het huizenblok zijn winkeltje ingericht. Een andere man, die verdacht veel leek op een drugsdealer, stond voor het gebouw op zijn pieper te kijken en in een duur uitziend mobiel telefoontje te praten.
Ik vroeg de taxichauffeur om op me te wachten. De chauffeur leek niet erg blij met dat idee, maar hij had het soort baantje waarin je niet zo gemakkelijk nee kon zeggen.
'Ik moet misschien een beetje rondrijden,' zei hij.

Ik gaf hem geen antwoord; ik stond naar het gebouw te staren en me af te vragen of ik de deur zou halen. Er hingen drie mannen rond in het portiek en ze zagen er geen van allen uit als typen die je graag de weg zou vragen. Ze zagen eruit als drievijfde deel van een confrontatie op het politiebureau, mannen die je niet de hand biedt tenzij je portefeuille erin ligt.
En ik droeg vandaag meer bij me dan slechts mijn portefeuille, ik droeg mijn portefeuille bij me plus honderdduizend dollar.
Zodra ik voorzichtig uit de auto was gestapt, hoorde ik de sloten in de portieren dichtklikken. Je staat er alleen voor, leken ze te zeggen. En zo was het ook, en in een straat als 121st Street tussen 1st en 2nd Avenue trok ik ook behoorlijk de aandacht. Ik stelde me zo voor dat hier maar weinig taxi's van een chic taxibedrijf als Lincoln Town Cars stopten en dat er maar weinig goedgeklede blanke mannen rondliepen met in hun hand een duur, leren koffertje. De kastanjeverkoper, de drugsdealer, de drie mannen die de ingang van gebouw nummer 435 bewaakten: ze stonden me allemaal aan te kijken als een vijandig publiek dat eist vermaakt te worden.
Ik wist niet of ik de trap op moest rennen als een man die haast heeft of de trap op moest lopen als een man die een wandelingetje aan het maken is, en uiteindelijk deed ik iets wat ertussenin zat: een man die niet zo goed weet waar hij naartoe moet, maar er wel zo snel mogelijk wil aankomen. Toen ik het portaal bereikte, waar het gebarsten asfalt rijkelijk beklad was met krijt en spuitverf (SANDI ES MI MAMI; TONI Y MALI...) begroette ik de drie deurwachters zoals de meeste New Yorkers andere mensen begroeten: niet. Ik hield mijn blik afgewend en keek naar het stoepje, een met versleten rubber bekleed opstapje dat als een eilandje tussen het bruine cement en het opgekrulde, gele linoleum lag.
'Hé...'
Een van de mannen zei iets tegen me. Ik hoopte eigenlijk dat de man het tegen een van zijn vrienden had, maar ik was er vrij zeker van dat hij mij had aangesproken. Een man die te grote, gele basketbalschoenen en een pantalon droeg, dat was alles wat ik van hem kon zien, aangezien ik mijn blik op mijn voeten gericht had.
Ik keek op in het gezicht van een Spaans uitziende man van middelbare leeftijd, wat prima zou zijn geweest als hij achter de balie van McDonald's gestaan had, maar niet midden in Spanish Harlem met honderdduizend dollar in mijn koffertje. Bovendien zag ik aan het gezicht dat de man boos op mij was, alsof ik zojuist had geklaagd over het feit dat er geen frietjes bij het Happy Meal zaten, en waar was de augurk die op mijn hamburger hoorde?
Ik liep verder, bewoog me voort als een halfback op de speelhelft van de tegenpartij terwijl ik mijn benen dwong in beweging te blijven. Ik was zelfs al

bijna door de deur, aangezien de deur permanent op een kier stond en geen weerstand bood.
'Waar ga jíj naartoe?'
Dezelfde man als eerst zei dit, met een zwaar accent, met de nadruk op 'jij', een intonatie die in dit geval belangrijk was, omdat ik anders misschien zou hebben kunnen denken dat de man behulpzaam wilde zijn: als je me zegt waar je naartoe gaat, kan ik je misschien uitleggen hoe je daar moet komen. Nee, de man plaatste vraagtekens bij mijn recht om hier überhaupt te zijn.
'Vasquez,' zei ik. Het eerste wat bij me opkwam, afgezien van 'help'. Als je een naam kon noemen, klonk je eerlijk. Misschien kenden ze die naam en misschien wilden ze de eigenaar ervan niet dwarszitten. En misschien zouden ze, zelfs als ze die naam niet kenden – 'Vasquez, wie is dat?' – toch wel twee keer nadenken voordat ze op het terrein van iemand anders op strooptocht gingen. Een man alleen was een legitieme prooi, maar als hij niet alleen was, wie zou het zeggen?
Hoe dan ook, het werkte.
Ik liep verder, door de deur, en ze hielden me niet tegen. Er was natuurlijk geen lift; ik liep met twee treden tegelijk de trap op. Lucinda zat op me te wachten – 'Hij gaat me iets aandoen, Charles.' Misschien betekende dit ook voor mij wel het einde.
In het trappenhuis stonk het naar lichaamssappen: pis en sperma en bloed. Ik gleed uit over een bananenschil die een gebruikt condoom bleek te zijn en viel bijna van de trap af. Ik hoorde spookachtig gelach dat opsteeg van een plek die ik niet kon zien, het soort gelach dat misschien leuk bedoeld is, maar misschien ook niet. Het was onmogelijk vast te stellen.
Toen ik op de deur klopte, deed Vasquez open. Ik slaagde erin één woord uit te brengen voordat ik naar binnen werd gesleurd en tegen de muur werd gesmeten. Hij gaf me een klap in mijn gezicht. Ik proefde bloed. Ik liet het koffertje op de vloer vallen en probeerde mezelf te beschermen. Hij sloeg me nog een keer. En nog een keer. Ik zei: 'Hou op... Ik heb het bij me, daar... daar.' Hij bleef me met zijn vlakke hand slaan, meppen die tussen mijn opgeheven armen door glipten.
En toen hield hij opeens op.
Hij liet zijn arm zakken, ontspande zijn hand, haalde één, twee keer diep adem. Hij schudde zijn hoofd; hij ademde uit. En toen hij eindelijk iets zei, klonk hij bijna normaal. Alsof hij gewoon een beetje stoom moest afblazen voordat hij weer tot zichzelf kwam.
'Shit,' zei hij op een toon van: blij dat dat achter de rug is. 'Shit.'
En toen: 'Je hebt het geld?'
Ik ademde te snel, als een astmapatiënt die naar adem snakt. Mijn gezicht

prikte waar Vasquez me geslagen had. Maar ik slaagde erin naar de vloer te wijzen. Naar het koffertje. Er waren minstens twee kamers in de flat, dacht ik. Ik hoorde iemand in de aangrenzende kamer. Een zacht gesnif.
'Waar is ze?' vroeg ik, maar mijn lip was opgezwollen en ik klonk als iemand anders.
Vasquez negeerde me. Hij maakte het koffertje open, hield het ondersteboven en keek toe hoe de stapels biljetten van honderd dollar over de vloer gleden.
'Brave jongen,' zei Vasquez, zoals je het tegen een hond zou zeggen.
Ik kon haar nu duidelijk horen in de aangrenzende kamer. In de flat – of wat ik ervan kon zien – stonden bijna geen meubels. Er zaten vuile vegen op de muren, en afdrukken van uitgedrukte sigaretten. De muren waren geschilderd in de kleur van eigeel.
Ik zei: 'Ik wil haar zien.'
'Ga je gang,' zei Vasquez.
Ik liep door de halfopen deur die naar de rest van de flat leidde. Het was donker in de kamer; de jaloezieën voor het raam waren omlaag getrokken. Desondanks zag ik de contouren van een stoel tegen de muur tegenover de deur. Ik kon degene die op die stoel zat, zien.
'Gaat het met je?' vroeg ik.
Ze gaf me geen antwoord.
Ze zat er erg stil bij, vond ik. Als een kind in een kerkbank dat al een paar keer te horen heeft gekregen dat het moet stilzitten. Ze zag er niet uit alsof ze gewond was, maar ze droeg alleen maar een onderjurk.
Waarom droeg ze een onderjurk?
Ik hoorde Vasquez het geld tellen in de aangrenzende kamer: 'Zesenzestigduizend honderd, zesenzestigduizend tweehonderd...'
'Ik heb hem het geld gegeven,' zei ik.
Maar misschien niet snel genoeg. Ik had gezegd: 'Sorry, ik heb het niet.' En toen was Winston doodgegaan en nu zat Lucinda hier in haar ondergoed. Ik wilde dat ze zou bewegen, me antwoord zou geven, zou ophouden met sniffen, dat ze zou begrijpen dat wat er ook met haar was gebeurd, hoe vaak ik haar ook in de steek had gelaten, het einde nu in zicht was. Ik wilde dat ze samen met mij over de finish zou lopen en niet meer achterom zou kijken. Maar ze bewoog niet. Ze reageerde niet.
En ik dacht: ik moet nu iets doen. Ik had Anna's geld gestolen, door mij was Winston vermoord, door mij was Lucinda op straat ontvoerd. Dat alles had ik gedaan om een geheim te bewaren, en zelfs al was Lucinda een van die mensen die van me had verlangd dat ik het zou bewaren, nu moest ik iets doen.

Vasquez liep de kamer binnen en zei: 'Het klopt helemaal.'
Ik was van plan hier weg te gaan en naar de politie te stappen. Het was te ver gegaan. Het was een stap die ik moest nemen. Alleen, terwijl ik mezelf duidelijk te verstaan gaf wat er hier moest gebeuren, terwijl ik mezelf wapende tegen mijn onprettige – oké, afschuwelijke – plicht, hoorde ik hoe die andere Charles in mijn oor begon te fluisteren. De Charles die me vertelde hoe dichtbij we waren. De Charles die tegen me zei: wat gebeurd is, is gebeurd, en nu zou het nog maar even duren en ik was ervan af.
'Oké, Charles,' zei Vasquez. 'Je hebt het goed gedaan. Tot kijk...'
Of hij wachtte totdat ik zou weggaan, of hij stond op het punt zelf te vertrekken.
'Ik neem haar mee,' zei ik.
'Tuurlijk. Denk je soms dat ik die teef wil houden?'
Lucinda had nog steeds niets gezegd. Geen woord.
'Misschien kun je vanaf nu beter thuisblijven, Charles. Thuis op Long Island.' Hij had mijn koffertje in zijn hand. 'Doe me een lol, probeer niet nog eens zo'n stomme stunt uit te halen. Je vindt me toch nooit meer terug, snap je? Ik ga... me elders vestigen.'
En hij vertrok.
Ik stond daar te luisteren naar zijn voetstappen die wegstierven in het trappenhuis, steeds zachter en zachter klonken totdat ze helemaal verdwenen waren.
Ik ga... me elders vestigen.
Om de een of andere reden geloofde ik hem, maar misschien alleen omdat ik hem wilde geloven. Of misschien omdat zelfs een Vasquez wist dat je een mens niet eeuwig kon laten bloeden, dat het lichaam uiteindelijk een keer officieel doodverklaard zou worden.
'Ik dacht dat hij me dit keer zou vermoorden,' fluisterde Lucinda traag. Ze staarde strak naar een punt ergens boven mijn hoofd. Zelfs in de duisternis kon ik zien dat ze beefde. 'Hij hield het pistool tegen mijn hoofd en hij zei dat ik maar een schietgebedje moest opzeggen en toen haalde hij de trekker over.'
'Ik breng je naar een ziekenhuis, Lucinda, en daarna ga ik naar de politie.'
Lucinda zei: 'Maak dat je wegkomt, Charles.'
'Hij kan hier niet zomaar ongestraft mee wegkomen. Hij kan je dit niet aandoen. Het is te ver gegaan. Begrijp je me?'
'Maak dat je wegkomt, Charles.'
'Alsjeblieft, Lucinda... We gaan hier aangifte van doen en...'
'Ga weg!' Dit keer gilde ze.
Dus dat deed ik. Ik rende ervandoor. De trap af, door de voordeur naar bui-

ten, terug in de taxi, en al die tijd ervoer ik, een beetje schuldbewust, één duidelijke, overweldigende emotie.
Intense opluchting.

Ontspoord 28

Een week of twee geloofde ik erin.
Ik geloofde dat het ergste mogelijk achter de rug was. Dat ik weliswaar op de proef was gesteld, zwaar op de proef was gesteld – als een soort moderne Job, zelfs – maar dat het heel goed mogelijk was dat het uiteindelijk wel weer goed zou komen.
Oké, dus het was tegenwoordig moeilijk om Anna recht aan te kijken, heel moeilijk, zelfs. In de wetenschap dat het geld dat ik zo nauwgezet voor haar bij elkaar had gespaard zo goed als verdwenen was. Dat mijn zorgvuldig opgerichte bolwerk tegen haar verraderlijke en oprukkende vijand bijna helemaal uitgehold was.
Het was ook moeilijk om Deanna aan te kijken – Deanna, die me vertrouwde, voor wie ik misschien wel het allerlaatste in het leven was dat ze voor haar gevoel kon vertrouwen – wetende wat ik met dat vertrouwen had gedaan.
Wat natuurlijk het moeilijkst was, was denken aan de mensen die ik niet kon aankijken. Lucinda, bijvoorbeeld, die ik niet één keer, maar twee keer in de steek had gelaten. En Winston. Die ik zo erg in de steek had gelaten dat hij nu dood was. Hun beeltenissen schreeuwden om mijn aandacht, als behoeftige kinderen die eisten gezien te worden. 'Kijk naar me... kijk nou.'
Ik probeerde juist niet te kijken, probeerde Winston weg te stoppen op plaatsen waar ik hem niet meer zou terugvinden. Maar ik kwam hem steeds weer tegen. Als ik gewoon een intern poststuk oppakte, of een artikel las over honkbalwedstrijden in het winterseizoen, kwam hij even langs. Dan zag ik hem daar weer liggen zoals ik hem had achtergelaten. Dan sloot ik mijn ogen, maar de beelden wilden niet weggaan. Als het flitslicht van een camera dat op je netvlies gebrand wordt.
Toch was ik hoopvol.
Feitelijk hoopte ik twee dingen. Dat Vasquez werkelijk meende wat hij had gezegd, dat hij besefte dat de koek nu echt op was en dat hij niet zou terugkomen. Dat hij zich inderdaad elders had gevestigd.
En ik hoopte dat ik Anna's fonds weer kon aanvullen. Dat ik met behulp van wat toewijding en constante oplichterij, onder de auspiciën van T&D Music House, het volledige bedrag weer zou kunnen aanvullen. Dat ik dit zou kunnen doen voordat ik het geld daadwerkelijk nodig had. En voordat iemand het merkte.

Twee weken lang klampte ik me daaraan vast.
Toen stond er een man op me te wachten bij de receptie. Dat zei Darlene.
'Wat voor een man?' vroeg ik haar.
'Hij is rechercheur,' zei Darlene.
Ik dacht aan Dick Tracy, in eerste instantie wel. Ik dacht aan de stripverhalen uit de zondagskrant die ik vroeger altijd in de klei drukte en vervolgens uitrekte, zodat ze leken op spiegelbeelden van hun vroegere zelf, maar dan in een lachspiegel.
'Een rechercheur?' herhaalde ik.
'Ja.'
'Zeg tegen hem dat ik er niet ben,' zei ik.
Darlene vroeg of ik het zeker wist.
'Ja, Darlene. Ik weet het zeker.' Ik liet een vleugje ergernis in mijn stem kruipen, omdat ik met ergernis kon verbergen wat ik echt voelde – ja, oké, angst, dus.
'Prima.'
En de rechercheur vertrok. Waarna Darlene me op de hoogte stelde van het feit dat het een politierechercheur was die op me had zitten wachten.
De volgende dag kwam hij terug.
Dit keer zat hij in het volle zicht toen ik de lift verliet. Ik was me er in eerste instantie niet van bewust dat hij de bewuste politierechercheur was, totdat hij opstond en zichzelf als zodanig voorstelde.
'Meneer Schine?' vroeg hij.
En het viel me onmiddellijk op dat het hem, als hij een vertegenwoordiger was, aan uitstraling ontbrak en dat hij, als hij iemand was die een baan zocht, een portfolio ontbeerde.
'Ik ben rechercheur Palumbo,' zei hij, net als in de film en op tv. Met dat New Yorkse accent, dat in de duisternis van een bioscoop op de een of andere manier altijd nep klinkt.
Guh-pleigt duh-lic'... vuh-dochte... p'liesie...
Zo klonk rechercheur Palumbo, alleen zag hij er niet bepaald uit als een filmster. Een echte dubbele kin en een buik die nog nooit een Ab Roller was tegengekomen. Natuurlijk droeg hij ook een echte politiepenning bij zich.
'Ja?' zei ik. Een plichtsgetrouwe burger die gewoon een wetsdienaar behulpzaam wilde zijn.
'Kan ik u even spreken?'
Natuurlijk. Geen probleem. Als ik iets voor u kan betekenen, agent...
We liepen langs Darlene heen, die me een schijnbaar nogal verwijtende blik toewierp, alsof ze wilde zeggen: ik heb u nog gevraagd of u echt wilde dat ik tegen de rechercheur zou zeggen dat u er niet was, nietwaar?

We liepen naar binnen, ik deed de deur achter ons dicht, we gingen allebei zitten. En al die tijd voerde ik een zorgelijk gesprek met mezelf. Ik stelde mezelf allerlei vragen waar ik geen antwoord op kon geven. Bijvoorbeeld: waarom was de rechercheur hier? Was Lucinda van gedachten veranderd en zelf naar de politie gestapt?
'Kent u Winston Boyko?'
Nee. Rechercheur Palumbo was hier om een andere reden. Hij was hier vanwege Winston.
'Wat?' vroeg ik.
'Kent u Winston Boyko?'
Oké. Wat waren mijn keuzemogelijkheden? 'Nee, ik ken hem niet' was er in elk geval geen. Er waren immers verschillende mensen die precies het tegendeel konden zweren: Darlene, Tim Ward en de helft van de mensen op de vijfde verdieping.
'Ja.'
Rechercheur Palumbo zat iets te krabbelen in zijn notitieboekje, dat hij op welhaast magische wijze uit zijn jas had doen verschijnen; hij krabbelde en krabbelde en leek te wachten totdat ik er wat verder op in zou gaan.
(Een rechercheur komt je opzoeken om te vragen of je een onopvallende medewerker van de postkamer kent en dan zeg je... Wat zeg je dan? 'Ja,' en verder niets. Ben je dan niet nieuwsgierig naar het waarom?)
'Waarom wilt u dat weten, rechercheur?'
'Hij wordt vermist,' zei rechercheur Palumbo.
Een stuk beter dan 'hij is dood aangetroffen'. Ik kon jammeren over deze onverwachte ondervraging zoveel als ik wilde, maar een Winston die vermist was, was beter dan een Winston die gevonden was.
'O ja?' zei ik.
Rechercheur Palumbo had een rode vlek op de brug van zijn neus. Contactlenzen? Een klein wondje op zijn kin waar hij zich tijdens het scheren gesneden had? Ik bestudeerde zijn gezicht alsof ik er het antwoord op enkele van mijn vragen van zou kunnen aflezen. Wat hij dacht dat ik wist, bijvoorbeeld.
'Al meer dan twee weken,' zei Palumbo.
'Hm...' Ik kon nu nog slechts antwoorden van één lettergreep formuleren, aangezien mijn hersens ergens anders mee bezig waren, namelijk met het verwoed bedenken van alibi's.
'Wanneer hebt u hem voor het laatst gezien?' vroeg rechercheur Palumbo.
Goede vraag. Misschien zelfs een strikvraag, zoals: wie was de laatste linkshandige slagman die de MVP-prijs van de American League won? Iedereen zegt Yastrzemski, iedereen, maar het is een strikvraag: het is in werkelijkheid

Vida Blue, het linkshandige wonderkind, de pitcher van de Oakland A's. Het soort vraag dat Winston geweldig zou hebben gevonden.
Wanneer hebt u hem voor het laatst gezien?
'Jeetje, ik weet het niet,' zei ik uiteindelijk. 'Een paar weken geleden, denk ik.'
'Hm-hm,' zei Palumbo, die nog steeds aan het krabbelen was. 'Wat was precies de aard van uw relatie met hem, meneer Schine?'
Wat bedoelde hij daar nu weer mee? Was 'relatie' niet een woord dat je gebruikte voor mensen die inderdaad een relatie hadden? Lucinda en ik, bijvoorbeeld. Als Palumbo me gevraagd had wat de aard van mijn relatie met Lucinda was, zou ik gezegd hebben: kort. Ik zou gezegd hebben: seks en geweld, en de seks kunt u eigenlijk wel vergeten.
'Hij werkt hier,' zei ik. 'Hij brengt me mijn post.'
'Ja,' zei Palumbo. 'Verder niets?'
'Nee.'
'Hm-hm.' Palumbo zat naar de foto van mijn gezin te kijken.
'U bent zeker... iedereen aan het ondervragen, of niet?' vroeg ik. Hoopte ik.
'Iedereen?'
'Nou ja, iedereen die hier werkt?'
'Nee,' zei Palumbo. 'Niet iedereen.'
Ik had hem kunnen vragen: waarom mij dan wel? Dat had ik hem kunnen vragen, maar ik vreesde het antwoord dat ik wellicht zou krijgen, dus ik deed het niet. Hoewel ik me afvroeg of Palumbo soms verwachtte dat ik dat zou vragen.
'Goed... Is er verder nog iets wat ik kan...' begon ik, maar ik werd onderbroken.
'Wanneer was het nu ook alweer precies? Dat u hem voor het laatst gezien hebt?' vroeg Palumbo met zijn potlood in de aanslag, en ik moest denken aan een beeld uit een van die Britse kostuumdrama's die steeds op de tv-zender Bravo worden herhaald: de beul die zijn bijl boven zijn hoofd geheven heeft en nog slechts wacht op het teken dat hij mag toeslaan.
'Ik herinner het me niet precies,' zei ik. 'Een week of twee geleden, vermoed ik.'
Vermoed ik. Je kon iemand niet vastpinnen op een vermoeden, of wel soms? Je kon een mens toch niet naar het politiebureau slepen en voor de rechter sleuren op basis van een onjuist vermoeden?
'Twee weken geleden? Toen hij uw post kwam brengen?'
'Ja.'
'Hebt u ooit met meneer Boyko afgesproken? U weet wel, buiten werktijd?'
Ja, één keer, in een café. Maar dat was puur zakelijk.

'Nee.'
'Heeft meneer Boyko u ooit iets over zichzelf verteld?'
'Hoe bedoelt u?'
'Heeft meneer Boyko ooit iets over zichzelf verteld? Aan u?'
'Nee, niet echt. Over de post... u weet wel.'
'De post?'
'Poststukken. Waar ik iets naartoe wilde sturen. Dat soort dingen.'
'Hm-hm. En dat is alles?'
'Zo'n beetje, ja.'
'Nou, wat dan nog meer?'
'Pardon?'
'U zei: zo'n beetje. Waarover praatte hij verder nog met u?'
'Sport. We praatten wel eens over sport.'
'Dus meneer Boyko is een sportfan?'
'Ja, kennelijk. Nogal. We zijn allebei fan van de Yankees,' zei ik, en ik deed mijn uiterste best om me aan de tegenwoordige tijd te houden wanneer ik over Winston praatte – niet zo gemakkelijk, gezien het feit dat ik voor me zag hoe hij stijf aan de voet van een berg afval lag.
'Dus dat is alles. U praatte met hem over de post en soms over de Yankees?'
'Ja. Voorzover ik me kan herinneren.'
'Dat is alles?'
'Ja.'
'Weet u misschien hoe Winston aan tienduizend dollar kwam, meneer Schine?'
'Wat?' Je hebt hem wel gehoord.
'Meneer Boyko had tienduizend dollar in zijn appartement. Ik vroeg me af of u misschien enig idee had waar hij die vandaan had.'
'Nee. Natuurlijk niet. Hoe moet ik...?' Ik vroeg me opeens iets af: of de politie bevoegd was bij mijn effectenmakelaar, David Lerner Brokerage, na te gaan hoeveel aandelen ik had verkocht. Dat zou geen beste indruk wekken, of wel? Het zou een... nou ja, een verdachte indruk wekken. Maar waarom zouden ze mij ervan verdenken dat ik tienduizend dollar aan Winston had gegeven? Ik had geen enkele reden om in paniek te raken.
'Er zijn enkele computers van dit bedrijf gestolen. Waaronder een op deze verdieping.'
'Ja, dat klopt.'
'Hebt u meneer Boyko wel eens hierboven gezien, terwijl hij er niet hoorde te zijn?'
Computers. Palumbo wilde iets van me weten over computers. Natuurlijk. Winston de dief. Winston de voormalige gevangene. Hij praatte met mij

omdat hij vermoedde dat Winston dat geld had verdiend met het verkopen van gestolen computers. Hij had getuigen nodig. Winston had een paar computers gestolen en hij had wat geld verdiend en toen was hij ervandoor gegaan.
'Nu u het zegt: ik heb hem inderdaad een keer hierboven gezien toen ik aan het overwerken was.'
'Waar precies?'
'Gewoon, in de buurt. Hier op de gang.'
'Was er een reden waarom hij na het werk nog hier op deze verdieping moest zijn?'
'Niet dat ik weet. Ik vond het op dat moment wel een beetje vreemd.' Ik was hem nog een keer aan het vermoorden, dacht ik. Eerst toen hij nog leefde, en nu weer, nu hij niet meer leefde.
'Hebt u hem daarop aangesproken? Hem gevraagd wat hij aan het doen was?'
'Nee.'
'Waarom niet?'
'Weet ik veel. Ik heb het gewoon niet gevraagd. Hij was aan de andere kant van de gang, ik zat in mijn kantoor. Ik wist werkelijk niet of hij hier iets te zoeken had of niet.'
'Oké, meneer Schine.' Palumbo sloeg zijn notitieboekje dicht en stopte het in zijn achterzak. 'Ik denk dat dat alles is wat ik u vandaag wil vragen. Dank u dat u de tijd hebt genomen om met me te praten.'
'Graag gedaan,' zei ik, terwijl ik me afvroeg wat hij bedoelde met dat woordje 'vandaag'.
'Ik hoop dat u hem vindt.'
'Ik ook. Weet u, meneer Boyko ging altijd trouw naar zijn reclasseringsambtenaar. Hij had nog niet één afspraak gemist. Niet één. U wist toch dat hij in de gevangenis had gezeten, of niet?'
'Ik geloof dat ik daar wel eens iets over gehoord heb. Ja, inderdaad. Is dat degene die u verteld heeft dat hij vermist werd? Zijn reclasseringsambtenaar?'
'Nee,' zei Palumbo. Toen keek hij recht in mijn ogen, zoals een geliefde doet wanneer ze wil benadrukken dat haar gevoelens oprecht zijn.
'Meneer Boyko en ik hadden een soort werkrelatie,' zei hij. 'Begrijpt u wel?'

Nee, ik begreep het niet.
Ik liep met rechercheur Palumbo mee naar de gang en vroeg me af of de rechercheur nog iemand anders zou gaan ondervragen, wat hij overigens niet deed. Ook op dat moment begreep ik nog steeds die verklaring niet: 'Meneer Boyko en ik hadden een soort werkrelatie.'

En wat was dan de aard van die relatie?
Pas toen ik later die dag het gesprek overdacht, me afvroeg of ik goed zat met mijn antwoorden, elke vraag en elk antwoord doornam om te zien of ik ergens een uitglijder had gemaakt, de rechercheur enige reden had gegeven, hoe miniem ook, om me niet te vertrouwen, realiseerde ik me wat voor een relatie een ex-gevangene met een politierechercheur kon hebben.
'Wat waren de afspraken?'
Want er zat me nog iets dwars. Iets wat niet klopte. Het was het volgende. Er worden om de haverklap mensen als vermist opgegeven – is dat niet wat je verveelde en afgestompte politierechercheurs altijd hoort zeggen op het journaal? De verontruste ouders die klagen over het gebrek aan initiatief bij de politie, over het feit dat hun tienerzoon of -dochter al god weet hoe lang weg was en dat de ouders wel wisten dat er iets mis was, natuurlijk, ze wísten het gewoon, maar dat de politie desondanks niet veel meer deed dan hun aangifte noteren. Want er verdwijnen altijd wel mensen. Dat zeggen de verveelde rechercheurs altijd. En als ze op zoek gingen naar ieder kind dat niet thuiskwam, zouden ze geen tijd meer overhebben om op echte criminelen te jagen.
En dan hadden ze het nog maar over kinderen; zelfs voor kinderen kwamen ze bepaald niet meteen in actie. Winston was geen kind. Hij was een volwassen man, en naar de gebruikelijke maatschappelijke normen bovendien geen erg belangrijke man. Sterker nog, op de lijst van belangrijke mensen, van mensen naar wie de politie onmiddellijk op zoek zou gaan, stond hij waarschijnlijk als één na laatste, misschien nog net voor aan heroïne verslaafde, zwarte travestieten.
En twee weken nadat deze ex-gevangene voor het eerst niet is komen opdagen voor zijn werk, komt er een politierechercheur langs die naar hem op zoek is.
'Wat waren de afspraken?'
Dus dacht ik weer aan wat de rechercheur had gezegd. 'Meneer Boyko en ik hadden een soort werkrelatie. Begrijpt u wel?'
En ja, nu begon ik het inderdaad te begrijpen.
'Wat waren de afspraken?'
Ik had alle films gezien, ik kende de televisieseries, ik had de kranten gelezen. Politierechercheurs mochten zich verlaten op ex-gevangenen voor informatie. Ex-gevangenen waren geneigd hun die informatie te geven, zodat ze niet in de problemen zouden komen. Zodat de politie misschien even de andere kant op zou kijken wanneer ze hun inkomen probeerden aan te vullen met, bijvoorbeeld, een beetje computerdiefstal.
'Wat waren de afspraken?'

'Ik weet wat de afspraken waren.'
'Zeg het nog maar eens hardop, zodat ik zeker weet dat er geen misverstanden bestaan.'
Die avond in Winstons auto bij trein zeven.
'Zeg het nog maar eens hardop.'
En waarom dan wel? Waarom wilde Winston eigenlijk dat ik het nog eens hardop zei? Waarom wilde hij het me horen zeggen? Omdat het uiteindelijk de woorden zijn waarmee je je vrijheid koopt. Je moet hun de woorden geven, anders geloven ze je nooit.
'Zeg het eens hardop.'
Politiemannen en ex-gevangenen kunnen eigenlijk maar één soort werkrelatie hebben, en zo gaat het in zijn werk. Zij stellen je vragen en jij geeft antwoord. Jij fluistert. Jij klikt.
'Zeg het.'
Als je de woorden niet hebt, als je ze niet ergens op een bandje hebt staan, geloven ze je toch nooit? Een hoge pief uit het bedrijfsleven, een man uit de voorsteden, een witteboordenforens, en wat wil hij nu precies dat je doet? Zeg het nog maar eens, Winston...
'Zeg het.'
Nee, niet iedereen, had Palumbo gezegd.
Alleen u.

Ontspoord 29

Toeval bestaat niet. Dat is wat Deanna geloofde. Dat dingen niet zo willekeurig waren als je zou verwachten; dat er ergens een soort ongezien plan bestond, waar je slechts af en toe een glimp van opving. Dat het orkest misschien vals speelde en de eenheid ver te zoeken was, maar dat er ergens in die verborgen concertbak een maestro stond die precies wist wat hij deed.
Ik had dat soort gedachten altijd met een gezonde dosis scepsis behandeld, maar nu wist ik het niet meer zo zeker.
Neem bijvoorbeeld de zaterdag na mijn ondervraging. Het was bizar warm; poelen zachte modder zogen zich vast aan mijn schoenen terwijl ik nauwgezet Curry's rommel opruimde in de achtertuin. Ik concentreerde me op deze taak, zocht toegewijd en met arendsogen elke centimeter van het grasveld af, om te voorkomen dat ik me op andere dingen zou concentreren.
Ik probeerde mijn angst en paniek in bedwang te houden; ik probeerde ze niet te laten ontsnappen.
Dus toen Deanna me riep vanaf de achterdeur – iets over de autoverzekering – reageerde ik nauwelijks.
Ze moest onze verzekeringspolis laten verlengen, zei ze. Ja, dat was het. Ik knikte naar haar als zo'n knikpopje dat mensen op het dashboard van de auto zetten: een reflexbeweging die veroorzaakt wordt door de kleinste verstoring in de lucht. Ze moest onze verzekering verlengen en ze wilde weten waar het polisblad lag.
Dus vertelde ik het haar en ging weer verder met datgene waarmee ik bezig was.
Het was tien of vijftien minuten later toen ze bij de achterdeur verscheen met een uitdrukking op haar gezicht die ik maar al te goed kende. De uitdrukking waarvan ik had gehoopt dat ik die nooit meer zou hoeven zien.
In eerste instantie dacht ik natuurlijk: Anna. Er is iets gebeurd met Anna en ik moet mijn vuilniszak laten vallen en het huis in rennen. Waar ik mijn dochter ongetwijfeld weer in comateuze toestand zou aantreffen. Alleen zag ik Anna precies op dat moment boven langs haar slaapkamerraam lopen. Achter het gesloten venster klonk de nieuwste hit van P. Diddy. Ze zag er gezond uit.
Wat was het dan? Mijn geest bladerde terug, door de laatste paar pagina's tot aan het hier en nu, koortsachtig op zoek naar aanwijzingen die de aard van deze ramp konden verklaren.

Ik was de tuin aan het opruimen; zij was naar buiten gekomen om me iets te vertellen... o ja, onze verzekering moest verlengd worden. Ze had me gevraagd waar het polisblad lag; ik had het haar verteld.
In de dossierkast, natuurlijk. Onder de V van verzekering. Toch?
Alleen was dit de autoverzekering. De verzekering van onze automobiel die verlengd moest worden. Dus in het lukrake en, toegegeven, nogal chaotische archiefsysteem van de familie Schine was het heel goed mogelijk dat het polisblad toch niet bij de V zat, maar bij de A. De A van automobiel. In het dossier A.
Dit alles schoot me bliksemsnel te binnen en liet me verdwaasd en verschroeid achter, zoals dat gaat met bliksem. Misschien zelfs wel dood.
En op dat moment vroeg ik me af of toeval wel bestond. Waarom, bijvoorbeeld, onze autoverzekering juist nu, op dit moment, vandaag moest worden verlengd. Waarom? En waarom ik, op het moment dat ze me gevraagd had haar te helpen zoeken naar ons polisblad, zo in beslag genomen werd door mijn pogingen in beslag genomen te blijven, dat ik niet de tegenwoordigheid van geest had gehad om haar te zeggen dat ik hem zelf wel even zou gaan pakken.
'Waar is Anna's geld, Charles?' vroeg Deanna me. 'Wat heb je ermee gedaan?'

Misschien had ik al die tijd wel geweten dat dit moment zou aanbreken. Bepaalde dingen waren gewoon te gigantisch om met succes te verbergen; het feit dat ze zo vreselijk groot waren, betekende dat het onmogelijk was om ze te verhullen. De randen steken eronderuit en vroeg of laat zal iemand ze opmerken.
Of misschien wilde ik wel dat iemand erachter zou komen – is dat niet wat iedere zichzelf respecterende psychiater zou zeggen? Dat ik natuurlijk de tuin aan het opruimen was, maar dat ik er tegelijkertijd naar hunkerde om mijn leven op orde te brengen?
Moeilijk te geloven dat ik dat allemaal had doorgemaakt, om het vervolgens allemaal met opzet te bederven. Maar de zaken lagen niet meer zo eenvoudig.
'Wat heb je ermee gedaan?' vroeg ze me.
En in eerste instantie stond ik met mijn mond vol tanden. Deanna stond stokstijf stil op het stoepje bij de achterdeur en ik stond daar maar, met in mijn hand een vuilniszak die stonk naar hondenpoep.
'Ik heb de certificaten naar een kluisje gebracht,' loog ik glashard. Ik ga één poging doen om mezelf uit de nesten te redden, dacht ik, het één keer volledig ontkennen.

'Charles...' berispte ze me met mijn eigen naam. Alsof zo'n schaamteloze leugen beneden mijn waardigheid was. En ik wilde zeggen: nee, Deanna, dat is het niet. Je hebt geen idee wat ik allemaal heb uitgevreten... geloof me, het is niet beneden mijn waardigheid.
Maar ik kon helemaal niet veel zeggen, nog niet, niet nu het op de waarheid aankwam. Ik was de klos, en dat wist ik heel goed.
'Charles, waarom lieg je tegen me? Wat is er aan de hand?'
Ik had natuurlijk kunnen ontkennen dat ik tegen haar gelogen had. Ik had bij mijn belachelijke verhaal over het kluisje kunnen blijven – belachelijk, niet omdat het onmogelijk was, maar omdat ik haar in dat geval, zelfs als ze me geloofde, maandag de aandelencertificaten zou moeten laten zien en dat was wél onmogelijk. Ik had kunnen zeggen: dit is mijn verhaal en ik blijf erbij, hoe dan ook. Maar uiteindelijk had ik te veel respect voor haar. Uiteindelijk hield ik te veel van haar.
Dus hoewel ik wist wat ik op het punt stond te doen, hoewel ik wist dat ik, nu ik een gooi ging doen naar de waarheid, haar vreselijk zou kwetsen, deed ik het toch maar.
Ik begon met de trein. Die gehaaste ochtend, het gebrek aan geld, de vrouw die me geholpen had.
Toen ik over Lucinda begon, kon ik Deanna's gezichtsuitdrukking zien veranderen: haar gelaatstrekken leken vlakker te worden, zoals ook gebeurt met het gezicht van een dier dat een eerste teken van gevaar opvangt.
'Toen had ik een vreselijke dag op kantoor,' ging ik verder. 'Ik werd uit het creditcardteam geschopt.'
Deanna vroeg zich duidelijk af wat het feit dat ik uit een team was geschopt te maken had met de honderdduizend dollar die aan Anna's fonds ontbrak. En met de vrouw in de trein.
Dat vroeg ik me zelf ook af. Ik wist dat er een verband was, maar ik kon me niet herinneren wat het was. Iets over dat ik de behoefte had met iemand te praten, misschien... of was het gewoon een voorbode geweest van wat daarna was gebeurd? De eerste stap van de richel af, waarna mijn andere voet volgde?
'Ik kwam de vrouw weer tegen,' zei ik. Wat ik had moeten zeggen, was dat ik achter die vrouw aan was gerend, dat ik haar zocht, dat ik haar nauwgezet had opgespoord. Maar ik mocht mezelf toch zeker wel een beetje sparen?
'Waar heb je het in vredesnaam over, Charles?' Ze wilde nu de uittrekselversie van het verhaal; ze was niet geïnteresseerd in een proloog of een introductie, niet nu ze kon merken dat haar toekomst met mij aan een zijden draadje hing.
'Ik heb het over een fout die ik heb gemaakt, Deanna. Het spijt me vrese-

lijk.' Een fout. Was dat alles? Mensen maakten aan de lopende band fouten en daar leerden ze van. Ik hoopte dat ze het zo zou bekijken, hoewel mijn gezond verstand en alles wat ik na achttien jaar huwelijk over Deanna wist me vertelden dat de kans daarop microscopisch klein was. Maar toch.
Nu ging Deanna op het stoepje zitten. Ze duwde het haar uit haar gezicht en rechtte haar rug als iemand die op het punt staat gefusilleerd te worden, maar wanhopig graag haar waardigheid wil behouden. En ik? Ik hief het pistool op en haalde de trekker over.
'Ik heb een verhouding gehad, Deanna.'
P. Diddy drong nog steeds door het raam tot ons door. Curry blafte naar een passerende auto. Desondanks was de wereld om me heen nog nooit zo stil geweest als nu. Een stilte die nog erger was dan de stilte waarvan het huis doortrokken was geraakt nadat Anna's ziekte was ontdekt, een stilte zo zwart en hopeloos dat ik dacht dat ik zou gaan huilen.
Maar zij was degene die begon te huilen. Niet luid of hysterisch, maar opeens waren daar de tranen, alsof ik haar hard in haar gezicht had geslagen.
'Waarom?' vroeg ze.
Ik had verwacht dat ze vragen zou stellen. Ik dacht dat ze misschien zou vragen of ik van haar hield, van deze vrouw, of hoe lang het geduurd had, of hoe lang het al geleden was. Maar nee: in plaats daarvan vroeg ze me waarom. Ze had elk recht om die vraag te stellen, uiteraard, maar het was ook een vraag waarop ik geen antwoord klaar had.
'Ik weet het niet precies. Ik weet het niet.'
Ze knikte. Ze wendde haar blik af, keek naar haar blote voeten, die er vreemd kwetsbaar uitzagen op het groene stoepje bij onze achterdeur, als naakte, pasgeboren zoogdiertjes. Toen keek ze weer op, met samengeknepen ogen, alsof het pijn aan haar ogen deed om me rechtstreeks aan te kijken.
'Ik was van plan te zeggen: "Hoe kon je?" Niet te geloven, hè? Echt waar. Maar ik weet best hoe je het kon doen, Charles. Misschien weet ik zelfs wel waarom je het deed.'
Waarom dan, dacht ik. Vertel het me...
'Misschien begrijp ik het zelfs,' ging ze verder. 'Vanwege wat er de laatste tijd met ons gebeurd is. Ik denk dat ik het wel kan begrijpen, echt waar. Ik denk alleen niet dat ik het je kan vergeven. Het spijt me, maar dat kan ik niet.'
'Deanna,' begon ik, maar ze gebaarde dat ik stil moest zijn.
'Is het nu voorbij? Die verhouding?'
Eindelijk een vraag waar ik min of meer iets mee kon.
'Ja. Absoluut. Het is eigenlijk maar één keer gebeurd...'

Ze zuchtte, kraakte een knokkel, veegde haar ogen droog. 'Waarom is Anna's geld weg, Charles?'
Oké. Ik had de helft verteld, maar er was nog steeds een hele helft over, nietwaar?
'Je hoeft me verder niets te vertellen over de verhouding, daar wil ik verder niets over weten,' zei Deanna, 'maar dát wil ik wél weten.'
Dus vertelde ik het haar.
Zo sober mogelijk, zo lineair als ik het me kon herinneren: het ene dat leidde tot het andere dat leidde tot het volgende. Ik kon echter merken dat, hoewel het voor mij allemaal heel logisch leek en al die paniekerige acties een afschuwelijke samenhang vertoonden, het voor haar helemaal niet logisch was. Zelfs toen ik vertelde hoe we waren aangevallen en in elkaar geslagen en ik echt medeleven in haar ogen zag. Zelfs toen ik vertelde hoe Vasquez ons huis was binnengedrongen en zijn hand op Anna's hoofd had gelegd. Het was voor haar nog steeds niet logisch. Misschien kon zij zien wat ik niet had kunnen zien; misschien kon zij in dit folterende verhaal momenten ontwaren waarop ik iets anders had kunnen doen, waarop een andere mogelijkheid erom schreeuwde om uitgeprobeerd te worden. Of misschien kwam het doordat ik iets had weggelaten, iets belangrijks wat noodzakelijk was voor een volledig begrip van de gebeurtenissen.
'Dus heb ik hem het geld betaald,' maakte ik het verhaal af. 'Om haar te redden.'
'Heb je er nooit aan gedacht om naar de politie te gaan? Of naar mij?'
Ja, wilde ik zeggen. Ik had eraan gedacht om naar de politie te gaan, of naar haar, wat feitelijk op hetzelfde neerkwam. Maar wanneer ik erover nadacht, zag ik voor me hoe ze zou kijken... zoals ze nu keek, dus. Daarom had ik het niet gedaan. En nu kon ik echt niet naar de politie gaan, hoewel het nu misschien niet zoveel verschil meer zou uitmaken, aangezien het heel waarschijnlijk was dat de politie me anders zelf wel zou komen halen.
'Dat geld,' fluisterde ze. 'Anna's fonds...' op een toon waarop ik investeerders de afgelopen jaren had horen praten over het een of andere fonds terwijl ze op weg naar het werk de aandelenkoersen in de krant bekeken. 'Dat Dreyfusfonds... Morganfonds... Alliancefonds....' Alsof ze de namen van dierbare overledenen opnoemden. Verdwenen, om nooit meer terug te keren.
'Je moet nu naar de politie, Charles. Je moet hun vertellen wat er gebeurd is en ons geld terug zien te krijgen. Het is voor Anna!'
Ik had haar een verhaal verteld met een hiaat erin, een hiaat waarvan ik had gehoopt dat het groot genoeg zou zijn om erdoorheen te glippen. Maar nee. Ze deed een volkomen redelijk verzoek, alleen had ik geen volkomen rede-

lijk antwoord. Dat ik Lucinda wilde beschermen tegen de woede van haar man, zou nu niet voldoende reden meer zijn. Niet voor Deanna, niet nu het onze dochter meer dan honderdduizend dollar had gekost om haar te beschermen.

Wat ze niet wist, was dat het vooral míj moest beschermen.

'Er is nog meer,' zei ik, en ik zag dat Deanna de moed verloor. Heb je me niet al genoeg verteld, leek haar gezichtsuitdrukking te zeggen. Wat kan er in vredesnaam nog meer zijn?

'Ik heb iemand gevraagd om me te helpen,' zei ik, en ik bedacht dat ik nog steeds loog, omdat ik het Winston niet zozeer had gevraagd, maar hem er eerder toe had gedwongen. Alleen had Winston me niet zozeer geholpen, maar me eerder in de val laten lopen. 'Ik heb iemand gevraagd me te helpen Vasquez af te schrikken.'

'Af te schrikken?' Deanna mocht dan half in shocktoestand verkeren, ze was nog altijd slim genoeg om de inherente zwakke plekken in mijn plan te onderkennen en ze confronteerde me ermee. Dat als je een man vroeg iemand anders af te schrikken, je er zeker van kon zijn dat het uit de hand zou lopen. Dat wat begint met een vuist in het gezicht, kan eindigen met een mes in het hart. Of een kogel door het hoofd.

'Hij bedreigde ons gezin, Deanna. Hij was bij ons thuis geweest!'

'Als iets van me houdt, beantwoord ik die liefde,' had Deanna ooit tegen me gezegd. Dat was de regel waarnaar ze leefde, haar credo, haar eigen semper fidelis. Maar ze was nu verwikkeld in de strijd van haar leven; de ene bom na de andere sloeg vlak bij haar in en Joost mocht weten of die liefde dit wel zou kunnen overleven. Afgaand op de uitdrukking op haar gezicht, zou ik zeggen van niet. Ze herkende me nauwelijks meer, stelde ik me zo voor; ze herkende in deze man niet de over het algemeen liefhebbende en zachtaardige echtgenoot die ze al achttien jaar kende. Niet in deze nieuwe man, die een akelige verhouding had gehad en vanwege die verhouding geld had betaald aan een afperser en zelfs iemand had ingehuurd om die afperser voor hem uit de weg te ruimen. Kon het waar zijn?

'Ik wist niet wat ik anders moest doen,' zei ik zwakjes.

'Wat is er gebeurd?'

'Ik denk dat Vasquez hem vermoord heeft.'

Ze zoog scherp haar adem in. Zelfs nu, nu ik ongetwijfeld elke illusie die ze ooit had gekoesterd, aan flarden had gereten, wist ik haar nog te verrassen. Een verhouding... dat was al erg genoeg, maar moord...

'O, Charles...'

'Ik denk... Ik geloof dat die man, de man die is vermoord, onze gesprekken misschien wel heeft opgenomen. Dat hij me in de val heeft laten lopen, zeg maar.'

'Hoe bedoel je, in de val laten lopen?'
'Hij had in de gevangenis gezeten, Deanna. Hij had in de gevangenis gezeten en ik denk dat hij een informant was. Dat hij er misschien toe gedwongen is.'
'Probeer je me nu te vertellen...?'
'Ik weet het niet. Ik weet het niet zeker. Maar ik vraag het me af.'
En zij ook. Maar hetgeen dat zij zich waarschijnlijk het meest afvroeg, was waar de liefde naartoe gaat wanneer die verdwijnt. Die onwrikbare toewijding van haar, die was afgeranseld en geschopt en geslagen. Waar was hij gebleven?
'Ik wist dat er iets mis was, Charles. Ik dacht een tijdje geleden al dat er wat geld ontbrak, toen je die eerste tienduizend dollar had gepakt, denk ik. Misschien verbeeld ik het me, dacht ik. Dus ik heb er niets over gezegd. Misschien verbeeldde ik me alles wel, zoals jij je gedroeg. De uren die je maakte. Alles. Ik dacht dat er misschien een andere vrouw was. Maar ik wilde het niet geloven. Ik wachtte totdat jij het me zou komen vertellen, Charles...'
En nu had ik het haar verteld. Maar het was meer dan ze ooit had kunnen bevroeden.
Ze stelde me nog een paar vragen; sommige ervan had ik wel verwacht. Wie was die vrouw precies? Was zij ook getrouwd? Is het echt bij die ene keer gebleven? Maar ik zag dat dat haar niet echt aan het hart ging. En toen stelde ze andere vragen die haar wellicht wel aan het hart gingen, of wat er nog van haar hart over was: hoezeer ik bij de politie in de problemen was, bijvoorbeeld, dat soort dingen.
Maar uiteindelijk vroeg ze me het huis te verlaten. Ze wist niet voor hoe lang, maar ze wilde me weg hebben.

Een paar weken later, weken waarin ik Deanna vermeed en naar de logeerkamer ging wanneer Anna al in bed lag, vond ik een gemeubileerd appartement in Forest Hills.

Ontspoord 30

Forest Hills leek te zijn samengesteld uit orthodoxe joden en onorthodoxe fanatici. Mensen die alleen leken, of een zichtbare bron van inkomsten ontbeerden, of die er niet echt thuis leken te horen. In dat appartement of in dat gebouw of in die buurt. Ik paste er perfect tussen.

Bijvoorbeeld: ik zag eruit als een getrouwde man, maar waar was mijn vrouw? Ik was ongetwijfeld vader, maar waar waren mijn kinderen? En toen werd zelfs mijn bron van inkomsten nogal onzeker.

Op de eerste dinsdag nadat ik was verhuisd, nam ik op Continental Boulevard de trein naar mijn werk.

Ik werd ontboden in het kantoor van Barry Lenge. Dat was op zich al ongebruikelijk, aangezien de kantoorhiërarchie bepaalde dat de boekhoudertjes – zelfs het hoofd van de boekhoudertjes – naar jóúw kantoor kwamen wanneer er een persoonlijk gesprek moest plaatsvinden.

Ik ging toch maar. Ik denk dat ik leed aan een soort posttraumatisch stresssyndroom, en het kleine beetje zelfvertrouwen dat ik nog overhad, plaatste me ongeveer op hetzelfde niveau als een geslagen hond.

Barry Lenge leek nog slechter op zijn gemak dan ik. Dat had voor mij een eerste aanwijzing moeten zijn.

Door zijn driedubbele kin leek hij sowieso al fysiek geagiteerd, alsof zijn hoofd geen houding kon vinden waarin het een ander deel van zijn lichaam niet tot last was. Maar vandaag zag hij er nog slechter uit.

'Ahum,' schraapte Barry zijn keel, en dat had voor mij een tweede aanwijzing moeten zijn: hij had iets op zijn lever en het kostte hem moeite om erover te beginnen.

'Ik was zojuist de productiefacturen aan het bekijken,' zei hij.

'Ja?'

'Die klus van Headquarters. Er is iets waar ik het met je over wilde hebben.'

Nu moest ik degene zijn die er werkelijk slecht op zijn gemak uitzag, want Barry wendde zijn blik af – hij keek naar zijn set zilveren potloden – en ik herinnerde me hoe Eliot op zijn briefpapier had zitten kliederen, die ochtend waarop ik door Ellen Weischler uit het team werd gezet.

'Het zit zo... Iemand heeft ons ergens op gewezen.'

'Wat dan?'

'Zie je, er staat hier vijfenveertigduizend dollar voor muziek.' Hij wees op

een vel papier dat voor hem op het bureau lag. Hetzelfde offerteformulier dat ik enige tijd daarvoor had zitten bekijken.
'Zie je dat?' vroeg Barry me. 'Daar.'
Ik deed alsof ik keek, want dat is wat geslagen honden doen wanneer ze een bevel krijgen: gehoorzamen. Ik zag daar inderdaad een getal staan; het zag eruit als vijfenveertigduizend.
'Ja?'
'Nou, Charles... daar is een probleem mee.'
'Ja?' Was dat alles dat ik zou zeggen: 'ja' op elke onthulling van Barry?
'Mary Widger heeft dezelfde muziek bij een ander spotje gehoord.'
'Wat?'
'Ik zeg dat ditzelfde stuk muziek bij een ander spotje gebruikt wordt.'
'Hoe bedoel je?'
'Zeg het maar als ik het mis heb. Vijfenveertigduizend dollar was voor originele muziek, nietwaar?'
'Inderdaad.'
'Maar het is dus geen originele muziek.'
'Ik begrijp niet wat je bedoelt.' Maar natuurlijk begreep ik het wel degelijk. Tom & David Music hadden een stukje muziek gevonden bij een stockbureau en ze hadden niet de moeite genomen na te gaan of iemand anders het al eens eerder had gebruikt. En dat was dus het geval.
'Nou, misschien klinkt het alleen hetzelfde. Het is tenslotte maar achtergrondmuziek.'
'Nee. Ze is ermee naar een musicoloog gegaan. Het is hetzelfde stuk. Noot voor noot.'
Ze is ermee naar een musicoloog gegaan. Musicologen werden over het algemeen ingeschakeld om ervoor te zorgen dat een stuk muziek dat we gebruikten niet te veel leek op een ander, bestaand stuk muziek dat we wellicht probeerden te imiteren. Als we bijvoorbeeld een commercial wilden maken met Gershwins *'S Wonderful*, maar de nabestaanden van Gershwin ons een poot wilden uitdraaien voor het gebruik ervan, zouden we misschien proberen om de melodie te jatten, maar niet te precies, want in dat geval zou de musicoloog nee zeggen. Alleen was het in dit geval natuurlijk niet Gershwin van wie we hadden gejat.
'Ik zal met de muziekstudio gaan praten,' zei ik. Ik probeerde net zo officieel verontwaardigd te klinken als Barry. In plaats van bang.
'Ik heb al met de muziekstudio gepraat,' zei Barry.
Ik vond het niet prettig klinken zoals Barry dat zei – 'muziekstudio' – op merkbaar honende toon. Met venijnig sarcasme.
'O ja?'

'Ja. Ik heb met de muziekstudio gesproken. Dus mijn vraag aan jou luidt als volgt. Hoeveel?'
'Hoeveel wat?'
'Hoeveel? Als ik je een rekening zou sturen voor het bedrag dat je dit bureau schuldig bent, hoeveel zou ik dan moeten berekenen?'
'Ik begrijp het niet.'
'Je begrijpt het niet.'
'Nee.'
'Ik denk van wel. Ik denk dat je het heel goed begrijpt. De muziekstudio is een lege BV, Charles. Hij bestaat niet echt. Hij bestaat alleen maar om illegaal winst op te strijken over de rug van dit bureau. Dus als ik die winst terug wil, om hoeveel moet ik jou dan vragen?'
'Ik heb geen idee waar je het over hebt. Als je een of andere zwendel hebt ontdekt, hier...'
'Hoor eens, Charles...' En nu leek Barry zich absoluut niet meer ongemakkelijk te voelen. Hij leek volkomen in zijn element. 'Hoor eens, als je ons het geld terugbetaalt, bestaat er een kans dat we niet naar de rechter hoeven. Dat jíj niet naar de rechter hoeft. Volg je me? Niet dat dat mijn beslissing zou zijn. Als het aan mij lag, smeet ik je in de gevangenis. Aangezien ik het financiële hoofd van dit bedrijf ben, gaat geld me nogal na aan het hart, begrijp je? Maar Eliot denkt er anders over. Prima.'
Eliot denkt er anders over. Ik vroeg me al af hoeveel Eliot hiervan af wist.
'Hoor eens, misschien vermoedde ik wel iets... Ik dacht dat er misschien iets niet... Zou je niet met Tom en David moeten praten?'
'Ik heb al met Tom en David gepraat. Ze hadden allebei heel veel te vertellen. Dus als je me voor het lapje wilt blijven houden, prima, maar je moet weten dat Eliot op zijn besluit zal terugkomen als je dit volhoudt. Waarom? Omdat ik hem zal vertellen dat hij dat moet. Ze willen geen slechte publiciteit, dat begrijp ik. Maar ze willen hun geld terug. En zal ik je eens iets vertellen? Als het aankomt op geld versus een voorbijgaande smet op hun reputatie, zullen ze voor het geld kiezen. Reken daar maar op.'
Het was wel duidelijk dat ik een beslissing moest nemen. Ik kon toegeven dat ik die twintigduizend dollar had aangenomen. Ik zou zelfs de twintigduizend dollar kunnen terugbetalen, als Deanna me ooit nog bij Anna's fonds in de buurt zou laten, wat niet erg waarschijnlijk was. Aan de andere kant had ik heel stellig het gevoel dat Tom en David me veel meer in de schoenen hadden geschoven dan door de feiten werd ondersteund, en dat Barry niet zou geloven dat mijn frauduleuze activiteiten me slechts twintigduizend dollar hadden opgeleverd. Nee, de rekening zou een stuk hoger zijn. Als ik iets toegaf, besloot ik, was het gedaan met me.

'Ik had hier niets mee te maken,' zei ik zo krachtig als ik maar kon. 'Ik weet niet wat Tom en David je hebben verteld, maar ik zou niet zomaar twee mannen die jullie kennelijk al jaren oplichten op hun woord geloven.'
Barry zuchtte. Hij probeerde zijn boord losser te maken; een onmogelijke taak, aangezien die sowieso al twee maten te klein was.
'Dus zo wil je het spelen,' zei hij uiteindelijk. 'Prima. Dat is jouw beslissing. Als jij zegt dat je onschuldig bent, laten we de bedrijfsprocedures in werking treden. Prima.'
'En dat houdt in...?'
'We schorsen je. We houden een intern onderzoek. We nemen weer contact met je op. En als ik ook maar enige invloed heb op de hoge pieten, arresteren we je, verdomme. Begrepen, vriend?'
Ik stond op en verliet het kantoor.

Ontspoord 31

De tijd verstreek. Een week, twee weken, een maand.
Tijd die ik grotendeels doorbracht met me dingen afvragen in plaats van te werken. Ik vroeg me bijvoorbeeld af of Deanna me ooit zou vergeven en of ik al dan niet gearresteerd zou worden voor moord of aangeklaagd wegens verduistering. Dat was allemaal nog niet gebeurd. Maar goed, het kon altijd morgen nog gebeuren.
Ik besloot na mijn eerste dag als werkloze dat ik een gewoontedier was en dat in mij de gewoonte was geprogrammeerd om 's morgens naar mijn werk te gaan. Dus ik ging met de trein naar Manhattan, zoals ik altijd deed, en reisde 's middags weer terug. Mijn deprimerende leefomgeving had daar ook wel iets mee van doen; het gemeubileerde appartement was net een motelkamer zonder huishoudelijke dienst. Ik voelde me een beetje als Goudhaartje die in het bed van iemand anders slaapt. Iemand die elk moment kon komen opdagen om te eisen dat ik onmiddellijk zou vertrekken. Er waren aanwijzingen die wezen in de richting van de identiteit van die iemand: kleine herinneringen aan de vroegere bewoner, die in deze nu steriele woestijn waren achtergelaten.
Een paperback, bijvoorbeeld. Een exemplaar vol ezelsoren van *Mannen komen van Mars, vrouwen van Venus.* Maar was het een Martiaan of een Venutiaan die er ooit eigenaar van was geweest? Het was moeilijk vast te stellen.
Een tandenborstel die ik ontdekte achter het bevlekte toilet. Een van die chique met een gekromde borstel voor die moeilijk te bereiken plekjes. Lavendelblauw. Werd lavendelblauw beschouwd als een vrouwelijke kleur of als een mannelijke, of geen van beide?
En in mijn enige bureaula: een velletje gelinieerd papier vol met goede voornemens. 'Ik zal beter mijn best doen om mensen te ontmoeten,' was de eerste. 'Ik probeer minder snel mijn oordeel klaar te hebben.' Enzovoort. Ik besloot dat de schrijver van deze lijst en de eigenaar van het boek waarschijnlijk een en dezelfde persoon waren, omdat beide wezen op een voorstander van rigoureuze zelfverbetering. Ik vroeg me af: als Deanna van Venus kwam, kwam ik dan van Pluto?
Ik bezocht de bibliotheek aan 42nd Street. Ik wandelde door het Metropolitan Museum. Ik bracht een halve dag half slapend door in het Hayden Planetarium, zodat ik steeds wanneer ik wakker werd, tegen een baldakijn van

sterren aankeek, als een astronaut die ontwaakt uit de schijndood, alleen in het heelal en zo ver van huis.

Elke middag belde ik Anna even, altijd vanaf mijn mobiele telefoon, want we hadden een gedetailleerde smoes bedacht om mijn afwezigheid te verklaren: ik was in Los Angeles opnamen aan het maken voor een nieuwe reclamecampagne. Ik was daar inderdaad ooit twee maanden geweest om dat te doen; het leek ons een excuus dat wel eens zou kunnen werken.

'Waar ben je nu?' vroeg Anna me steeds.

'Bij het zwembad van het Four Seasons-hotel,' antwoordde ik dan.

In een studio in Burbank. Op een straat in Venice. In een huurauto op de kruising tussen Sunset Boulevard en La Cienega.

'Vet,' zei Anna dan.

Deanna had tegen me gezegd dat ze me een tijdje niet wilde spreken. De kwelling bestond eruit dat ik niet wist hoe lang dat 'tijdje' uiteindelijk zou gaan duren. Af en toe nam ze op als ik belde en dan hoopte ik dat dat betekende dat het 'tijdje' voorbij was. Maar dan riep ze Anna en wachtte zwijgend totdat onze dochter de telefoon opnam. In zekere zin was het niet zo anders dan al die andere jaren n.D. – na diabetes – die verstikkende stilte over dingen die we niet konden noemen. Alleen lag er nu een vreselijk verwijt in haar stiltes besloten en niet alleen maar verdriet. En terwijl hiervoor de stiltes opgevuld werden met onbelangrijke en neutrale zaken, werden ze nu opgevuld met het soort stilte waarmee helden in westernfilms altijd geconfronteerd werden vlak voordat ze in een hinderlaag reden. 'Het is stil,' zeiden ze dan tegen hun *amigos*. 'Te stil.'

Het was eind februari, de maandag van mijn derde week van ballingschap en werkloosheid, toen ik Lucinda weer zag.

Mijn eerste impuls was me te verbergen en verder weg te duiken in de anonieme massa. Mijn tweede impuls was haar gedag te zeggen. Misschien omdat het goed was te zien dat ze weer op de been was; dat verlichtte mijn schuldgevoel een beetje. Op de been en zelfs met iemand in gesprek.

Ik had me natuurlijk afgevraagd hoe het met haar ging. Of ze ooit zou kunnen herstellen van wat Vasquez haar had aangedaan. Ik hoopte van wel.

En nu dacht ik dat ze daar misschien wel in zou slagen. De kringen onder haar ogen waren verdwenen. Ze zag er weer beeldschoon uit; ze zag er weer uit als Lucinda.

Ik was zo volledig op haar gefixeerd dat het waarschijnlijk een minuutje of zo duurde voordat ik zelfs maar een blik wierp op degene met wie ze praatte. Was dat haar man, van wie ik die dag voor de fontein bij het Time-Lifegebouw een korte glimp had opgevangen?

Nee. Het was niet haar man met wie ze stond te praten. Deze man was klei-

ner, jonger, slonziger gekleed. Een collega-effectenmakelaar, misschien, of een vriend uit de buurt.
Ze leken in elk geval goed met elkaar overweg te kunnen. Ze waren bij een krantenkiosk blijven staan en waren verwikkeld in een levendige discussie.
Ik bevond me in een soort niemandsland, besefte ik. Niet ver genoeg van haar verwijderd om onzichtbaar te zijn, maar ook niet dicht genoeg bij haar om een gesprek met haar aan te knopen. Eén blik naar links en Lucinda zou me ongetwijfeld zien staan: in tweestrijd, de man die haar in de steek had gelaten, een herinnering aan alles wat ze had doorgemaakt.
Ik wilde haar dat besparen. En ik wilde vooral mezelf dat besparen.
Daarom ging ik ervandoor. Ik liep dicht langs de rand van de langzaam voortbewegende mensenmassa en probeerde mijn blik naar voren gericht te houden om elk toevallig oogcontact te vermijden.
Ik slaagde erin ongezien langs de mensenmassa te glippen, als een stuk drijfhout dat wordt meegevoerd door het getij. Helemaal tot aan de trap die naar 8th Avenue leidde. Naar de veiligheid.
Alleen had ik gegluurd. Ik kon het niet helpen. Ik had in de richting van Lucinda en haar zakenrelatie gegluurd om te controleren of ik onopgemerkt was gebleven.
En er was me iets opgevallen.
Ik overpeinsde het in de taxi op weg naar het nationale museum over de geschiedenis van de indianen en besloot dat ik niet wist wat. Wat het ook was, ik had het opgemerkt met één snelle, heimelijke blik. En er hadden ook allerlei mensen tussen ons in heen en weer gelopen. 'Oversteken op de voorgrond' noemden we dat in opnametaal. Als je een figurant heen en weer laat lopen tussen de camera en de acteurs om ervoor te zorgen dat het er levensecht uitziet, dat het er niet uitziet als een of andere opnamestudio van Universal Studios.
Alleen zet je soms te veel figuranten in en dan leidden ze de aandacht volledig af van de acteurs. Je kunt hen helemaal niet meer zien en ze worden zelf ook gereduceerd tot figuranten in de opname. Dan moet je het aantal figuranten terugbrengen en de blokkering opnieuw bekijken, zodat je de acteurs weer kunt zien.
Dat was feitelijk wat ik in de taxi aan het doen was.
Ik probeerde de anonieme massa forenzen opzij te duwen zodat ik Lucinda duidelijk kon zien. Lucinda en die zakenrelatie van haar, of haar buurtvriend. Of...
Haar broer. Ja, misschien was het haar broer, alleen kon ik me niet herinneren of ze nu een broer had of niet. Ik had het gevoel dat we veel meer over mijn familie hadden gepraat dan over die van haar. Ik had mijn hart bij haar

uitgestort, nietwaar? Over Anna en Deanna? Ik kon me niet herinneren of ze broers had.
Maar ik had nu de indruk dat het wel haar broer moest zijn geweest. Of misschien haar neef. Ja, het zou haar neef kunnen zijn geweest.
Het had te maken met wat me was opgevallen.
Ik probeerde die andere mensen uit de weg te duwen zodat ik het beter kon zien, maar ze begonnen geërgerd te raken en boden weerstand. Ze zeiden tegen me dat ik moest oprotten of een politieagent moest gaan zoeken.
Hun handen.
Ik dacht dat ik gezien had dat hun handen elkaar raakten. Ze hadden elkaars hand niet vast, hun handen waren niet verstrengeld, maar ze raakten elkaar. Dat was iets wat je wellicht met een broer zou doen, nietwaar?
En zelfs al was het niet haar broer, zelfs al was het een vriend van haar, een nieuwe vriend, wie kon het haar kwalijk nemen? Ik had haar nooit gevraagd of ik de eerste was. Waarom zou ik ervan uitgaan dat ik de laatste was?
Ze zat nog steeds vast in hetzelfde vreselijke huwelijk. Ze had wanhopig behoefte aan iemand om mee te praten. Vooral nu. Misschien was ze wel op zoek gegaan naar iemand.
En een kort, vluchtig moment lang voelde ik iets wat verdacht veel op jaloezie leek. Gewoon een snelle pijnscheut, fantoompijn in een wond die allang geheeld is.
Toen vergat ik het.

Ontspoord 32

Het was Anna's verjaardag.
Ik had nog nooit een verjaardag van haar gemist. Ik kon me niet voorstellen dat ik er nu een zou missen. Ze haalde dan misschien gemelijk haar schouders op als ik over zoiets als een verjaardag begon – 'Wat heb je daar nu aan, een verjaardag?' – maar ik geloofde oprecht dat ze het me nooit zou vergeven als ik een keer niet kwam opdagen. En dan zouden er twee leden van de familie Schine zijn die me niet konden vergeven en ik had het al moeilijk genoeg met die ene.
Dus toen ik naar huis belde en Deanna opnam, zei ik: 'Roep Anna nog even niet, alsjeblieft. Ik moet met je praten.'
Ze zuchtte. 'Ja, Charles?' vroeg ze.
Nou, ze noemde me in elk geval bij mijn naam.
'Anna is bijna jarig,' zei ik.
'Ik weet wanneer Anna jarig is.'
'Oké. Vind je niet dat ik dan thuis zou moeten zijn? Dat ze me zou haten als ze dacht dat ik op haar verjaardag in Californië was gebleven?'
'Ik ben er nog niet aan toe om je naar huis te laten komen, Charles.'
Ja, dat was inderdaad een probleem, dat Deanna er nog niet aan toe was. Wat mij betrof, ik was er natuurlijk meer dan klaar voor.
'Nou, kunnen we dan niet... Wat als ik zeg dat ik speciaal voor haar verjaardag ben teruggekomen, maar dat ik daarna weer weg moet?'
'Ik weet het niet...'
'Deanna, het is Anna's verjaardag...'
'Hoor eens... Je mag blijven slapen, oké? Maar ik wil dat je 's morgens weer weggaat, Charles.'
'Ik begrijp het. Dat is prima. Dank je.'
Het voelde een beetje vreemd om mijn vrouw te bedanken voor het feit dat ik een nacht mocht blijven slapen in mijn eigen huis. Niet onterecht, alleen maar vreemd. Het belangrijkste was echter dat ze ja had gezegd.

Toen ik bij de achterdeur arriveerde met mijn cadeautje in mijn handen – ik had drie cd's voor haar gekocht die me waren aangeraden door iemand achter de kassa van Virgin Records – zat Anna aan het werkblad op cornflakes te kauwen en met zombieogen naar MTV te staren.
'Papa!' Anna, die normaal gesproken haar kinderlijke enthousiasme het

liefst in bedwang hield, leek ongegeneerd blij me te zien. Alleen niet zo blij als ik was om haar te zien. Ze sprong in een flits van haar kruk en rende recht in mijn armen, waarop ik me aan haar vastklampte alsof mijn leven ervan afhing. En misschien was dat ook wel zo.

Ik stond op het punt haar te vragen waar haar moeder was, maar op dat moment kwam ze de keuken binnen lopen. Ik had geen idee wat ik moest doen, ik voelde me minstens zo onbeholpen als iemand op een blind date. Ik wist niet zeker hoe ik haar moest begroeten, wat ik tegen haar moest zeggen, en ik bedacht dat zij waarschijnlijk ook een beetje confuus was wat deze situatie betrof. We aarzelden allebei en besloten toen tot een plichtmatige omhelzing met alle warmte van twee tegenstanders die elkaar na een ijshockeywedstrijd de hand schudden.

'Hoe was het in Californië?' vroeg ze, kennelijk vastbesloten de schertsvertoning door te zetten.

'Prima. En nog niet klaar. Ik moet morgenochtend weer terug.'

Dat was kennelijk nieuws voor Anna. Ze begon onmiddellijk te pruilen en zei: 'Pápa...'

'Sorry, schat. Ik kan er niets aan doen.' En dat was in elk geval de waarheid.

'Ik wilde dat je mee zou gaan naar het lenteconcert om me te zien zingen. Ik heb een solo.'

'Nou, word in elk geval maar geen professioneel zangeres tot na de middelbare school, oké?'

Mijn poging tot luchthartigheid faalde; Anna wendde zich weer tot MTV met een gekwetste uitdrukking op haar gezicht. Ze was boos op me.

'Kan iemand even wat sap voor me pakken?' vroeg ze. Haar handen begonnen plotseling te beven; ze had de afstandsbediening van de tv in haar hand en die begon opeens op en neer te wiebelen.

'Is je bloedsuiker laag, schat?' vroeg Deanna, die snel de koelkast opende.

'Nee. Ik zit te beven omdat ik het lekker vind.'

Deanna wierp me een snelle blik toe: zie je nu wat ik moet doormaken, zei ze met die blik. Het gaat steeds slechter met haar.

Deanna haalde wat sinaasappelsap uit de koelkast en schonk een half glas voor Anna in. 'Alsjeblieft...'

Anna nam het glas aan en nam een klein slokje.

'Ik denk dat je nog wat meer moet drinken,' zei Deanna.

'O, denk je dat?' Anna, immer alert op suggesties over wat ze wel en niet in haar eigen lichaam moest stoppen. Ze zat nog steeds te beven.

'Kom op, liefje,' zei ik.

'Het gaat wel weer,' zei Anna.

'Het gaat helemaal...'

'Oké dan!' zei Anna. Ze greep haar glas en liep met grote passen de kamer uit. 'Ik wou dat jullie me allebei eens een keertje met rust lieten.'
Toen ze de kamer verlaten had, zei Deanna: 'Ze is bang. Haar bloedsuiker gaat maar op en neer. Het lijkt wel een achtbaan. Als ze bang wordt, wordt ze boos.'
'Ja,' zei ik. 'Ik weet het.'
'Waarom hebben jullie me Anna genoemd?' vroeg onze dochter Anna wel eens toen ze nog heel klein was.
'Omdat jij een deel van mij bent,' antwoordde Deanna dan. 'De-Anna, snap je?'
'Ik moet me weer met de rekeningen bezighouden,' zei Deanna. Wat me eraan deed denken dat we binnenkort wel eens moeite zouden kunnen krijgen om die rekeningen te betalen. Deanna verliet de keuken.
Ik moest nog steeds een verjaardagskaart halen. Aangezien mijn dochter en mijn vrouw allebei kwaad op me waren, besloot ik dat dit een goed moment was om naar de cadeauwinkel aan Merrick Road te gaan en er een te kopen.
Toen ik de winkel binnen liep, stond er een oudere vrouw aan de balie die lottotickets aan het kopen was.
'... acht... zeventien... drieëndertig... zes,' zei ze, lusteloos een schijnbaar eindeloze litanie van getallen uitspuwend. '... negen... tweeëntwintig... elf...'
Ik liep naar het achterste deel, waar de ansichtkaarten stonden. Natuurlijk waren er niet alleen ansichtkaarten, maar ook jubileumkaarten, beterschapskaarten, condoleancekaarten, valentijnskaarten, bedankkaarten, afstudeerkaarten en verjaardagskaarten. Ik positioneerde mezelf bij het rek met verjaardagskaarten en was even beduusd toen ik alle subcategorieën zag. Gefeliciteerd met je verjaardag, mama, zoon, vrouw, schoonmoeder, oma, beste vriend(in), neef, nicht... en dochter, die stonden er ook ergens. Natuurlijk moest ik, zodra ik de categorie had gevonden, ook nog besluiten wat voor soort kaart ik wilde. Een grappige? Een respectvolle? Een sentimentele? Ik was geneigd voor sentimenteel te gaan, aangezien ik me tegenwoordig voornamelijk zo voelde. Er waren ook heel veel sentimentele kaarten, meestal met bloemen op de voorkant en gedichtjes aan de binnenkant. Alleen waren de gedichten niet zozeer sentimenteel als wel afgezaagd, het 'Rozen zijn rood, viooltjes zijn blauw'-genre binnen de poëzie.
Bijvoorbeeld:

Aan mijn dochter op haar verjaardag
Als ik dit eens zeggen mag
Jij bent mijn allerliefste schat

Je lach, je vrolijkheid en meer van dat
Al houdt alles ons apart
Jij hebt je papa's hart
Einde

Ik vreesde dat Anna zou gaan overgeven als ik die voor haar meenam. Maar als ik sentimenteel en een beetje intelligent wilde zijn, had ik niet veel keuze. Er waren kaarten met niets aan de binnenkant, bijvoorbeeld, zodat je zo intelligent en sentimenteel kon zijn als je maar wilde. Die kaarten hadden over het algemeen sombere zwartwitfoto's op de voorkant, van een besneeuwd veld in Maine, bijvoorbeeld, of een eenzaam beekje in de bergen. Ze drukten in feite uit: stomme gedichtjes zijn voor de onwetende massa, deze zijn voor innerlijk bewogen typen. Ik kon echter niet besluiten of ik op dat moment in staat was tot innerlijke bewogenheid. Dus wat moest het worden?
Vlak achter de rekken met kaarten stonden de grotere cadeaus. Keramische harten met DE BESTE MOEDER VAN DE WERELD erop. Een golfbal met VOOR EEN GEWELDIGE PA. Nepbloemen. Een bel waar LEKKER DING-DING op stond. En wat fotolijstjes.
Het viel me niet direct op.
Ik keek van het een naar het ander, zocht tussen het keramiek en het goedkope plastic, pakte het golfballetje op, liet het belletje zachtjes klingelen. Ik wendde me zelfs weer tot het rek met kaarten, vastbesloten om nu eindelijk een besluit te nemen. Alleen kreeg ik wat je een episode van perifeer zicht zou kunnen noemen, zou kúnnen noemen, want strikt genomen zou het niet waar zijn. Het was niet zozeer dat ik iets zag vanuit mijn ooghoeken; ik herinnerde me alleen dat ik het al eens eerder had gezien.
De bel, ja. En het gekke golfballetje. En de keramische harten. Verder. Daar.
Het zat in het tweede fotolijstje.
En ook in het derde.
En in drie miniatuurtjes die erachter stonden. En in de grote lijst versierd met een metalen latwerk vol bloemen.
'Kan ik u ergens mee helpen?' De stem leek van heel ver weg te komen.
De foto in de fotolijstjes.
Ze stoppen ze erin zodat je kunt zien hoe mooi de lijstjes eruit zullen zien als je ze eenmaal thuis hebt en er je eigen foto's in hebt gedaan. Jij en je vrouw op die bruiloft in Nantucket. De tweeling als Hans en Grietje tijdens Halloween, een eeuwigheid geleden. Curry, de pup met het lieve snoetje. Want anders ontbreekt het de mensen aan het noodzakelijke inbeeldingsvermo-

gen. Ze moeten de lijstjes kunnen zien met surrogaatgezichten erin, zodat ze weten wat ze kunnen verwachten als het lijstje eenmaal thuis op de schoorsteenmantel staat.
'Kan ik u ergens mee helpen, meneer?' De stem klonk nu dringender, maar het leek wel alsof hij door glas sprak.
Achter het glas van de fotolijstjes zat een foto van een klein meisje. Ze zat op een schommel, ergens op het platteland, en haar vlasblonde haar wapperde achter haar aan. Een gezichtje met sproeten, knokige knieën en een lieve glimlach. Het toonbeeld van een zorgeloos kind. Alleen was ze een model. Achter de schommel stonden visagisten en haarstylisten en kostuummensen, alleen kon je hen niet zien.
'Meneer, gaat het wel?'
Ik had deze foto al eens eerder gezien.
'Ik heb je die van mij laten zien, nu moet jij me die van jou laten zien.'
En ze had gelachen. Ik had de beeldschone Lucinda hardop doen lachen, en ze had haar hand in haar tas gestopt en me haar laten zien.
Het kleine meisje op de schommel. Ergens op het platteland.
'Ze is schattig.' Dat had ik gezegd.
En zij had 'dank je' gezegd. 'Ik vergeet het soms.' Twee mensen die elkaar complimenteerden met hun respectieve nakomelingen. Koetjes en kalfjes tussen twee forenzen, niets aan de hand.
Helemaal niets.
'Ik vergeet het soms.' Omdat dat misschien niet zo moeilijk was, iets vergeten wat je niet had.
Ze had me een foto van haar kind laten zien, alleen was het niet háár kind. Het was het kind van iemand anders.
'Meneer? Is er iets mis?' De winkelbediende weer, die zich afvroeg wat me bezielde.
Nou, wilde ik tegen hem zeggen. De heilige geest. Die heeft me bezield. Ik was blind, maar nu kan ik zien.

Ontspoord 33

Ik hielp Deanna de borden op te ruimen, die onder de half opgegeten taart en bolletjes smeltend ijs zaten.
Ik vroeg mezelf af hoe het mogelijk was.
Het verjaardagsfeestje ging gebukt onder een gespannen, ongemakkelijke sfeer. Anna had maar één vriendin uitgenodigd, misschien wel haar enige vriendin tegenwoordig. Het voelde eerder als een wake dan als een verjaardagsfeest, maar ik was ook ergens anders met mijn gedachten.
Ik moest denken aan die arts-assistent op de eerstehulpafdeling die me had gevraagd hoe het met Anna's ogen gesteld was. Ik bedacht dat hij me had moeten vragen hoe het met mijn eigen ogen gesteld was. 'Hebt u problemen met uw ogen?' en ik zou gezegd hebben: 'Ja, dokter. Ik ben blind. Ik kan niets zien.'
Maar nu niet meer.
Mijn leven was veranderd in een treinwrak. Ik kon het gegil van de doden en de stervenden horen. Maar al die tijd had Lucinda achter het stuur gezeten. Dat wist ik nu. Lucinda. En hij.
Hoe was het mogelijk?
Een leugen. Een farce. Oplichterij. Ik probeerde een etiket te plakken op iets wat duidelijk buiten mijn ervaringssfeer lag. Terwijl Anna geduldig afwachtte totdat we klaar zouden zijn met het zingen van 'Er is er een jarig'.
Een val. Bedrog. Terwijl ze haar cadeautjes openmaakte en haar kaartjes las.
Op mijn kaartje stond: 'Kun je niet voor altijd dertien blijven?'
Regelrechte beroving. Terwijl Anna ons een voor een bedankte voor haar cadeautjes en zelfs mij omhelsde.
En dan dit: die man op Penn Station.
Hij was niet haar broer, haar buurman of haar favoriete oom.
Hij was de volgende.
Deanna en ik waren er redelijk in geslaagd de schijn op te houden. We hadden geglimlacht, we hadden gepraat, we hadden in onze handen geklapt toen Anna haar kaarsjes uitblies.
Maar nu Anna en haar vriendin bij de bioscoop waren afgezet en we alleen waren, was er weer een doodse stilte gevallen. Afgezien van het stromende water uit de kraan en het zure gerinkel van borden en glazen die in het rek van de afwasmachine te ruste werden gelegd. En het afschuwelijke geschreeuw in mijn eigen hoofd.

'Nou,' zei ik in een wanhopige poging mijn gedachten in een andere richting te trekken, het gaf niet welke richting, en tegelijkertijd de stilte te doorklieven, 'weer een jaartje ouder.'
'Ja,' zei Deanna zonder veel enthousiasme. Toen zette ze het laatste bord in de afwasmachine, liep naar de keukentafel en ging zitten. En voor het eerst in god weet hoe lang begon ze écht tegen me te praten.
'Hoe gaat het met je, Charles?'
'Niet slecht. Goed.' Leugenaar, dacht ik.
'Echt waar?'
'Ja. Het gaat best goed, Deanna.'
'Ik zat te denken,' zei ze.
'Waarover?'
'Ik zat te denken terwijl we "Er is er een jarig" voor haar aan het zingen waren. Voor onze Anna.'
'Ja...?'
'Je hebt een keer iets gezegd. Over ons, over het ouderschap. Ik vraag me af of je het nog weet?'
'Wat heb ik dan gezegd?'
'Je zei...' ze sloot nu haar ogen in een poging zich de exacte bewoordingen voor de geest te halen, 'dat het net zoiets was als stortingen doen.'
'Stortingen? Ik kan me niet herinneren...'
'Anna was drie of vier, rond die leeftijd, en je was ergens met haar naartoe geweest, naar de dierentuin, geloof ik. Alleen jij en zij, want ik was ziek. Ik geloof niet dat je je zelf zo geweldig voelde; ik geloof dat jij me had aangestoken met je verkoudheid. En je wilde het liefst thuisblijven en op de bank gaan liggen en de hele dag naar football kijken, maar Anna bleef maar zeuren en jij gaf toe en ging toch met haar weg. Weet je dat niet meer?'
Ik herinnerde het me nu weer; vagelijk, tenminste. Een zondag, lang geleden, in de dierentuin in de Bronx. Anna en ik hadden de olifanten gevoerd.
'Ja, ik herinner me die dag nog wel.'
'Toen je terugkwam, bedankte ik je. Ik wist dat je je beroerd voelde en eigenlijk niet wilde gaan. Het was niet vreselijk belangrijk, maar ik weet nog dat ik heel blij was dat je dat had gedaan.'
Deanna keek me nu recht aan, recht in mijn ogen, alsof ze zocht naar iets wat ze kwijt was. Ik wilde zeggen: ik ben er nog, Deanna. Ik ben nooit weggeweest.
'Jij zei toen iets tegen me. Jij zei dat elke dag met Anna, elk fijn moment dat je met haar doorbracht, net zoiets was als een storting. Een kasstorting bij de bank. Als je dat maar vaak genoeg deed, als je ijverig geld bleef wegzetten op die rekening, dan zou ze als ze ouder was en haar eigen vleugels uitsloeg, rijk

genoeg zijn om het te redden. Rijk aan herinneringen, geloof ik. Ik vond het nogal sentimenteel. Ik vond het nogal briljant. Ze moet binnenkort aan de dialyse,' zei Deanna.
'Nee, Deanna.' Elke gedachte aan dierentuinen en olifanten, aan Lucinda en Vasquez, was onmiddellijk verdwenen.
'Dokter Baron heeft wat onderzoeken gedaan. Haar nieren beginnen het te begeven, eentje is al bijna helemaal verschrompeld. Heel binnenkort moet onze dochter drie keer per week met een machine worden verbonden om in leven te blijven. Dat zei hij.'
'Wanneer?'
'Wat maakt het uit? Het gaat gebeuren, en daarmee uit.'
Toen begon Deanna te huilen.
Ik herinnerde me dat ik me nog niet zo lang geleden had afgevraagd of Deanna soms geen tranen meer overhad. Maar toen had ze het tegendeel bewezen, die dag in de tuin. En nu weer.
'Ik denk dat je gelijk had, Charles.'
'Wat... Deanna... Hoe bedoel je?'
'Ik denk dat we het goed gedaan hebben met haar. Ik denk dat we haar een heel stevige bankrekening hebben gegeven. Ik denk dat we nooit vergeten zijn er iets bij te storten. Nooit. Niet één keer.'
Ik voelde iets kriebelen onder mijn ogen, iets warms en nats op allebei mijn wangen.
'Het spijt me, Charles,' zei ze. 'Ik heb nooit mijn ogen gesloten voor wat er zou gebeuren. Maar in zekere zin ook wel. Want ik wilde jou er niet over laten praten. Ik wilde het je niet hardop horen zeggen. Het spijt me zo vreselijk. Ik denk nu dat dat verkeerd was.'
'Deanna... ik...'
'Ik denk dat we er wél over moeten praten. Ik denk dat we moeten praten over wat een bijzondere dochter we hebben, zolang we haar nog hebben. Ik denk dat dat heel belangrijk is.'
En op de een of andere magische, onverklaarbare wijze lagen we opeens in elkaars armen.

Toen we ophielden met huilen, toen we ons eindelijk van elkaar losmaakten en tegenover elkaar gingen zitten, met onze handen verstrengeld, en we naar buiten keken, naar de inktzwarte nacht, dacht ik dat Deanna op het punt stond me te vragen nu weer naar huis te komen. Ik kon bijna zien hoe ze de woorden aan het vormen was.
Ik doorbrak opzettelijk de stemming; ik stond op en zei dat het tijd was om weg te gaan, om terug te gaan naar Forest Hills.

Ik kon nog niet naar huis komen. Niet nu. Nog niet.
Er was me zojuist iets duidelijk geworden. Helder en duidelijk.
Ik moest nog wat zaken regelen.
Dus ik had geen baan meer. Prima. Nu had ik een nieuwe baan. Een nog belangrijkere baan.
Ik moest Anna's andere bankrekening terug zien te krijgen.
Ik moest hen op de een of andere manier zien te vinden.
Ik moest op de een of andere manier mijn geld terug zien te krijgen.

Ontspoord 34

Het was onmogelijk om Lucinda's benen over het hoofd te zien.
Ik had ze die eerste ochtend in de trein niet over het hoofd gezien.
En ik zag ze evenmin over het hoofd toen ik ze die ochtend tevoorschijn zag komen uit de mensenmassa op Penn Station. Ze kwamen met lange passen uit een zee van denim, serge en Engelse wol, glad en sexy en helemaal van haar.
Van haar en die man.
Ik had er al dagen op gewacht om hen weer te zien. Ik had elke ochtend de trein van halfzes naar Penn genomen. Ik had mezelf op ongeveer dezelfde plek gepositioneerd als waar ik hen de laatste keer had gezien. Ik had toegewijd op wacht gestaan. Als de ochtendspits oploste en ze niet waren komen opdagen, liep ik van de ene kant van het station naar het andere.
Dat had ik dag na dag gedaan.
Ik had mezelf voorgehouden dat dit mijn enige kans was. Ik had voor mezelf geduimd en een schietgebedje opgezegd.
Maar nu ik hen gezien had, had ik er moeite mee naar hen te kijken.
Ik voelde me naakt en kwetsbaar en bang.
Als ik bijvoorbeeld naar die man keek, zag ik onwillekeurig mezelf. Ooit, op het vrijgezellenfeestje van een vriend op mijn werk, had ik me net lang genoeg afgewend van de bekoorlijke, jonge stripper met een string om te zien hoe alle anderen naar haar stonden te gapen en dacht ik met onverhoedse ontzetting: ik zie er net zo uit als zij.
Deze man was zo overduidelijk stapelgek op Lucinda, of wie ze ook was. Hij bleef maar naar haar hand grijpen en liefdevol in haar ogen kijken.
Ik had het niet mis gehad; ik wist wie hij was. Ze bespeelde hem, precies zoals ze mij had bespeeld. Hij was de volgende.
Zo zielig, dacht ik. Zo meelijwekkend.
Zo precies als ik indertijd.
Toen ik die dag in de cadeauwinkel in dat fotolijstje had gekeken, had ik me afgevraagd wat het precies was dat me tot zo'n gemakkelijk doelwit had gemaakt. Heel even maar. Want ik wist wat het antwoord was. Nuchter bezien was het maar al te duidelijk hoezeer ik erom gevraagd had. Om iets, wat dan ook, als het me maar kon redden van mezelf.
Ik had behoorlijk veel tijd besteed aan het in mijn hoofd afspelen van alle momenten die ik had doorgebracht met haar, mijn redder. Alleen herin-

nerde ik het me nu allemaal een beetje anders dan eerst. Ik spoelde de beelden vooruit en achteruit en weer terug in mijn hoofd, net zoals in de dagen voor de gecomputeriseerde montagesystemen, toen ik repen film door Moviola's moest spoelen totdat ze begonnen te rafelen en te scheuren. Ik moest ze keer op keer op keer oplappen met plakband, totdat er gewoon barsten in de beelden begonnen te komen en ze bijna tot stof vergingen. Neem nu de eerste keer dat ik Lucinda ontmoette. 'Hier, ik betaal wel voor hem,' had ze die dag in de trein liefjes gezegd, maar als ik nu goed keek, kon ik hier en daar in haar gezicht al lelijke lijnen zien verschijnen terwijl ze een briefje van tien dollar aan de boze conducteur gaf.

Die dag had ze me uitgekozen.

Lucinda en de man waren naar de open koffietent gegaan, waar ze vetvrije perzikmuffins en kleffe bagels verkochten. De man bestelde twee koffie en ze gingen elleboog aan elleboog aan weerszijden van een tafeltje staan. De stoom verhulde soms hun gezichten.

Ik ging met mijn rug naar hen toe staan. Ik bladerde door de tijdschriften van de kiosk en gluurde naar hen. Ik was bang dat ze me zou zien, maar minder bang dan ik normaal gesproken zou zijn geweest.

Mijn gezicht was veranderd.

Het was geleidelijk, stukje bij beetje gebeurd. Ik was afgevallen. Toen mijn leven leek te imploderen, was mijn eetlust verminderd, afgenomen, verdwenen. Mijn kleren begonnen los om me heen te hangen. Toen Barry Lenge de genadeslag had toegebracht en me naar de gelederen van de werklozen had verwezen, was ik ook opgehouden me te scheren. Mijn sikje was een baard geworden. Een paar dagen geleden had ik in de badkamerspiegel gekeken en het soort gezicht gezien dat je in gijzelingsdrama's ziet. Zo'n gekweld uitziende regeringsfunctionaris die na maanden duistere gevangenschap in het buitenland eindelijk is vrijgelaten. Zo zag ik eruit.

Alleen werd ik nog steeds gegijzeld.

Ik bleef nu gluren.

Het werd nu moeilijk om alleen maar naar hen te kijken, zonder op hen af te stappen om de confrontatie aan te gaan. Want nu voelde ik me niet alleen bang en naakt en kwetsbaar, maar ook boos. Het gevoel welde in me op als een plotselinge vlaag van misselijkheid. Het soort woede dat ik tot op dit moment uitsluitend had bewaard voor God – op de dagen waarop ik in God geloofde en op de dagen waarop ik dat niet deed – vanwege Anna's ziekte. Het soort woede dat me mijn handen tot vuisten deed ballen en me deed fantaseren over hoe ze Vasquez' gezicht zouden raken. En dat van haar.

Maar ik weerstond de verleiding om op haar af te lopen en te zeggen dat ik

hen doorhad. Dat ik wist wat ze me had aangedaan. Ik moest mijn tijd afwachten. Om Anna's geld terug te krijgen, moest ik Vasquez zien te vinden; en om Vasquez te vinden, had ik Lucinda nodig.
Dat was mijn mantra. Dat was mijn missie.
Zij zou me naar hem toe leiden.

Ik vermoedde dat Lucinda geen effectenmakelaar meer was.
Ik ving iets op van een gesprek dat Lucinda een week later op woensdag, op Penn Station, met de man had. De man had het over een cliënt wiens aandelen hij duurder verkocht dan hij hem vertelde, en zei dat die cliënt een ware geldbuidel voor hem was; wat betekende dat hij effectenmakelaar was en zij niet. Want een effectenmakelaar zou misschien andere mensen bij makelaarskantoren kennen en hun misschien vragen stellen over hun collega Lucinda, die, zoals zou blijken, niet bestond. Nee, Lucinda deed tegenwoordig duidelijk iets anders voor de kost. Advocaat, verzekeringsagent, circusclown. En ongetwijfeld was Lucinda niet eens haar echte naam.
Ik wist echter wel de naam van de man die ze zijn geld wilde gaan ontfutselen. Dat wist ik omdat er diezelfde ochtend, toen ze samen een kop koffie stonden te drinken, een andere man op hen af was komen lopen en had gezegd: 'Sam, Sam Griffen, hoe gaat het met je?'
Niet zo best, feitelijk. Meneer Griffen trok bleek weg; zijn gezicht kreeg de kleur van zeep, terwijl Lucinda zich afwendde en naar de prijslijst aan de muur keek.
Toen meneer Griffen de controle over zijn stem had hervonden, zei hij: 'Prima.'
Toen draaide Lucinda zich om en liep weg met haar koffiebekertje, gewoon als een van de vele forenzen die op weg waren naar de metro. En meneer Griffen bleef vijf minuten met deze onwelkome indringer staan praten. Toen hij vertrok, zuchtte meneer Griffen en veegde zijn gezicht af met een vuil servetje.
Ik vond het nogal verontrustend om zo dicht bij een slachtoffer te zijn zonder dat ik hem kon waarschuwen. Het was net alsof ik naast een kind stond dat een te hard rijdende auto niet kon zien die op hem afdenderde, terwijl ik niet tegen hem mocht zeggen dat hij uit de weg moest gaan. Ik moest in close-up en extreme slowmotion toezien hoe dit afschuwelijke ongeluk zich voltrok. Een voyeur van het ergste soort.

Ik dacht één keer dat ze me gezien had.
Ik was hen op een ochtend gevolgd naar een koffietent ten noorden van Chinatown.

Ze hadden een tafeltje gekozen bij het raam en ik zag dat Sam Griffen naar haar hand reikte en dat Lucinda hem in de zijne legde.
Ik moest er onwillekeurig aan denken hoe die hand in mijn eigen hand had aangevoeld. Heel even maar. Ik herinnerde me wat die hand met me had gedaan, het genot dat die hand die dag in het Fairfax Hotel in me had opgeroepen. Alsof ik een Chinees doosje opende en er een nieuw doosje in aantrof, en dat ook opende, en dan het volgende doosje; en de doosjes werden steeds kleiner en krapper en ik maakte ze steeds sneller en sneller open totdat er geen doosjes meer over waren en ik probeerde op adem te komen.
Ik probeerde nog steeds op adem te komen, verloren als ik was in herinneringen aan genot vermengd met schuldgevoel, toen ze de koffietent verlieten. Ik moest me omdraaien en naar de overkant van de straat rennen. Ik moest mijn adem inhouden, tot tien tellen en me vervolgens langzaam weer omdraaien, met mijn vingers gekruist, om te zien of ze mij gezien had.
Nee. Ze waren vertrokken in een taxi.

Toen raakte ik hen kwijt.
Een dag.
Twee dagen.
Drie dagen.
Een week. Geen Lucinda. Geen meneer Griffen. Nergens.
Ik kamde Penn Station van het ene eind naar het andere uit; ik kwam vroeg en bleef lang hangen.
Maar niets.
Ik begon in paniek te raken en te denken dat ik misschien de boot had gemist. Dat ze meneer Griffen al ergens mee naartoe had genomen voor een middagje seks en dat Vasquez hen al op heterdaad had betrapt. Dat hij hun portefeuilles al had afgenomen en meneer Griffen had gevraagd waarom hij zijn vrouw belazerde. Misschien had hij meneer Griffen zelfs al thuis gebeld en zijn dringende behoefte aan een lening aangegeven. Tienduizend dollar, meer niet, en dan zou hij nooit meer last van hem hebben.
Toen de volgende week aanbrak en ik hen nog steeds nergens kon vinden, stond ik op het punt het op te geven. Ik stond op het punt toe te geven dat een vijfenveertig jaar oud ex-staflid van een reclamebureau niet het recht had te denken dat hij dit kon winnen. Dat ik hopeloos uit mijn element was.
Ik stond op het punt de handdoek in de ring te gooien.
Toen herinnerde ik me iets.

Ontspoord 35

‘Oké,’ zei de man achter de hoofdbalie. ‘Voor hoe lang wilt u hem hebben?’
Deze baliemedewerker was diezelfde man die me in november de sleutel voor kamer 1207 had gegeven toen ik voor hem stond met Lucinda aan mijn arm.
Ik was terug in het Fairfax Hotel en de baliemedewerker vroeg me hoe lang ik kamer 1207 dacht nodig te hebben.
Goede vraag.
‘Hoeveel is het voor twee weken?’
‘Vijfhonderdachtentwintig dollar,’ zei de man.
‘Prima,’ zei ik. Voorlopig was ik geschorst met doorbetaling van salaris. En vijfhonderdachtentwintig dollar was een koopje in New York City, ook al zaten er in de kamer bloedvlekken op de vloerbedekking en de stank van seks in de hoeslakens.
Ik betaalde contant en ontving mijn kamersleutel. Er lag een stapel tijdschriften op een gehavende bank, het enige echte meubelstuk in de lobby. Ik bleef staan om ze te bekijken: een *Sports Illustrated* van vorig jaar, een *Popular Mechanics*, twee nummers van *Ebony* en een oude *U.S. News & World Report*: BESLISSEND TREFFEN IN PALM BEACHDISTRICT. Ik nam de *Sports Illustrated.*
Ik nam de lift samen met een man met een jack van de universiteit van Oklahoma, die er ook daadwerkelijk uitzag alsof hij uit Oklahoma kwam. Hij had de enigszins verbijsterde gezichtsuitdrukking van een toerist die voor de foto op het omslag van de brochure was gevallen; de foto die in 1955 genomen was, toen het Fairfax Hotel nog niet gesubsidieerd werd met uitkeringsgelden. Hij had waarschijnlijk zijn geluk al beproefd met een spelletje monte met drie kaarten en een echt Rolex-horloge gekocht bij de man op de hoek. Hij zag eruit alsof hij zin had om naar huis te gaan. Dat gold ook voor mij.
Maar ik had nu een missie, dus ik kon niet naar huis.
Een vluchtig moment lang, terwijl ik de deur aan het openmaken was en de sleutel heen en weer bewoog in het enigszins weerbarstige slot, verstrakte ik onwillekeurig en verwachtte ik half dat iemand me onverwachts in de flank zou aanvallen en me de kamer in zou duwen. Dat gebeurde natuurlijk niet, maar dat nam niet weg dat ik een zucht van verlichting slaakte toen ik binnen was en de deur dicht kon doen.

De kamer zag er een beetje kleiner uit dan die eerste keer, alsof ik er in gedachten afmetingen aan had toegekend die beter strookten met wat hier voorgevallen was. Maar het was gewoon een kamertje in een krap hotel in het centrum, net groot genoeg voor twee mensen die in feite van plan waren min of meer aan elkaar vastgeplakt te blijven, bevorderlijk voor seks, al was het maar vanwege de beperkende afmetingen. Het soort kamer dat leuk is voor twee personen maar een ramp als je er met zijn drieën in moet, als ik me goed herinnerde hoe het was om op die plek met het panoramische uitzicht op de vloer te zitten.
Ik ging op het bed liggen zonder mijn schoenen uit te doen en sloot mijn ogen. Een paar minuutjes maar.
Toen ik wakker werd, was het bijna donker.
Een paar seconden lang had ik geen idee waar ik was. Lag ik niet thuis in bed? Lag Deanna niet naast me, of was ze niet beneden om iets lekkers in elkaar te flansen voor het avondeten? En zat Anna in de kamer naast me niet vrolijk op internet te chatten, met haar huiswerk opengeslagen op schoot, als een rekwisiet om mij op een dwaalspoor te brengen?
Er hing een muffe geur in de kamer, muffer zelfs dan in mijn gemeubileerde appartement; het matras voelde tegelijkertijd hard en bobbelig aan; de spookachtige omtrekken van een stoel en een tafel die ik niet herkende leken bij het voeteneind van het bed in de lucht te hangen en deden me duizelen. En eindelijk werd ik wakker geschud door mijn nieuwe omgeving, als door een wekkerradio die te hard stond. Ik kreunde, kromp ineen en zocht heimelijk naar een stopknop die niet bestond.
Ik stond op en liep de badkamer binnen om wat koud water in mijn gezicht te gooien. Mijn lichaam prikte overal en mijn mond was droog en klef. Ik keek op mijn horloge: vijf voor halfacht.
Ik had de hele dag liggen slapen. Toen ik terugliep naar het bed, zag ik op de grond de *Sports Illustrated* liggen die ik van beneden had meegenomen.
Ik zag de datum.
8 november.
Een week voordat ik op de trein van vijf over negen naar Penn Station was gestapt en mijn hele wereld in elkaar was gestort.

Ontspoord 36

Ik zat op de gehavende bank in de lobby.
Ik droeg een honkbalpet die ik omlaag had getrokken tot vlak boven mijn ogen.
Ik hield het personenverkeer in de gaten als een klaar-over met haviksogen.
'Voor hoe lang wilt u hem hebben?' had de baliemedewerker me gevraagd toen ik incheckte.
Waarom wilde ik hem überhaupt?
Die dag toen we Penn Station hadden verlaten en in een taxi waren gestapt, die dag toen ze eindelijk ja had gezegd. Toen ze me had gevraagd: 'Waar?'
Ik had plichtsgetrouw vanuit een rijdende taxi ons hotel uitgezocht.
Maar misschien ook niet.
Nu had ik de indruk dat ik er een had aangewezen, maar dat zij had gezegd 'Nou, nee', waarna ik er nog een had aangewezen die haar niet aanstond; en uiteindelijk, toen we al bijna helemaal in het centrum waren, in de buurt van haar kantoor, had ik naar het Fairfax Hotel gewezen en had zij gezegd: 'Oké.' Dus als je er goed over nadacht, was zij misschien toch degene geweest die ons hotel had uitgezocht.
Misschien was zij het wel geweest.
Het hotel waarin ik op het verkeerde moment de verkeerde man tegen het lijf was gelopen. Alleen was ik niet echt iemand tegen het lijf gelopen. Ze hadden een val opgezet en ik was er rechtstreeks in gelopen.
Wat me bij mijn ingeving brengt. Een idee dat bij me opkwam toen ik met lege handen en in paniek op Penn Station stond.
Er was voor haar geen enkele reden om te denken dat ik er ooit achter zou komen hoe het zat tussen haar en Vasquez. De laatste keer dat ze me had gezien, was in Spanish Harlem, toen ik vluchtend voor mijn leven de trap af rende.
Ze hoefden geen nieuw adres te zoeken.
Alleen een nieuw slachtoffer.
Als ze meneer Griffen van het grootste deel van zijn geld en al zijn waardigheid gingen ontdoen, was de kans groot dat ze dat op precies dezelfde plek zouden doen als met mij.
Daarom ging ik op de bank in de lobby zitten.
En wachtte af.

Ik droomde.
Ik zat weer in de trein. De trein van vijf over negen naar Penn Station.
Ik was mijn zakken weer aan het doorzoeken omdat de conducteur over me heen gebogen stond en om geld vroeg.
'Honderdduizend dollar,' zei hij.
'Waarom zo veel?' vroeg ik hem.
'De kaartjes zijn duurder geworden,' antwoordde de conducteur.
Toen Lucinda aanbood voor me te betalen, zei ik dit keer nee.

Ik kreeg allebei de nummers van *Ebony* uit.
Geduld, hield ik mezelf voor toen er weer een ochtend verstreek zonder dat ik hen had gezien. Geduld. Bedenk immers maar hoeveel geduld Lucinda met mij betracht had. Al die intieme lunches en romantische dineetjes die ze had moeten doorstaan om mij boven in die kamer te krijgen. Als zij het kon, kon ik het ook.
Popular mechanics bracht me enige basiskennis over heetwaterleidingen bij. Ik las welke moersleutel was verkozen tot beste koop. Hoe je een vloer moest betegelen. Hoe je gemakkelijk een dak kon bedekken.

Op een middag belde ik Barry Lenge vanuit mijn kamer om te horen hoe het ging met het onderzoek. Om even contact op te nemen met de echte wereld – was dat niet hoe de infanteristen in Vietnam hun thuisbasis noemden, de wereld die ver verwijderd was van het front? En daar was ik nu ook: in de frontlinie. Ik was aan het wachtlopen om een vijandelijke invasie te voorkomen.
En de militaire verwijzing was volkomen toepasselijk. Deed ik tegenwoordig niet elke ochtend krachtoefeningen? Push-ups, buikspieroefeningen, sprongoefeningen, gymnastische oefeningen, de hele mikmak. Dus de volgende keer dat Vasquez 'brave jongen' tegen me zei, zou ik hem misschien kunnen laten zien dat ik niet zo braaf was als hij dacht.
En dan was er nog iets. Ik had Winstons pistool nog. Ik had het in een handdoek gewikkeld en in kamer 1207 achter de radiator gestopt.
Wat de echte wereld betrof, Barry Lenge kwam aan de telefoon en zei dat het helemaal geen zin had om hem te bellen. Ze waren nog steeds bezig met hun onderzoek. Ze waren de puntjes op de i aan het zetten. Het zag er voor mij echter niet best uit. Ik had zijn aanbod moeten aannemen, dat was een ding wat zeker was. Hij zou me snel genoeg bellen.
Ik bedankte hem dat hij me te woord had willen staan.
Toen controleerde ik of er nog berichten waren op mijn mobiele telefoon en trof ik een voicemailbericht van Deanna aan.

'Een rechercheur Palumbo heeft voor je gebeld. Hij zei dat het belangrijk was. Ik heb tegen hem gezegd dat je de stad uit bent.'
Ik had niet veel tijd meer.
Dat wist ik. Zowel ikzelf als Sam Griffen had niet veel tijd meer. Als Sam Griffen überhaupt nog tijd had.

Het was vrijdagochtend.
Ik was aan het bladeren door de achterhaalde *U.S. News & World Report* met de kop BESLISSEND TREFFEN IN PALM BEACHDISTRICT. Af en toe wierp de baliemedewerker een blik op mij, de baliemedewerker én de piccolo: ze bekeken me, van top tot teen, zonder een woord te zeggen.
Zo'n soort hotel was het. Mensen die hier kwamen, konden nergens anders naartoe, dus niemand verwachtte van je dat je ergens naartoe ging of iets ging doen. Je kon hier op je dooie gemak wat rondhangen, de hele dag op een bank blijven zitten en achterhaalde tijdschriften lezen zoveel als je maar wilde.
'Gore vol vertrouwen over ultieme overwinning', berichtte het tijdschrift ernstig.
Toen ik weer opkeek, had de piccolo zich verdubbeld. Hij had wat hulp gekregen voor de middagdrukte; een zwarte man gekleed in een gelijksoortig, onopvallend groen uniform stond geleund tegen de balie met hem te praten.
Ik had mijn mobiele telefoon boven laten liggen en ik wilde Anna bellen. Ik stond op en liep naar de lift. De piccolo knikte naar me; de zwarte man die tegen hem stond te praten, hield even op, draaide zich om en hervatte vervolgens het gesprek.
Ik dacht dat ik die piccolo kende, die zwarte. Dat ik hem die dag, maanden geleden, moest hebben gezien toen ik samen met Lucinda in diezelfde lift was gestapt. De liftdeuren gingen open; ik stapte in en drukte op twaalf.
Ik stapte uit op mijn verdieping, ik neuriede een liedje waarvan ik me de tekst niet kon herinneren, ik opende de deur van mijn kamer en liep naar binnen. En op dat moment realiseerde ik me dat ik het mis had: dat was toch niet de dag waarop ik hem had gezien.
Ik liep weer terug de lift in en drukte op de knop met 'Lobby'.
De zwarte man stond nog steeds tegen de hoofdpiccolo te kletsen, met zijn rug naar me toe gekeerd, zodat ik niet kon zien of ik gelijk had.
'Noemen ze je Chuck?'
Ik liep in een wijde cirkel naar de hoofdbalie, de hele tijd opzij kijkend, en hield mijn adem in terwijl het gezicht van de man langzaam in zicht kwam, van een kwartmaan naar een halvemaan; zijn gelaatstrekken begonnen vorm te krijgen.

'Als je mijn maatje was, zouden we je Chuck noemen.'
Weet je nog? Toen ik stond te wachten op de hoek van... Wat was het ook alweer, 8th Street en Avenue C? Toen ik in Alphabet City stond te wachten op Vasquez, alleen was het niet Vasquez die op me afliep, of liever, tegen me op liep.
'Waarom kijk je niet uit waar je loopt?'
Het gezicht was nu voor driekwart zichtbaar en ik begon klamme handen en een licht gevoel in mijn hoofd te krijgen.
Hij was het.
Ja, inderdaad.
De zwarte man die me tegen de muur van het steegje had gedrukt en me had gefouilleerd, de man die stonk naar bloed en haarcrème.
Ik wendde me snel af in de richting van de baliemedewerker, die opkeek alsof hij een vraag verwachtte. En de vraag was: hoe slim is Charles? Heel slim, of in elk geval een stuk slimmer dan zeven maanden geleden.
Maar zelfs een idioot heeft wel eens een goede dag.
Deze ene keer wist ik immers iets wat zij niet wisten.
Ik wist hoe ze het deden.
Ik wist waar ze het opnieuw zouden doen.

Ontspoord 37

Ik kocht een zonnebril bij de Vision Hut op 48th Street. Ik was er vrij zeker van dat de zwarte man me niet had herkend die dag, dat hij de bebaarde en ondervoed uitziende man die hij in de lobby had zien zitten niet in verband had gebracht met de man die hij in Alphabet City dat steegje in had geleid. Desondanks kon het geen kwaad om voorzorgsmaatregelen te nemen.
Ik deed nog voor zeven uur 's ochtends tweeënvijftig push-ups en vijfenzeventig sit-ups.
Toen ik beneden kwam, liep ik naar de balie om gedag te zeggen.
'Hoi,' zei de hoofdpiccolo.
'Niet erg druk vandaag, hè?' vroeg ik.
'Nee.'
Toen wist ik eigenlijk niet meer wat ik moest zeggen.
'Hoe lang werkt u hier al?' Een goede gesprekspartner stelt de ander altijd vragen over zichzelf.
De piccolo keek nogal achterdochtig. Hij was tussen de veertig en de vijfenveertig, vermoedde ik, met vettig haar dat hoog was opgekamd, in een stijl die al minstens veertig jaar uit was.
'Al een tijdje,' zei hij.
'Hebt u wel eens vrij?'
'Hoezo?'
'Pardon?'
'Waarom wil u weten of ik wel eens vrij heb?'
'Weet ik veel. Zomaar.' Omdat ik een gesprek probeerde aan te knopen.
'O, ik snap het al,' zei hij.
'Hè?'
'Wat zoekt u precies? Wilt u een blanke, een zwarte, een Latino... nou?'
'Pardon?'
'Wilt u nu een meisje of niet?'
Ik bloosde. 'Nee. Ik wilde alleen maar wat... praten...'
'Op die manier,' zei de piccolo. 'Prima.'
Kennelijk deed de piccolo in dit hotel meer dan alleen maar je bagage voor je dragen.
'Bent u de enige piccolo hier?' vroeg ik in een poging het gesprek in de gewenste richting te sturen.
'Hoezo?'

‘Ik vroeg me gewoon af of u soms...’
‘Wat wilt u nu eigenlijk precies, meneer?’ Hij klonk nu geïrriteerd. ‘Als u iets hebt afgesproken met Dexter, moet u het hem maar vragen, oké?’
Dexter. Zo heette hij dus. Dexter.
‘Wanneer moet... Dexter werken?’
De hoofdpiccolo haalde zijn schouders op. ‘Op woensdag en vrijdag.’
‘O.’
‘Moet uw bagage ergens worden neergezet?’
‘Mijn bagage? Nee.’
‘Oké. Nou, ik ben de hoofdpiccolo. Dus tenzij uw bagage ergens moet worden neergezet...’
Hij vroeg me mijn mond te houden. Ik trok me weer terug op de bank, waar ik ongeveer een halfuurtje bleef zitten, tot aan de lunch.

Toen ik een paar ochtenden later terugkwam van mijn dagelijkse uitstapje om koffie te halen, iets wat ik elke ochtend rond zeven uur deed, stond Dexter achter de balie.
Ik ging op de bank zitten en maakte met trillende handen mijn koffiebekertje open.
Ik was bang dat Dexter me zou herkennen en ik begon weer een beetje bang te worden; ik zag er misschien uit als een gevaarlijk man met mijn oversized zonnebril, maar uiterlijk kan misleidend zijn. Zo zag Dexter er min of meer ongevaarlijk uit zoals hij daar in zijn lichtgroene uniform een tijdschrift zat te lezen. Hij zag eruit als een man die je zelfs wel met je bagage zou helpen als je het hem vriendelijk vroeg. Niet als een man die je in een steegje tegen een muur zou smijten en zou lachen wanneer je een stomp in je buik kreeg. Ik voelde op die plek een vage pijn, een overblijfsel van die dreun in mijn middenrif, en misschien was dat wel mijn lichaam dat me waarschuwde. Waar ben je mee bezig, Charles? vroeg mijn lichaam. Weet je dan niet meer hoeveel pijn het deed? Je huilde. Je kon niet ademhalen, weet je nog?
Ik wist het nog heel goed.
Er was nog een reden waarom mijn handen beefden.
‘Op woensdag en vrijdag,’ had de hoofdpiccolo me geantwoord toen ik vroeg naar Dexters werkschema.
Vandaag was het dinsdag.

Ontspoord 38

Ik haalde het pistool achter de radiator vandaan; het voelde heet aan. Ik wilde me er alleen even van vergewissen dat het er nog lag, dat het niet verdwenen was, niet door het gat in de muur van de badkamer was gevallen of door de schoonmaakster was gestolen.
Ik hield het vast als een rozenkrans, als iets wat misschien wel mijn liefste wens in vervulling zou doen gaan.
Ik stopte het terug in het gat.
Toen ik uit de lift de lobby in liep, zag ik Dexter met zijn hoofd in zijn handen achter de balie zitten. Hij leek in een tijdschrift over vrouwelijke bodybuilders te lezen.
Ik liep langzaam naar de hoofdbalie en bekeek een stapel oude, toeristische brochures. 'Maak een ritje met de Circle Line,' stond op een van de folders. 'Broadway-tours.' Al die dingen waar een New Yorker zelf nooit aan toekomt.
Het was behoorlijk rustig in de lobby die ochtend. Er was een stel dat kennelijk op een taxi stond te wachten; zo'n beetje elke minuut stak de man zijn hoofd om de hoek van de voordeur en verkondigde hij dat er nog geen taxi's waren. Zijn vrouw knikte en zei dat ze te laat zouden komen. De man zei: 'Dat kun je wel stellen.' Toen de man twee minuten later zei dat er nog steeds geen taxi's waren, deed ze dat dus ook.
De man met het jack van de universiteit van Oklahoma, die ik in de lift had gezien, klaagde tegen de baliemedewerker dat er geen bijbel op zijn kamer lag.
'U maakt een grapje, zeker?' zei de baliemedewerker tegen hem.
Een oude man stond gebogen over zijn looprekje, links van de liften. Misschien bewoog hij wel, maar als dat zo was, gebeurde het te langzaam om met het blote oog waar te nemen.
Ik was blij met het gezelschap. Het was moeilijk je voor te stellen dat er iets vreselijks met je zou gebeuren als er naast je een oude man met een looprek voortschuifelde en iemand anders liep te klagen dat er geen bijbels op zijn kamer lagen.
Dexter keek me recht aan en vroeg of ik wist hoe laat het was.
'Acht uur,' zei ik.
En toen verstrakte ik en wachtte ik totdat Dexter me zou herkennen.
Wacht eens even, ik ken jou... Wat doe jij hier, verdomme?
Maar Dexter richtte zijn aandacht weer op zijn tijdschrift.

De oude man leek naast zijn problemen met zijn benen ook nog eens te lijden aan een soort longemfyseem; bij elke piepkleine schuifelstap piepte en rochelde hij en snakte hij naar adem.
Een vrouw met hakken van vijftien centimeter, die absoluut geen problemen had met haar benen, liep heupwiegend de lobby binnen, vergezeld van een klein, dik mannetje in een lelijk pak. Ze maakte een omweggetje langs de hoofdbalie en greep zonder ook maar een moment echt stil te staan een kamersleutel die de baliemedewerker al had klaargelegd.
'Kom maar, liefje,' zei ze tegen de dikke man. 'Kom maar.'
De dikke man hield zijn blik gericht op de versleten vloerbedekking in de lobby. Zo bleef hij staan totdat de lift openging en hem redding bood.
Twee jonge stellen met bagage kwamen naar binnen en vroegen wat een kamer kostte. Maar de twee vrouwen – meisjes waren het eigenlijk nog – keken al die tijd met overduidelijke afkeer om zich heen in de lobby. Ze keken naar de oude man alsof hij zonder kleren rondliep. Ze leken ook niet erg gecharmeerd van mijn aanblik.
Ik hoorde hen fluisteren tegen hun vriendjes, die kennelijk wel wilden blijven – de prijs was redelijk, nietwaar? Maar de vrouwen wonnen het: de jongens haalden hun schouders op en zeiden nee, bedankt, waarna ze alle vier vertrokken.

'Volgende maand... ben ik... jarig,' zei de oude man met het looprek.
Hij was naar mij toe gekomen. Ik herinnerde me een spelletje dat ik als kind altijd speelde. Het heette 'Koekoek' en het doel van het spel was iemand te besluipen zonder dat diegene je zag bewegen. Degene die hem was, moest zijn ogen dichtdoen en 'Een, twee, drie, koekoek!' zeggen, om zich vervolgens snel om te draaien en te proberen de oprukkende achtervolgers te betrappen. Het was nooit leuk om hem te zijn. Het was griezelig om iemand zeven meter achter je te zien staan en je vervolgens om te draaien om te zien dat hij nog geen twee meter bij je vandaan stokstijf stilstond. Zo was het ook met de oude man, die steeds wanneer ik keek vastgenageld leek aan de grond, maar toen opeens aan mijn rechterschouder stond.
'Drieën... tachtig,' zei hij weer. Hij moest zo'n beetje om de twee woorden even ophouden in een poging genoeg lucht in zijn longen te krijgen. In Vegas zou je tegen een aantrekkelijke inzet een weddenschap kunnen afsluiten op de vraag of hij de vierentachtig nog zou halen.
'Gefeliciteerd,' zei ik.
'Woon hier al... twintig jaar,' zei de oude man hijgend.
Ik stelde me zo voor dat het hotel precies rond die tijd aan zijn razendsnelle teloorgang was begonnen.

'Nou, veel geluk,' zei ik.
Gewoonlijk vond ik het moeilijk om met oude mensen te praten. Ik nam altijd mijn toevlucht tot handgebaren en minzaamheid, alsof ze buitenlanders waren. Maar vanochtend was het beter om met iemand te praten, wie dan ook, dan om helemaal niet te praten. Want ik koesterde twee verschrikkelijke angstbeelden. Het eerste was dat Lucinda en Vasquez en Dexter meneer Griffen al hadden beroofd en in elkaar geslagen; het tweede was dat ze dat nog niet hadden gedaan.
De oude man zei: 'Bedankt.'
Ik moest naar de wc. Zenuwen. Ik moest al een halfuur, maar had mezelf steeds voorgehouden dat ik mijn post niet mocht verlaten. Nu moest ik wel. Ik liep naar de lift en drukte op de knop.
De deuren gingen met een luide zucht open; ik liep naar binnen en drukte op twaalf. Ik wiebelde met mijn benen. Toe nou, toe nou... Ik keek naar de liftdeuren alsof ik ze met mijn wil kon sluiten. Eindelijk begonnen ze dicht te gaan en werd de hotellobby centimeter voor centimeter smaller; ik kon er steeds minder van zien, totdat hij zo goed als verdwenen was en er nog maar een smal reepje zichtbaar was. Een centimeter of vijfentwintig, schat ik, meer niet.
Net breed genoeg om te kunnen zien dat Lucinda en Sam Griffen het hotel binnen kwamen.

Ontspoord 39

Dat was waarvoor ik gekomen was.
Hoewel ik zin had om te schreeuwen: nee, niet vandaag!
Hoewel ik er niet klaar voor was.
Desondanks haalde ik de twaalfde verdieping zonder van mijn stokje te gaan. Tot nu toe ging het goed. Ik wist mijn kamer te bereiken zonder aangevallen te worden. Het ging geweldig. Ik ijsbeerde door de kamer, heen en weer, als een grote katachtige in de dierentuin in de Bronx, maar de waarheid was dat ik meer leek op die leeuw uit *De tovenaar van Oz*, die op zoek was naar moed.
Maar ik hád toch moed, nietwaar, die moest ik toch ergens hebben, of niet? Ja, natuurlijk. Mijn moed was verborgen achter de radiator in de badkamer, gewikkeld in een handdoek. Ik liep naar de badkamer om hem te halen, sloeg de handdoek open en haalde mijn moed eruit.
Ik wierp een blik in de spiegel en zag een blinde man. Een blinde man met een pistool.
Ik verliet de kamer weer, maar dit keer liep ik via de brandtrap naar beneden, via het donkere trappenhuis, van waaruit ik kon gluren als ik eenmaal weer beneden was. Ik stopte het pistool in mijn zak.
Aan het plafond in het trappenhuis hingen repen van wat eruitzag als asbest; ratten scharrelden heen en weer in de donkere hoekjes van de overlopen. Toen ik de begane grond bereikte, deed ik langzaam de deur op een kiertje open, zodat ik er met één oog doorheen kon kijken. Alleen was er niets te zien. Lucinda en Sam waren verdwenen.
Ik liep weer de lobby in. Dexter zat weer achter de balie, maar ik had de indruk dat hij nog maar net terug was. Misschien omdat hij er gespannen uitzag. Alsof hij zich zorgen maakte om zijn fooi.
Ik liep naar de hoofdbalie, hoewel ik de grond onder mijn voeten niet kon voelen.
'Pardon,' zei ik tegen de baliemedewerker. 'Mag ik u iets vragen?'
'Wat?'
'De vrouw die net binnenkwam.'
'Ja? Welke vrouw?'
'De vrouw die hier met een man binnenkwam. Net nog. Donker haar. Erg aantrekkelijk. Ik geloof dat ik haar ken.'
'Nou, en?'

'Nou, ik ben nieuwsgierig of zij het is. Hoe heet ze?'
Hij keek alsof ik zojuist had gevraagd naar het telefoonnummer van zijn vrouw of de exacte afmetingen van zijn pik. 'Die informatie mag ik u niet geven,' zei hij stug.
'Ook goed,' zei ik. 'Vertel me dan maar in welke kamer ze zit, dan bel ik haar even.'
'U zult me eerst haar naam moeten geven,' zei hij.
'Lucinda?'
De baliemedewerker keek in zijn gastenboek. 'Nee.'
'En de man dan? Sam Griffen.'
'Ook niet.'
Heel even stond ik op het punt de baliemedewerker te vragen nog een keer te kijken en als hij nog steeds nee zei, hem ervan te beschuldigen dat hij loog. Dat het wel degelijk Sam Griffen was, geen twijfel mogelijk. Toen besefte ik dat het niet de baliemedewerker was die zich schuldig had gemaakt aan liegen. Sam Griffen had zich natuurlijk niet onder zijn eigen naam ingeschreven.
'Laat maar,' zei ik. Ik liep naar de glazen deuren en staarde naar de zonverlichte stoep.
Zo doen ze het dus, dacht ik. Dexter weet van tevoren het kamernummer. Lucinda kiest het hotel uit. Dan vertelt Lucinda Vasquez wanneer en vertelt Dexter Vasquez waar. Het exacte kamernummer. Zodat Vasquez hen kan opwachten in het trappenhuis. Dexter wordt waarschijnlijk afgekocht, elke keer wordt hij afgekocht. Dexter werkt op woensdag en vrijdag, maar soms werkt hij op dinsdag. Als Vasquez tegen hem zegt dat hij dat moet doen.
Ik liep terug naar de hoofdbalie. Dexter zat nog steeds bij de piccolopost zijn tijdschrift te lezen.
Ik moest dat kamernummer te weten zien te komen.
'Pardon,' zei ik.
'Ja?'
Ik boog me voorover en fluisterde: 'Die vrouw over wie ik u daarnet iets gevraagd heb. Ze is mijn vrouw.'
'Wat?'
'Ik heb zitten wachten om te zien of ze hiernaartoe zou komen. Begrijpt u wel?'
Ja, hij begreep het. Hij was baliemedewerker in een hotel, dus hij begreep het maar al te goed. Alleen wilde hij nog steeds niets loslaten.
'Ik kan geen kamernummers doorgeven.'
'Voor honderd dollar misschien wel.'
Maar hoewel hij aarzelde, over zijn onderlip likte en rondkeek om te zien of er mensen in de lobby waren die ons konden horen, zei hij toch nee.

Ik had ongeveer tweehonderdtachtig dollar in mijn portefeuille.
'Tweehonderdtachtig dollar,' fluisterde ik, en vervolgens, toen de baliemedewerker nog steeds niets zei: 'En dan zal ik niemand vertellen dat je hier zakendoet met prostituees.'
De baliemedewerker van het Fairfax Hotel liep rood aan. Hij begon te stotteren. Hij probeerde me in te schatten. Hoeveel problemen kàn die vent veroorzaken? vroeg hij zich af.
Hij fluisterde: 'Oké.'
'Voor tweehonderdtachtig dollar wil ik ook graag de sleutel,' zei ik.
En de baliemedewerker zei: 'Kamer 807.'
En toen ik het geld over de balie schoof, schoof hij me de kamersleutel toe.

Ontspoord 40

Ik liep weer de trap op.
Maar dit keer hoorde ik dat er nog iemand anders was.
In eerste instantie echter niet. Ik concentreerde me te intensief op gewoon de trap op lopen. Ik zette de ene voet voor de andere en was me griezelig bewust van mijn eigen, moeizame ademhaling. Ik vond dat ik klonk als de oude man in de lobby, als iemand die al met één been in het graf stond.
Toen hoorde ik dat er nog iemand anders was.
Minstens een paar verdiepingen boven me en misschien ook dronken, want wie het ook was, hij was daarboven flink aan het rondstommelen en bij zichzelf aan het vloeken.
In het Spaans.
Lucinda en meneer Griffen zouden inmiddels wel in de kamer zijn, dacht ik. Lucinda zou ingetogen haar kleren aan het uittrekken zijn. Ze zou meneer Griffen haar rug toekeren terwijl ze haar jurk en kousen uittrok. En meneer Griffen zou de goede God danken.
Vasquez? Hij zou waarschijnlijk in het trappenhuis tegenover hun kamer zijn positie innemen.
Ik trok het pistool uit mijn zak en haalde een paar keer diep adem en liep door.
Toen ik om de hoek tussen de zevende en achtste verdieping liep, zag ik dat hij hijgend en zwetend tegen de deur naar de gang stond te duwen.
'Wie ben jij?' vroeg Vasquez toen hij zich omdraaide om te zien wie er de trap op was komen lopen. Hij zag er stoned uit.
'Charles Schine,' zei ik.
'Hè?'
'Ik wil die lening terug.'

'Deze kamer is bezet.'
De eerste woorden die over Sam Griffens lippen kwamen.
Ik had voorzichtig de deur van kamer 807 opengemaakt met mijn sleutel, terwijl ik mijn pistool op Vasquez gericht hield. Ik had ervoor gezorgd dat hij als eerste de kamer betrad.
Sams woorden waren tot Vasquez gericht. Maar toen hij zag dat ik met een pistool achter hem aan kwam, veranderde de ergernis op zijn gezicht in paniek.

'Wat... wie bent u?' vroeg hij.
'Charles!' antwoordde Lucinda voor me. Ze lag op het bed, gekleed in een zwartkanten string, of eigenlijk ongekleed in een zwartkanten string. Kennelijk was ze al met de voorstelling begonnen.
Met zijn vieren waren we: Sam Griffen, met een geschokte uitdrukking op zijn gezicht en een lichtblauwe boxershort aan, Lucinda met haar zwarte string, Vasquez met zijn joggingpak van turkooizen velours en ik met een zonnebril op mijn neus en een pistool in mijn hand.
'Hallo, Lucinda,' zei ik.
Het was een vreemd gevoel om zo een pistool vast te houden. Het te richten op de mensen die me meer dan honderdduizend dollar hadden afgetroggeld en het tussen hen heen en weer te bewegen. Het pistool voelde krachtig aan, als een verlengstuk van mijn hand, alleen bezat mijn hand nu mythische krachten: hij kon plotseling bliksemschichten werpen. Ze waren allemaal bang van het pistool, zelfs meneer Griffen.
'Hoor eens,' zei meneer Griffen met een heel beverig stemmetje, 'je mag al mijn geld hebben.' Je mag al mijn geld hebben... Had ik die dag niet hetzelfde gezegd tegen Vasquez?
'Ik wil je geld niet,' zei ik. 'Zij wel.'
'Wat?'
'Zíj wil je geld hebben.'
Nu keek meneer Griffen niet alleen doodsbang, maar ook verward. Mijn hart ging naar hem uit, sympathie voor een zielsverwant, voor iemand die op het punt stond dezelfde schok en desillusie te beleven als ik indertijd.
'Ik begrijp er niets van,' zei meneer Griffen. 'Wie bent u?'
'Dat doet er niet toe,' zei ik.
'Hoor eens, ik wil geen problemen,' zei meneer Griffen.
'Ze waren van plan u helemaal uit te kleden,' zei ik. 'U zit allang in de problemen.'
Lucinda zei: 'Ik weet niet waar u het over hebt. Sam en ik zijn verliefd geworden... we...'
'Jullie hebben elkaar in de trein ontmoet, nietwaar, Sam?'
Sam knikte.
'Per ongeluk, zelfs, het gebeurde gewoon. Ik begrijp het wel. Jullie hebben over van alles en nog wat gepraat. Ze was mooi en lief en begrijpend en je kon haast niet geloven dat ze zich zo tot jou aangetrokken voelde. Ze was te mooi om waar te zijn. Nietwaar, Sam?'
Sam zag er nog steeds uit alsof hij bang voor me was, maar in elk geval luisterde hij nu.
'Stel jezelf die vraag eens. Was ze niet écht te mooi om waar te zijn? Vraag je

eens af of ze je ooit heeft verteld waar ze woont. Heeft ze dat gezegd? Het adres, Sam. Of ze ooit iemand anders in de trein leek te kennen, haar vrienden en buren. De meeste mensen kennen wel iemand in de trein, nietwaar? Al is het maar één iemand?'
'Hij achtervolgt me al een hele tijd, Sam,' zei Lucinda. 'We hebben ooit iets met elkaar gehad, vóór jou. Hij is jaloers. Hij is niet goed bij zijn hoofd.'
Je moest het haar nageven: ze gaf het niet op, dacht ik. Ze was goed en ze was wanhopig en ze deed haar best.
Vasquez had zich een beetje verplaatst. Hij stond duidelijk dichter bij me dan eerst. Hij was koekoek met me aan het spelen.
'Achteruit,' zei ik tegen hem. 'Een enorme stap achteruit.' Ik richtte het pistool op hem. Vasquez deed een stap achteruit.
'Ik weet niet eens wie die gestoorde klootzak is,' zei Vasquez tegen meneer Griffen. Hij speelde het spelletje mee; hij begreep waar Lucinda nu naartoe wilde en dus speelde hij het spelletje mee. 'Ik liep gewoon op de gang, man, en opeens richt die eikel een pistool op me.'
Sam had een klein bierbuikje en magere armen met blauwe aderen. Hij had ze strak over zijn bleke, haarloze borst geslagen, alsof hij zichzelf ervan probeerde te weerhouden in tranen uit te barsten. Hij wist duidelijk niet wie hij moest geloven; misschien deed het er nu niet eens meer toe. Hij wilde gewoon weg.
'Luister naar me, Sam. Wat doet ze voor de kost? Heeft ze je verteld waar ze werkt?'
'Ze is verzekeringsagent,' zei hij, maar zonder veel overtuiging.
'Bij welk bedrijf, Sam?'
'Mutual of Omaha.'
'Zullen we hen eens bellen, Sam? Daar staat een telefoon. Waarom bel je Mutual of Omaha niet even om te vragen of ze daar werkt? Toe maar.'
Sam wierp een blik op de telefoon die op het nachtkastje naast het bed stond. Lucinda wierp er ook een blik op.
'Heeft ze je die foto van haar dochtertje laten zien, Sam? Dat schattige, kleine meisje op de schommel? De foto die je zelf bij elke willekeurige cadeauwinkel kunt kopen?'
'We moeten die gestoorde gek te grazen nemen,' zei Vasquez. 'Hij is verdomme helemaal maf, straks schiet hij ons nog dood! Hoor je me, Sam?'
Maar Sam hoorde hem niet. Sam zag er verloren uit. Hij was nog steeds in de war, maar de logica begon op hem in te werken. Misschien had hij zich inderdaad wel afgevraagd of Lucinda niet te mooi was om waar te zijn; misschien had hij altijd al geweten dat ze te mooi en te slim en te beschikbaar was.

'Alles wat ze je verteld heeft, is gelogen, Sam. Alles. Ze willen je in de val laten lopen, begrijp je wat ik zeg? Er stond je een verrassing te wachten. Op het moment dat je de kamer verliet, zou Vasquez hier je op de gang overvallen. Hij zou je beroven. Hij zou háár verkrachten. Alleen zou het geen verkrachting geweest zijn, want ze heeft hem van tevoren al toestemming gegeven. Ze werken samen.'
Vasquez was weer in beweging gekomen. Hij kwam stukje bij beetje naar voren.
'Ik begrijp niet waarom verkrachting...' zei meneer Griffen.
'De verkrachting is bedoeld om het zo echt mogelijk te laten lijken, Sam. En om jou een schuldgevoel te bezorgen omdat je er niets tegen hebt gedaan. Omdat je haar niet beschermd hebt. Zodat je, als hij je begint af te persen – jou en Lucinda, of hoe ze zichzelf ook noemt – als hij je om een kleine lening vraagt en daarna om een niet zo kleine lening, zonder morren zult betalen. Zelfs als je je bedenkt, zelfs als je erover begint te denken om naar je vrouw te gaan en haar alles te vertellen. Want dan is er nog steeds haar echtgenoot, nietwaar? En ze zou nee hebben gezegd, ze zou je gesmeekt hebben het niet te doen. Ze zou beweerd hebben dat ze er niet aan moest denken dat haar man het te weten zou komen, van jou en haar en de "verkrachting". Maar ze heeft helemaal geen echtgenoot, Sam.'
Meneer Griffen geloofde me nu. Misschien niet voor honderd procent, maar genoeg.
'Mag ik... weg?' vroeg meneer Griffen. 'Mag ik gewoon... hier weggaan?'
Maar Vasquez zei: 'Ben je niet goed bij je hoofd? Ga je er gewoon vandoor en laat je ons alleen met die gestoorde klootzak?'
'Hoor eens,' zei Sam, 'ik wil gewoon naar huis. Ik weet niet wat hier gaande is en het kan me ook niets schelen. Echt waar. Ik... laat me nou maar gewoon gaan, oké?'
Vasquez reikte naar zijn achterzak en sloeg hem tegen zijn mond met iets zwarts, en Sam ging tegen de grond. Zomaar ineens. Er begon bloed uit zijn mond te sijpelen.
Nog een pistool.
Ik had zowat alles goed aangepakt. Ik had de kamersleutel te pakken gekregen en Vasquez verrast in het trappenhuis. Ik was de kamer binnen gekomen. Ik zou mijn geld terugkrijgen. Ook al was mijn plan met betrekking tot hóé ik het geld zou terugkrijgen een beetje vaag. Misschien door Lucinda onder schot te houden totdat Vasquez terugkwam met het geld, misschien door allemaal samen het geld te gaan halen. Maar ik had één fout gemaakt. Ik was vergeten dat mannen als Vasquez een wapen droegen. Ik had hem niet gefouilleerd of hem gedwongen zijn pistool weg te gooien.

Er waren een paar seconden waarin nog niet alles verloren was. Waarin ik nog steeds de overhand had. Vasquez had een pistool en Sam lag bloedend op de grond, maar ik was nog steeds de enige in de kamer die een pistool had dat daadwerkelijk op iemand gericht was.
Ik zag dat Vasquez dacht dat een pistool op iemand richten en de trekker overhalen twee heel verschillende dingen waren. Hij dacht niet dat ik het in me had.
Maar er was iets wat hij niet wist. Ze zeggen dat geld hetgeen is dat alle verschillen opheft, maar in werkelijkheid is het wanhoop. Dat had het speelveld geëffend.
Ik haalde de trekker over.
Er gebeurde niets.
In de milliseconde die Vasquez nodig had om te beseffen hoeveel geluk hij had en om de hand met het pistool erin op te heffen, begreep ik waarom er niets was gebeurd.
Ik was vergeten de veiligheidspal over te halen.
Ik sprong op Vasquez af en gebruikte daarbij het enige voordeel dat ik nog had. Verrassing.
Bij mijn eerste aanval vloog het pistool zó uit Vasquez' hand en gleed ergens onder het bed. Dus nu waren we min of meer aan elkaar gewaagd.
Misschien had ik zelfs een beetje de overhand. Want er bestond een kans dat mijn wanhoop nog sterker was dan die van Vasquez. Ik had niet veel meer te verliezen. Rechercheur Palumbo kon elk moment terugbellen en zelfs al deed hij dat niet, dan zou Barry Lenge wel bellen. Dus ik had inderdaad de wanhoop aan mijn zijde. En er was werkelijk iets niet helemaal in orde met Vasquez. Hij was inderdaad dronken of stoned of iets dergelijks.
Vasquez snakte naar adem toen mijn lichaam tegen het zijne sloeg, waarna hij zich onmiddellijk probeerde los te maken uit mijn greep. Maar hij was net een zwaargewicht in de twaalfde ronde: hij balanceerde op het randje van bewusteloosheid, was traag en niet erg vast op zijn benen. Daar putte ik moed uit.
Ik kon Sam vanuit mijn ooghoeken zien: hij zat op zijn knieën naar zijn hand te kijken, die helderrood was omdat hij er zojuist zijn mond mee had aangeraakt. Hij zag er verdwaasd en verward uit.
'Stomme... klóótzak,' zei Vasquez, die nu gromde van de inspanning die het hem kostte om te proberen zich van me los te maken, wat niet zo goed lukte. Ik had mijn armen stevig om hem heen en ik was niet van plan hem te laten gaan.
Vasquez liep wankelend tegen de muur aan. Ik had hem in een berengreep, dus deed hij wat beren doen als ze iets van hun rug willen hebben: ze wrij-

ven ermee tegen de dichtstbijzijnde boomstronk. Vasquez gebruikte de dichtstbijzijnde muur.
Ik hield me stevig vast terwijl ik tegen de gepleisterde muur sloeg en er een vergeelde reproductie naar beneden viel, gevolgd door mijn zonnebril, die tollend op de vloer terechtkwam.
Toen vielen we met een luide klap op de grond. Ik kon Vasquez nu ruiken: de stank van knoflook en sigarettenrook en gebakken eieren. De vloerbedekking was zo dun dat ik het gevoel had dat ik over het beton van een speelplaats rolde. En voor het eerst was ik er absoluut van overtuigd dat ik ging winnen. Ik had mijn rechterarm om Vasquez' hals geslagen en kneep met alles wat ik waard was, en op dat precieze moment was dat heel veel. Minstens honderdtienduizend dollar.
Vasquez rochelde en ik vroeg me af of ik hem zou vermoorden. En ik dacht: als het moet, doe ik het.
Vasquez deed nog één laatste poging om zich van me los te maken, maar een van zijn armen zat tussen mij en de vloer geklemd en ik had mijn eigen arm stevig om de andere heen geslagen, dus hoewel Vasquez een onhandige uitval naar voren deed, kon hij me niet afschudden.
Hij zakte in elkaar; ik voelde alle kracht uit hem wegstromen, het beetje kracht dat de drank of de drugs nog niet aan hem had onttrokken.
Ik had hem niet vermoord, maar ik had gewonnen.
Ik had gewonnen.
Er stond een paar schoenen, precies op ooghoogte. In eerste instantie dacht ik dat ze aan Sam toebehoorden, maar Sam zat nog aan haar kant van de kamer, terwijl het bloed in zijn handen sijpelde.
Daarom tuurde ik omhoog.
'Kijk es wie we daar hebben,' zei Dexter. 'Chuck.'

Ontspoord 41

Dexter was in het heetst van de strijd naar binnen geglipt.
We rolden heen en weer over de vloer en hadden geen van beiden de deur open horen gaan.
Dexter raapte mijn pistool op, haalde met één soepele beweging de veiligheidspal over en richtte de loop op mijn hoofd.
Ik werd aan de lijn gelegd en gemuilkorfd. Mijn handen werden met mijn eigen broekriem achter mijn rug samengebonden. Ze deden mijn schoenen en sokken uit en stopten één klamme sok in mijn mond.
Ze deden hetzelfde met Sam. Sam stribbelde heel even tegen en Vasquez gaf hem een trap tegen zijn hoofd.
Ik kon Sams bloed ruiken.
Het rook bijna zoet, maar aangezien ik wist waar het vandaan kwam, was het een misselijkmakende zoetheid. Dat was een probleem. Want ik moest eigenlijk overgeven, en bij het idee dat ik zou overgeven met een sok in mijn mond gepropt, raakte ik een beetje in paniek.
Niet in paniek raken was gemakkelijker gezegd dan gedaan. Ik vroeg me bijvoorbeeld af wat ze van plan waren met ons te doen, met Sam en mij. Ik had sterk het gevoel dat ze dat zelf ook nog niet wisten.
Ze leken in eerste instantie niets te kunnen verzinnen. Ze bleven maar tegen elkaar mompelen en fluisteren, soms in het Spaans, soms niet.
'*Nosotros tenemos que hacer algo,*' zei Lucinda nu.
Ik had op de middelbare school maar één jaar Spaans gehad, en het enige woord wat ik me echt kon herinneren was *gracias*, maar ik voelde hun verwarring toch aan.
Ik hoorde dat Vasquez in het Engels iets tegen Lucinda fluisterde. 'Daarna... kunnen we... Miami en...'
Dat was logisch. Sam was immers van geen enkel nut meer voor hen, een mogelijke geldkoe die onherstelbaar beschadigd was. Al die tijd en moeite die ze erin gestoken hadden om hem hier te krijgen en ze hielden er niets aan over.
Ze waren werkelijk van streek. Ze waren er niet gelukkig mee dat ik was komen opdagen. Ik was de reden waarom het niet was gegaan zoals ze gepland hadden. Ik. Ik had een spaak in het wiel gestoken en hun een probleem bezorgd waar ze niet op gerekend hadden. Hun wapens waren immers angst en misleiding en nu had ik die wapens nutteloos gemaakt.

En wat bleef er dan over?
'Stomme zak die je bent...' Vasquez zat op het bed met zijn handen op zijn knieën. Hij had het tegen mij. 'Ik had je nog zo gezegd dat je niet nog eens zo'n stunt moest uithalen. Ik heb je gezegd terug te gaan naar Long Island en daar te blijven, toch? Tot nu toe ben je alleen geld kwijtgeraakt, kloothommel. Geld. Je had God op je blote knietjes moeten danken. Wat wou je nu doen? Nou?'
Bidden, misschien.
Het waren niet alleen de woorden die beangstigend waren, die me deden denken dat het misschien wel een goed idee was om te gaan bidden, het was vooral het feit dat Vasquez zelf bang leek te zijn toen hij ze uitsprak. 'Wat wou je nu doen? Nou?' Alsof het een vraag was die ze zichzelf gesteld hadden, waarna ze er een antwoord op bedacht hadden dat hun niet aanstond. Als angstaanjagende mensen zelf angstig beginnen te klinken, is het ook niet erg als je zelf bang wordt.
Ze gingen met zijn drieën naar de badkamer. Iemand – ik dacht Dexter – was tegenwerpingen aan het maken tegen een plan. Ik hoorde dat hij zijn stem verhief.
Toen ze weer uit de badkamer kwamen, keek Dexter niet blij. Het leek erop dat hij verloren had.
Maar Vasquez en Dexter gingen nu ergens naartoe.
'Tien minuten,' hoorde ik Vasquez tegen Lucinda fluisteren, 'en dan gaan we naar... Little Havana... mijn neef...'
Vasquez en Dexter verlieten de kamer.
Zodat we met zijn drieën achterbleven. Sam, Lucinda en ik.
'Wat gaan jullie met ons doen?' zei Sam om de sok in zijn mond heen.
Maar Lucinda gaf hem geen antwoord.
'Ik zal het niemand vertellen,' zei Sam. 'Als je me laat gaan, beloof ik dat ik geen woord zal zeggen. Alsjeblieft...'
Nog steeds geen antwoord van Lucinda. Misschien hadden ze haar opgedragen niets te zeggen. Geen verbroedering met de vijand. Misschien was het, nadat ze maanden met Sam Griffen had moeten praten, wel een opluchting om even niets tegen hem te hoeven zeggen. Of misschien wist ze precies wat ze met ons gingen doen en vond ze het beter om er niets over te zeggen.
'De sok... ik stik erin,' zei Sam. 'Alsjeblieft...'
Eindelijk reageerde Lucinda, maar niet met woorden. Ze stond op en liep naar Sam toe, een korte wandeling van nog geen twee meter.
'Alsjeblieft,' zei Sam, 'haal hem uit mijn mond... alsjeblieft... ik stik...'
Dus stak Lucinda haar hand uit om de sok uit zijn mond te trekken.

Zodra haar hand zijn mond bereikte, beet hij erin, en Lucinda gilde. Misschien had hij zichzelf dezelfde vragen gesteld als ik en was hij bij hetzelfde antwoord uitgekomen. Dus misschien had hij besloten dat hij niets te verliezen had.
Ze schopte naar hem – 'Kloothommel!' – en probeerde haar hand uit zijn mond te krijgen, maar Sam klampte zich vast als een politiehond, het soort hond dat erop getraind is boeven te grijpen en niet meer los te laten, zelfs als je hem doodschiet. Lucinda gilde en stompte met haar vrije hand tegen Sams hoofd, maar Sam liet nog steeds niet los; hij klampte zich vast alsof zijn leven ervan afhing.
Ik probeerde naar hen toe te kruipen, maar ik moest het kronkelend over de grond doen, omdat mijn handen op mijn rug gebonden waren. Ik moest stukje bij beetje vooruitschuiven. Ik probeerde Sam te hulp te schieten. Want er ging nu iets ergs gebeuren. Dat wist ik.
Om te beginnen was Lucinda erin geslaagd haar hand te bevrijden uit zijn mond. Eindelijk. Verder hief ze het pistool op in haar linkerhand en begon ermee op Sams hoofd te slaan. Sams mond zat onder het bloed, een mengeling van haar bloed en dat van hemzelf, vermoedde ik, en Lucinda sloeg opnieuw met het pistool in zijn gezicht. En nog een keer en nog een keer.
'Alsjeblieft,' zei Sam terwijl het pistool tegen zijn jukbeen dreunde, 'alsjeblieft, ik ben vader... ik heb drie kinderen...' In de hoop, vermoed ik, dat het haar zou doen twijfelen, dat ze misschien zou ophouden hem te slaan. Het leek haar echter alleen maar kwader te maken. Sam bleef smeken 'Drie kinderen... alsjeblieft... váder', maar Lucinda bleef hem slaan. Harder en harder, ik kon het geluid horen van metaal dat tegen bot sloeg. Alsof hij zei 'Sla me' en zij hem eenvoudigweg ter wille was.
Ik was erin geslaagd twintig centimeter, vijfentwintig centimeter, dertig centimeter dichterbij te kruipen, toen ik me eindelijk realiseerde dat het er niet toe deed.
Niet meer, tenminste.
Sam was dood.

Vasquez en Dexter kwamen weer de kamer binnen.
Dexter droeg twee vuilniszakken, van die grote, extra sterke, groot genoeg voor een heel grasveld vol blaadjes. Of een stel lijken.
Misschien was dat de reden waarom ze geen van beiden erg van streek leken toen ze zagen dat Sam dood was, toen Vasquez hem zacht schopte met zijn schoen en het feit nog eens bevestigde.
'Hij heeft me gebeten,' was alles wat Lucinda zei, en Vasquez knikte.
Toen pakte Vasquez een kussen en zei tegen me: 'Tijd om te gaan slapen.'

Vasquez heeft een pistool, dacht ik, maar hij kan niet het risico lopen dat iemand het schot hoort.
Ze wilden me gaan smoren.
Ik was ergens mee bezig geweest terwijl Lucinda Sam aan het vermoorden was. Terwijl ze opstond en naar de badkamer liep om het bloed van haar handen te wassen. Terwijl Sam daar lag zonder te ademen. Ik had me iets herinnerd. Dexter was binnengekomen en had mijn pistool gepakt, en vervolgens had hij het pistool aan Lucinda gegeven toen hij samen met Vasquez wegging.
Wat betekende dat er nog een pistool moest zijn.
Vasquez' pistool. Waar was dat?
Onder het bed. Waar het was blijven liggen toen ik het uit Vasquez' handen had geslagen.
Misschien anderhalve meter bij me vandaan. Meer niet.
Ze wilden me gaan smoren.
Ik was er centimeter voor centimeter naartoe gekropen.
En nog iets. Ik was de knoop gaan testen die Dexter in mijn riem had gemaakt. Hij was er niet voor bedoeld om als koord gebruikt te worden; hij was niet soepel genoeg om een goede knoop in te kunnen leggen. Ik had wat speelruimte.
Ze wilden me gaan smoren.
Tegen de tijd dat Vasquez en Dexter weer de kamer binnen kwamen, had ik een piepklein lusje in de knoop gemaakt. Ik was erin geslaagd tot op iets meer dan een halve meter van Vasquez' pistool te komen.
Dichtbij genoeg om het te kunnen pakken. Als ik mijn handen op tijd los kon krijgen.
'Bedtijd,' zei Vasquez.
Je ziet je leven niet aan je voorbijflitsen.
Dat wil ik je alvast vertellen.
Ze zeggen dat dat gebeurt wanneer je geconfronteerd wordt met je eigen dood, maar het is niet waar. In mijn geval niet, tenminste; mijn hele leven speelde zich niet voor mijn ogen af. Alleen maar een klein stukje ervan.
Aan het strand, toen ik zeven was.
Ik speelde in de branding en lette niet op, en toen was er een eenzame golf gekomen die me omver had geworpen. Tegen de tijd dat ze me uit het water haalden, zag ik paars, leed ik aan zuurstofgebrek en was ik feitelijk dood, ware het niet dat een eerstejaarsstrandwacht me eerste hulp verleende. Vanaf dat moment was ik altijd bang om te verdrinken. Vanaf dat moment ging het altijd zó als ik droomde dat ik doodging. Dan had ik geen lucht in mijn longen.

Dat was het deel van mijn leven dat ik op dat moment zag.
Voordat Vasquez het witte kussen op mijn gezicht drukte, slaagde ik erin één grote hap lucht te nemen.
Er was een spelletje dat we als kinderen altijd speelden. Het heette 'niet ademen'. Een spelletje dat ik met welhaast maniakale toewijding speelde na dat incident aan het strand, alsof ik wist dat het op een dag wellicht mijn redding zou kunnen betekenen.
Ik kon het vroeger drie minuten volhouden. Misschien zelfs vier.
Klaar voor de start, af.
Het kussen stonk naar zweet en stof. Ik begon mijn handen heen en weer te bewegen tegen de knoop in de riem.
Ik drukte beide polsen naar buiten. Ontspande me. Drukte mijn polsen naar buiten. Ontspande me.
Het was net een pijnlijke gymnastische oefening. Vasquez leunde met zijn volle gewicht boven op me. Het was moeilijk om mijn handen te bewegen. Ik bleef echter duwen met mijn polsen, hoewel de riem als een bot mes in mijn huid sneed.
Het ging traag. Ik hoorde iemand een paar meter bij me vandaan ijsberen. Het bed piepte. Lucinda schraapte haar keel. Iemand zette de radio aan.
Ik kwam geen steek verder met mijn handen. Ik bleef maar duwen en duwen, maar het was net alsof ik tegen een deur stond te duwen die op slot was. Alsof ik rende in een droom. Ik duwde, maar er gaf niets mee. Mijn borst begon pijn te doen. Mijn schouders voelden aan alsof ze uit elkaar werden getrokken. Ze gilden naar me.
Nee, krijsten ze. Van je levensdagen niet. Niet mogelijk. Vergeet het maar. Hou op!
Mijn longen brandden nu. Ik kon mijn handen niet meer voelen.
De riem gaf mee.
Een heel klein beetje.
Hij was nu net los genoeg om mijn hand er een klein stukje doorheen te krijgen.
Ik trok met al mijn kracht.
Mijn polsen bloedden.
Ik kreeg mijn handen er half uit. Ze waren allebei nat van het zweet. Dat maakte het gemakkelijker om ze uit de riem te laten glijden. Dat was mooi, dat was fantastisch! Ik bleef trekken.
Mijn handen waren er nu voor driekwart uit. Ik hoefde nog maar een klein beetje verder te trekken, een klein beetje maar. Het lag echter aan mijn knokkels.
Die vormden een probleem.

Ik trok nog een laatste keer, één laatste ruk voor alles. Voor alles waarnaar ik moest terugkeren. Voor Anna. Voor Deanna.
Nu.
Ik trok en trok en trok...
Mijn ene hand kwam los.
Ik ga dood.
Mijn linkerarm, de arm die het dichtst bij het bed lag.
Het wordt zwart voor mijn ogen. Ik zie niets. Ik ga dood.
Ik hoorde Vasquez zeggen: 'Hé.'
Ik hoorde Dexter zeggen: 'Pas op.'
Ik tastte wild naar het pistool onder de springveren. Mijn longen stonden op barsten. Ik liet mijn hand van links naar rechts heen en weer glijden onder het bed. Waar was dat ding?
Ik voelde het pistool. Ik wist mijn vingers eromheen te krijgen.
'Wat krijgen we nu? Wat gebeurt er?'
Ik haalde het onder het bed vandaan. En op dat moment, op dat exacte moment in de tijd waarop ik het tij wellicht had kunnen doen keren, stierf ik.

Attica

Dikke Tommy had gelijk.
Ze hadden me per post op de hoogte gesteld.
'Beste meneer Widdoes, hierbij laten wij u weten dat de staatsbudgettaire beperkingen niet langer ruimte bieden aan een programma voor volwasseneneducatie in staatsgevangenissen. De lessen zullen met ingang van de eerste dag van de eerstvolgende maand worden stopgezet. Een formele ontslagbrief volgt.'
Dat betekende dat ik nog twee lessen had.
Twee maar.
De gevangenbewaarders bleven nu op een afstandje, alsof ik een overdraagbare aandoening had. Was het mogelijk dat ontslag door de staat besmettelijk was? Toen ik de personeelskamer binnen glipte voor een kop koffie, liepen ze met een wijde boog om me heen. Nog wijder dan eerst, toen het alleen mijn baan was die hun tegen de haren in streek. Nu zat het hem in mijn gebrek aan een baan.
Ik nipte in mijn eentje van mijn koffie, in de hoek van de kamer die bekendstond als het museum.
Het 'museum' was ooit zo genoemd door een gevangenbewaarder van lang geleden, wiens naam niemand zich meer herinnerde. Het was een losjes geordende verzameling wapens die in de gevangenis in beslag waren genomen. 'Nijven', 'tandenstokers' en 'satéprikkers', zoals de gevangenen messen noemen. Gesmeed uit beddenveren, uitgeholde pennen, meegesmokkelde schroevendraaiers... alles wat de gevangenen maar te pakken konden krijgen. Maar er waren ook primitieve pistolen, ingenieuze voorwerpen gemaakt van allerlei spulletjes uit de werkplaats, waarmee je van dichtbij iemand iets wat dienst kon doen als kogel door het lijf kon jagen.
Er werden doorlopend voorwerpen toegevoegd. Steeds wanneer de cellen doorzocht waren, kwamen er wel weer een paar bij.
Ik keek strak naar die primitieve moordwapens totdat de stilte vanwege mijn aanwezigheid daar onverdraaglijk werd of het tijd werd om met de les te beginnen.
Het hing ervan af wat het eerst kwam.

De schrijver was met monotone en pijnlijke regelmaat verdergegaan.

Aan het begin van elke les trof ik weer een aflevering op mijn bureau aan. Mijn eigen verhaal, dat me stukje bij beetje werd verteld, in het ene pijnlijke hoofdstuk na het andere. Het was een kwellend trage aanklacht jegens Charles Schine. Ik was ervan overtuigd dat het ook precies de bedoeling van de schrijver was om mij te kwellen.
Er waren ook andere dingen. Aan het eind van hoofdstuk 20 verscheen er opnieuw een berichtje.
Tijd dat we elkaar ontmoeten, vind je niet?
Geschreven met bruine inkt, alleen was het geen bruine inkt. Het was geschreven met bloed. Met de bedoeling mij bang te maken.
En ik dacht: ja, het wordt tijd dat we elkaar ontmoeten. Ook al voelde ik mijn handpalmen vochtig worden en leek mijn boord als een strop om mijn nek te knellen.
De schrijver zat niet in mijn klas. Dat wist ik.
De bezorger wel.
Een paar lessen nadat ik het laatste berichtje had ontvangen, stuurde ik aan het eind van de les de leerlingen weg en bleef er iemand achter.
Toen ik opkeek, zat hij daar naar me te glimlachen.
Malik El Mahid. Zijn moslimnaam.
Een jaar of vijfentwintig. Zwart, gedrongen en onder de tatoeages.
'Ja?' zei ik, hoewel ik wist wat er komen ging.
'Vind je het een goed verhaal, tot nu toe?' zei hij, nog steeds glimlachend. Hij herhaalde letterlijk het eerste berichtje dat de schrijver voor me had achtergelaten.
'Jij,' zei ik. 'Jij hebt het steeds voor me klaargelegd.'
'Klopt, maat.'
'Wie?'
'Wie wat?'
'Wie geeft je de hoofdstukken?'
'Wou je soms beweren dat ik het nie' geschreven heb?'
'Ja. Ik beweer dat jij het niet geschreven hebt.'
'Dat heb je mooi goed. Ik heb er ook niks van gelezen.'
'Wie?'
'Je weet best wie, kerel.'
Ja.
'Hij wil je nu ontmoeten, 'ké?'
Hij wil je nu ontmoeten.
'Oké,' zei ik zo kalm mogelijk.
Maar toen ik de papieren op mijn bureau bij elkaar raapte, zag ik dat mijn hand beefde. De papieren waren duidelijk aan het trillen, in het volle zicht

van Malik, en hoewel ik mijn hand probeerde te dwingen op te houden met beven, wilde hij maar niet luisteren.
'Volgende week,' zei Malik. 'Oké?'
Ik zei ja. Volgende week was prima.

Maar ik moet nu weer verdergaan met het verhaal.
Ik moet uitleggen wat er gebeurde.

Ontspoord 42

Toen ik het pistool onder het bed vandaan haalde, stortte de wereld in. Hij hield op te bestaan.
Ik zag een lichtflits, voelde een hete windvlaag, en toen implodeerde de aarde en werd alles zwart.

Toen kwam ik bij.
Ik opende mijn ogen en dacht: ik ben dood.
Vasquez heeft me vermoord. Ik ben dood. Ik ben in de hemel.
Alleen kon ik niet in de hemel zijn.
Want ik was in de hel.
Pak *Inferno* van Dante erbij en ga direct naar de zesde kring. De zwarte zwaveldampen. Het inferno van brandende olie. Het gekrijs van pijn. Ik opende mijn ogen en zag niets. Het was nog steeds ochtend, maar het was nacht.
Zoveel was duidelijk. De achtste verdieping van het Fairfax Hotel was op de een of andere manier veranderd in de kelder. De hotelkamer was veranderd in een graf.
De ruimte zelf stond nog maar half overeind. Het was lente, maar het sneeuwde (kalkpoeder, ontdekte ik toen ik het op mijn tong proefde). Een hele airconditioner lag boven op mijn linkerbeen.
Dit is wat ik inmiddels weet, maar toen niet wist. Wat ik heb opgemaakt uit de kranten en de tv en mijn eigen, beperkte observaties.
Dat gezondheidscentrum voor vrouwen dat naast het Fairfax Hotel stond, bood door de staat gesubsidieerde abortussen, wat betekende dat het in de ogen van sommige mensen niet zozeer een gezondheidscentrum voor vrouwen was als wel een abortuskliniek.
Die man met het jack van de universiteit van Oklahoma die ik op de dag dat ik incheckte in de lift had gezien en later in de lobby zag klagen over het feit dat er geen bijbels in zijn kamer lagen? Hij was een van die mensen. Een christen met spierballen, een overtuigd tegenstander van abortus, maar dan wel een met een gekrenkt rechtsgevoel en een fascinatie voor explosieven.
Het bleek dat hij zijn tijd niet had doorgebracht met het spelen van monte met drie kaarten en het op straat aanschaffen van namaak-Rolexen. Hij bracht zijn tijd door op zijn hotelkamer, waar hij nauwgezet een bom van

kunstmest en acetaten in elkaar zette. Toen hij klaar was, bond hij hem voorzichtig om zijn eigen lichaam.
Hij nam de lift naar beneden, naar de lobby van het Fairfax Hotel, met de bedoeling het gezondheidscentrum, één deur verder, binnen te lopen en de bom en daarmee zichzelf op te blazen.
Ik zal even uitleggen hoe gevaarlijk een dergelijke bom is. Volgens de persberichten die later in de krant verschenen, is het niet het meest stabiele soort explosief. Niet zoals dynamiet, bijvoorbeeld, of kneedbommen. Het is heel explosiegevoelig, zeer transmutabel.
Hij is die lift nooit meer uit gekomen. Er is iets gebeurd. Misschien kwam de lift eerder tot stilstand. Misschien botste er iemand tegen hem op. Misschien drukte hij per ongeluk op de ontsteker. Wat dan ook.
De bom ontplofte precies in het epicentrum van het gebouw. Als je het Fairfax Hotel met de grond gelijk wilde maken en niet de abortuskliniek die ernaast stond, en je wist het een en ander over ontploffingsratio's en schokindexen en zwakke plekken in de bouwconstructie, zou je het op dat exacte punt moeten doen.
In de lift, precies tussen de vierde en vijfde verdieping.
En het Fairfax Hotel was een bouwkundig zwakke plek die erom vroeg uit zijn lijden verlost te worden.
Het skelet was gebarsten en krakerig en broos. De asbestschilfers maakten het tot een schoolvoorbeeld van een brandgevaarlijk gebouw. Er zaten verscheidene lekken in het gasverwarmingssysteem; dat werd achteraf tenminste vastgesteld. Met andere woorden: het was een ramp in de maak.
Stalen balken. Dakdelen. Gipsen wanden. Vlakglas. Mensen. Alles werd in de lucht geslingerd en viel toen, volgens de natuurkundige principes van Newton, weer naar beneden. Boven op wat er van het Fairfax Hotel over was. Het gebouw werd als een bruiloftstaart in elkaar gedrukt.
Honderddrieënveertig mensen vonden die ochtend in het Fairfax Hotel en vier omliggende gebouwen de dood.
Honderddrieënveertig en uiteindelijk nog één extra.
Ik hoorde een stem.
'Leeft er daar beneden nog iemand? Hallo?'
'Ja,' zei ik. Als ik mezelf kan horen, dacht ik, dan leef ik misschien nog.
'Ja,' zei ik, en ik kon mezelf horen.
Armen grepen mijn armen vast, tilden me uit het puin en het bloedbad en de duisternis, en opeens leefde ik weer, haalde ik weer adem.
Dit is wat ik inmiddels weet, maar toen niet wist.
Twee ruimten waren intact gebleven, of in elk geval voor het grootste deel. Wie weet waarom? Als iemand besluit een bom op zijn lichaam vast te bin-

den en zichzelf op te blazen, gaan slot en zin op vakantie. Sommige mensen gingen die ochtend naar links en overleefden het. Anderen gingen naar rechts en overleefden het niet. Eén iemand lag op het randje van de dood op een vloer in het hotel en kwam er levend uit.
En eigenlijk zonder kleerscheuren.
Ze haalden me uit het puin en legden me op een stretcher aan de kant van de weg, waarna ze naar binnen gingen en iedereen eruit haalden die ze konden vinden. Onder wie Vasquez en Lucinda en Dexter en Sam. Van de vier waren er drie dood, en de vierde bijna. Dekens werden over de gezichten van Dexter en Sam en Lucinda gelegd. Vasquez was bewusteloos, zat onder het bloed en haalde nauwelijks adem.
Ze legden hem naast me op de stoep en een brandweerman controleerde zijn polsslag en schudde zijn hoofd. Toen er iemand met een rood kruis op zijn bovenarm aan kwam rennen, zei de brandweerman 'Behandel die oude vrouw daar maar' en wees op een vrouw met smeulende kleren.
'Hij haalt het toch niet.'

Uiteindelijk besloot ik op te staan en weg te gaan. Gewoon weg te lopen. Hoewel ik waarschijnlijk in een soort shocktoestand was, voelde ik me angstaanjagend helder van geest.
Het zicht was bijna nihil. Maar ik zag Lucinda's lichaam, nog geen anderhalve meter bij me vandaan. Ik kon Vasquez aanraken. Brandweermannen en politieagenten renden heen en weer in een verstikkende draaikolk van zwarte rook.
Ik stond op. Ik begon te lopen. Ik verdween in die draaikolk.
Ik liep een hele tijd door. Ik vroeg me af of Deanna toch al die tijd gelijk had gehad, of er inderdaad geen toeval bestond. Ik wist het even niet meer. Mensen staarden me aan alsof ik zojuist met een ruimteschip was geland. Maar niemand hield me staande; niemand vroeg of ik gewond was en of ze een dokter of een ambulance moesten bellen. Misschien waren ze inmiddels immuun voor dit soort dingen. Ik liep rechtdoor over Broadway. Ik vermoedde dat mijn haar verzengd was: als ik mijn handen erdoorheen haalde, knetterde het alsof het statisch was. Uiteindelijk hield ik ergens in de buurt van Central Park een taxi staande.
Ik ging terug naar mijn appartement in Forest Hills. De taxichauffeur had de radio aan. Iemand had het over de explosie. Mogelijk een gaslek, zei een vrouw; ze was een brandweercommandant aan het interviewen. Het zou een tijdje duren voordat ze bewijs vonden dat in een andere richting wees. De taxichauffeur vroeg me of alles goed met me was.
'Ja,' zei ik. 'Beter dan ooit.'

Toen we Forest Hills bereikten, was de straat waarin ik woonde uitgestorven. Misschien zat iedereen aan de buis gekluisterd naar het journaal te kijken. Niemand zag dat ik het gebouw betrad, mijn appartement binnen ging en als een baksteen in slaap viel.
Ik sliep een hele dag lang.
Toen ik de volgende ochtend wakker werd, liep ik de badkamer binnen en herkende mezelf niet. Ik was net een zwartgegrimeerde acteur, alsof ik in een negertravestie thuishoorde.
Ik zette het journaal op. Drie hoofden op het scherm waren over cijfers aan het redetwisten. Wat voor cijfers precies? Het duurde even voordat ik het doorhad. Het aantal doden, daar hadden ze het over. Ergens rond de honderd was de consensus. Op een andere zender beweerden ze dat het er zesennegentig waren, op een andere honderdvijftig. De doden in het hotel en de slachtoffers in de omringende gebouwen. Maar wie kon zeggen hoeveel mensen er in werkelijkheid waren omgekomen? Dat zeiden de hoofden. De lichamen waren verbrand, verpletterd, verkoold. Het was onmogelijk vast te stellen, zei een man; misschien zouden ze het wel nooit te weten komen. Als iemand die in het hotel was geweest, kwam opdagen, dan leefde die nog, dat zei hij. Zo niet, dan was hij dood. Mensen waren al de ziekenhuizen en tehuizen van het Rode Kruis aan het afgaan, foto's op muren en hekken en straatlantaarns aan het hangen, een hologig en wanhopig leger van getroffenen.
Ik bleef een hele dag zitten kijken, zonder me te bewegen.
Ik belde niemand; ik sprak niemand aan. Ik was min of meer verlamd. Al die gruwelen. Ik kon me niet bewegen; ik kon niet eten; ik kon niet spreken. De illusie van onkwetsbaarheid die ik als een geboorterecht met me had meegedragen – de illusie waarvan Vasquez en Lucinda me hadden ontdaan – was nu ook honderddrieënveertig anderen afgenomen. Niemand was meer veilig. Niemand.
Het puin van de explosie werd met vrachtwagens naar de gemeentestort gereden. Naar de vuilnisbelt op Staten Island. Naar de plek die je kon bereiken door over Western Avenue te rijden en de stank te volgen.
Om ruimte te maken voor de tonnen puin moesten ze eerst andere tonnen puin verplaatsen. Die bergen rommel van de ene plek naar de andere brengen. En te midden van de stapel verwrongen staal, samengeperst karton, blikjes, botsplinters, rottend voedsel, gebarsten stenen en menselijk afval vonden ze een uitgeteerd lichaam.
Ze hadden eindelijk Winston gevonden.
Dit was het enige waar de politie op had zitten wachten. Een lijk. Ze hadden een bandje waarop ik Winston vertelde wat ik wilde dat hij zou doen, maar ze hadden Winston zelf niet.

Nu wel.
Dit ontdekte ik toen ik eindelijk Deanna belde, drie dagen nadat ik was weggestrompeld bij de opgeblazen gebouwen. Bij wat eruitzag als Beiroet.
Ze was blij van me te horen.
'Goddank, Charles,' zei ze. 'Ik dacht dat je dood was.'

Ontspoord 43

Toen kwam het voor het eerst bij me op.
Toen Deanna aan de telefoon kwam en zei: 'Ik dacht dat je dood was.'
Of misschien was het niet precies op dat moment. Misschien was het later, toen ik Deanna had verteld wat ik allemaal gedaan had – wat me overkomen was in het Fairfax Hotel – en ze naar adem snakte en stil werd en me vervolgens vertelde dat de politie was langsgekomen met een arrestatiebevel. Omdat ze Winstons lichaam hadden gevonden op de vuilnisbelt van Staten Island.
Of misschien was het later die dag, toen een sombere en bleek uitziende woordvoerster van de gemeente in een nieuwsuitzending een lijst met doden voorlas. Degenen van wie bekend was dat ze overleden waren en degenen van wie men aannam dat ze overleden waren, ook bekend als de vermisten.
Mijn naam stond op die lijst.
Het was een surrealistische ervaring om te horen hoe ik officieel vermist werd verklaard. Het was alsof ik bij mijn eigen begrafenis was, mijn eigen herdenkingsdienst. De woordvoerster van de gemeente zei dat deze lijst zorgvuldig was opgesteld aan de hand van de harde schijf van het hotel, die in het puin was teruggevonden; het waren mensen die op het moment van de explosie ingeschreven stonden als gasten. En aan de hand van bezittingen die hier en daar waren teruggevonden, verspreid over het explosiegebied en opgeslagen in de brandkluis van het hotel. Aktetassen, elektronische zakagenda's, gegraveerde horloges en sieraden. Zo was mijn horloge bijvoorbeeld verdwenen. 'Voor Charles Schine, met veel liefs,' stond erachterop. De woordvoerster legde uit dat ze deze lijst vergeleken hadden met de mensen die op de eerstehulpafdeling en in ziekenhuisbedden waren terechtgekomen.
Ik stond op het punt de telefoon te pakken en iemand – wie dan ook – te vertellen dat ik toch niet dood was, dat ik er nog was. Ik was me tegelijkertijd aan het aankleden, want misschien was een telefoontje niet genoeg; het was mogelijk dat ik in levenden lijve moest komen opdraven om het te bewijzen. Ik was in mijn la met sokken aan het rommelen en ik trof Winstons portefeuille aan.
En op dat moment kwam het idee pas echt in me op.
Toen het veranderde van iets belachelijks in iets wat tot de mogelijkheden

behoorde. Van een wensdroom in een echt plan. Ik had Winstons portefeuille in mijn la met sokken verstopt en was vergeten dat hij er lag. Maar nu herinnerde ik me iets wat Winston me ooit had verteld.
'Je kunt nergens zo gemakkelijk aankomen als aan een identiteitsbewijs.'
In zijn portefeuille, bijvoorbeeld, zaten er vier. Rijbewijzen.
Een Jonathan Thomas. Een Brian McDermott. Een Steven Aimett.
En een Lawrence Widdoes. De enige van de vier die ook maar in de verste verte op mij leek – jonger, natuurlijk, maar wel ongeveer met dezelfde kleur huid en haar.
'Ik dacht dat je dood was,' had Deanna gezegd.
Dat gold ook voor een stel andere mensen.
Ik had mezelf ingecheckt bij het Fairfax Hotel, maar had me daarna niet meer uitgecheckt. Of misschien wel, maar dan alleen in de zin van 'uit het leven in zijn algemeenheid'. Zo van: heb je gehoord wat er met Charley is gebeurd? Hij, nou ja, is uitgecheckt. Hij is dood.
Wat me deed denken aan een populair gezegde.
Ik zou dood nog beter af zijn. Ja, die hebben we ook allemaal wel eens gehoord. Een uitdrukking die we wel eens gebruiken in tijden van crisis, als alles er volkomen hopeloos uitziet en er geen uitweg lijkt te zijn.
Tenzij er wel een uitweg is. Tenzij je denkt dat je stevig in de val zit, maar je er toch nog wel uit kunt komen.
Dood zijn.
Misschien was dat wel de uitweg.
Als ik kwam opdagen, leefde ik nog.
Maar wat als ik niet kwam opdagen?

Ontspoord 44

Ik stond op de hoek van Crescent en 30th Avenue.
Voor een tent die de Crystal Night Club heette. Het zag er niet uit als een nachtclub. Het was gewoon een voormalige afdeling van de bond voor oorlogsveteranen: een VFW. De vale omtrek van de woorden VFW LODGE 54 was nog steeds zichtbaar op de bakstenen gevel. Maar het was al na middernacht en ik hoorde binnen muziek. Een man die eruitzag als een Latino stond over te geven op de stoep.
Toen ik naar binnen ging, was ik me er onmiddellijk van bewust dat ik niet bepaald in mijn element was.
Weet je nog die scène uit *Star Wars* waarin de held dat café vol buitenaardse wezens binnen loopt? Zo voelde ik me ook. Alleen waren dit vreemdelingen van een andere orde: illegale vreemdelingen, het soort mensen dat je 's avonds op het journaal zien als de immigratiedienst weer eens een periodiek rondje aanhoudingen langs de grens uitvoert. Het soort mensen dat je in elke ploeg van de plantsoenendienst op Long Island ziet. Als ik op het vliegtuig naar Santo Domingo stapte en me vanaf de landingsbaan rechtstreeks naar het dichtstbijzijnde café zou begeven, zou het er ongeveer zo uitzien.
Ik was er vrij zeker van dat ik de enige blanke Amerikaan in de zaal was. En misschien ook wel de enige legale Amerikaanse staatsburger.
Salsamuziek schalde uit twee enorme boxen. Het Spaans vloeide rijkelijk in de zaal.
Er leken alleen maar stelletjes te zijn, maar ze vormden vreemde combinaties. De vrouwen gingen sexy gekleed: korte, flitsende rokjes en hoge hakken. De mannen droegen vuile spijkerbroeken en T-shirts. Het duurde even voordat ik begreep wat er gaande was.
De vrouwen waren gastvrouwen. Een van hen stelde zich als zodanig aan me voor, eerst in het Spaans – *huéspeda* – vervolgens in het Engels, toen mijn gezicht een niet-begrijpende uitdrukking vertoonde en ze me eens goed bekeek en besefte dat ik niet een van haar gebruikelijke cliënten was.
Heel even aarzelde ze, alsof ze verwachtte dat ik mijn fout zou beseffen en weg zou gaan. Maar toen ik bleef staan en beleefd afwachtte totdat ze verder zou gaan, deed ze dat ook.
'Ik ben Rose,' zei ze. 'Wil je een gastvrouw?'
'Ja,' zei ik. 'Prima.'

Laten we even teruggaan naar het moment waarop ik uit het gat in de grond dat ooit het Fairfax Hotel was, werd getrokken.
Ik werd op de stoep neergelegd, in afwachting van de ambulances en de doktoren. Ze kwamen naar buiten met andere lichamen; ze legden een stervende Vasquez naast me op de grond.
De brandweerman die hem daar had neergelegd, zat onder het roet. Zijn ogen waren als witte as op brandende steenkolen. Hij vroeg me of alles goed met me was.
Ik zei ja. Ik kon vaag de gillende sirenes van een snel rijdende ambulance horen. Ik wist dat ik maar een paar minuten de tijd had.
Toen de brandweerman naar binnen ging om nog meer lichamen te bergen, boog ik me over Vasquez heen alsof ik hem probeerde te troosten. Alsof ik wilde zien of het wel goed met hem ging. Ik stopte mijn handen in zijn zakken. Eerst aan de voorkant, toen aan de achterkant.
In zijn voorste zakken zat wat kleingeld. Een flesje met wit poeder erin. Een paar lucifers.
Zijn achterzak puilde uit, want daar zat zijn portefeuille in. Ik pakte hem snel en stopte hem in mijn eigen zak.
Ik stond op en ging weg.
In de taxi naar Forest Hills doorzocht ik hem, als wederdienst voor wat Vasquez in het Fairfax Hotel met mijn portemonnee had gedaan.
In zijn portefeuille zaten: een namaakpolitiepenning; een verdacht uitziend rijbewijs; nog meer wit poeder, gewikkeld in aluminiumfolie; tweehonderd dollar; een visitekaartje voor iets wat de Crystal Night Club heette. Volgens het kaartje heette de eigenaar Raul Vasquez.
Achterop stond in het Spaans iets geschreven. *Veinte-y-dos... derecho, treinta-y-siete izquierdo, doce... derecho.*
De volgende ochtend, de ochtend waarop ik met zwarte grime op mijn gezicht wakker werd, zocht ik het op op internet. Google.com – Spaans woordenboek.
Toen ik het eerste woord eenmaal vertaald had, wist ik dat het getallen waren.
Tweeëntwintig rechts.
Zevenendertig links.
Twaalf rechts.
Ik was er vrij zeker van dat het geen spelstrategie voor een footballwedstrijd was.

Het werkte als volgt in de Crystal Night Club.
Jij bestelde de veel te dure drankjes en Rosa praatte tegen je.

Dat was wat de andere mannen deden.
Rosa legde het me uit, gewoon om iets te hebben om over te praten.
'Jij bent geen *wetback*, geen illegale Zuid-Amerikaan,' zei ze. 'Die krijgen we hier vooral. Gewoonlijk,' voegde ze eraan toe, omdat ze me niet wilde beledigen.
'Waar kom je vandaan?' vroeg ik.
'Amerika,' zei ze. 'Wat dacht je dan?'
'Nee. Ik bedoel: waar woon je?'
'De Bronx,' zei ze. 'Daar wonen we allemaal. We worden hier met de bus naartoe gebracht.'
'O.'
'Deze gozers...' ze wees met overduidelijke minachting naar de zaal, 'ze wonen in groepen. Je weet wel... met zijn zessen op één kamer of zo.'
'En ze komen hier om te drinken.'
'Inderdaad,' zei ze met een vaag glimlachje, alsof ik iets grappigs had gezegd, 'om te drinken. Lust je er nog een?' vroeg ze me, alsof ze me eraan wilde helpen herinneren dat dat precies was wat ik aan het doen was. Drinken.
Ik had mijn tequila sunrise van tien dollar nog nauwelijks aangeroerd, maar ik zei oké.
'Ze zijn eenzaam,' voegde ze eraan toe nadat ze een handgebaar had gemaakt naar de man achter de bar. Hij had een dikke nek, opgeluisterd met getatoeëerde kruisen. 'Ze komen hier om... nou ja, te ouwehoeren. Ze hebben niemand om mee te praten. Geen vrouwen,' zei ze. 'Ze worden zo'n beetje verliefd op ons, weet je. Ze jagen al hun *dineiro* erdoorheen.' En ze lachte en wreef met haar vingers tegen elkaar.
'Ja,' zei ik. 'Ik snap het.'
'O, ja... jij snapt het. En hoe zit het met jou?'
'Gewoon,' zei ik. 'Niets speciaals. Ik ben gewoon binnen komen lopen.'
'O, nou ja, dat is ook goed.'
Rosa had brede heupen en een mollig lichaam; dat gold voor de meeste gastvrouwen. Ik zag Lucinda voor me. Ik vroeg me af of ze hier ook gewerkt had; ik besloot een gok te wagen.
'Eigenlijk,' zei ik, en Rosa boog dichter naar me toe, 'ben ik hier al eens eerder geweest, geloof ik.'
'Gelóóf je?'
'Ik was dronken,' zei ik. 'Ik geloof dat het dezelfde tent was. Ik weet het niet zeker.'
'Oké,' zei ze.
'Er was hier toen een meisje.' Ik beschreef Lucinda tot in detail, alle details die alleen iemand die talloze uren had doorgebracht met naar een vrouw sta-

ren kon weten. Bepaalde dingen noemde ik niet, zoals haar sexy pruillipje en glanzende ogen.
'O,' zei Rosa. 'Je hebt het over Didi.' Maar ze zei het op zo'n manier dat ik de indruk kreeg dat ze Didi bepaald niet had gemogen.
'Didi? Ja... ik geloof dat ze zo heette. Inderdaad.'
'Ze was een stomme *puta*... een hoer, je weet wel...'
'Nee.'
'O, nou en of. Ze komt hier binnen en binnen twee minuten weet ze hoe alles in elkaar steekt, ja? Dan steekt ze haar tieten naar voren... wiebelt met dat magere kontje... loopt heen en weer te paraderen voor de baas. Ik zag wel wat ze probeerde te doen. Ik heb dat wijf helemaal door, ja? Twee dagen is ze hier, twee dagen maar, verdomme, en ze neukt hem al.'
De baas. Raul Vasquez.
'Waar is de baas eigenlijk?' vroeg ik.
Rosa haalde haar schouders op. 'Geen idee. Hij is al even niet meer hier geweest. Hoezo?'
'Zomaar.' En ik dacht: ze weten het niet. Ik had zijn portefeuille en hij stond niet in de administratie van het hotel. Ze hadden geen naam en niemand die ze op de hoogte konden stellen. Geen familieleden die ze het vreselijke nieuws moesten vertellen.
'En, ben je getrouwd?' vroeg ze me.
'Nee.'
Ik probeerde het allemaal op een rijtje te krijgen. Ik probeerde me voor te stellen hoe het allemaal begonnen was. Deze arme wetbacks kwamen naar de Crystal Night Club om al hun geld te verbrassen aan gastvrouwen die feitelijk op hen neerkeken. Lucinda was een van die gastvrouwen. Dat vage accent waar ik haar op de trein naar had gevraagd... Spaans? Maar Lucinda was niet lang gastvrouw gebleven. In plaats daarvan had ze met haar 'magere' kontje gewiebeld en was iets met Vasquez begonnen. Je kon wel zien waarom hij haar wilde. Ze zag er anders uit dan de andere vrouwen hier. Ze zag eruit als iemand die de hele dag in een of andere kantoorwolkenkrabber in het centrum voor weinig geld aandelen kocht en ze voor veel geld weer van de hand deed. Het soort vrouw dat andere kantoorslaven annex forenzen zou doen kwijlen achter hun ochtendkrant.
Was het zijn idee, vroeg ik me af, of dat van haar? Wie was er op het idee gekomen? Wie had in de deprimerende entourage van de Crystal Night Club om zich heen gekeken en de mogelijkheden herkend?
'Je drinkt niets,' zei Rosa. 'De regel is dat als je niets drinkt, ik met iemand anders moet gaan praten, oké?'
'Ik bestel er nog wel een,' zei ik, en Rosa glimlachte.

Misschien was zij het wel geweest. Didi. Misschien had ze gezien hoe belachelijk eenvoudig het was om deze dagarbeiders, die zo ver van huis waren, verliefd op haar te laten worden, en had ze geweten dat het nog gemakkelijker zou gaan met mannen zoals ik. Getrouwde mannen die niet ver van huis waren, maar dat misschien wel wensten. Mannen die net zo goed als de mannen hier iemand wilden om mee te praten. Mannen met veel geld.
Toen de bartender nog een tequila sunrise kwam brengen, sloeg ik mijn portefeuille open om te betalen.
Rosa zei: 'Widdoes? Wat is dat nu voor een naam?' Ze keek naar een stukje van mijn nieuwe rijbewijs. Ja, mijn eerste avond als een ander mens. Charles Schine was dood.
'Gewoon, een naam,' zei ik.
'Het klinkt deprimerend,' zei ze. 'Net als *widows*, weduwen, snap je...'
'Ja, nou ja, je spelt het anders.'
'Dat is waar,' zei ze ernstig.
'Waar is de wc?' vroeg ik haar.
'Daar...' Ze wees naar een halletje aan de achterkant. 'De meeste mannen gebruiken de stoep,' zei ze, en ze snoof. 'Je zou het om vier uur 's nachts moeten ruiken. Ze weten niet beter.'
'Nou, ik gebruik de wc wel,' zei ik.
'Ja hoor. Ga je gang.'
Toen ik opstond van de tafel, zag ik de man met de dikke nek achter de bar naar me staren. Ik liep naar het achterste deel van de zaal en passeerde onderweg Colombiaanse, Mexicaanse, Dominicaanse en Peruaanse mannen die diep in gesprek verwikkeld waren met hun respectieve gastvrouwen. De gesprekken waren echter nogal eenzijdig en de mannen hingen over de tafels heen en spraken met dikke tong in het Spaans. Ik bedacht me dat mijn gesprekken met Didi in veel opzichten ook zo waren verlopen.
Op de deur van een van de wc's stond HOMBRES.
Ik liep daar naar binnen. Er zat een man geknield over het toilet gebogen. Ik kon zijn braaksel ruiken.
Ik liep een hokje binnen waarvan elke centimeter bedekt was met graffiti. Voor het grootste deel in het Spaans, maar er zaten ook dingen in het Engels bij.
IK HEB EEN LUL VAN 25 CENTIMETER, had iemand geschreven.
Ik ging op het toilet zitten en haalde diep adem. Ik had een derde deur hier in het achterste halletje gezien. Zijn kantoor?
Ik wachtte totdat de andere man weg was, waarna ik opstond en terugliep naar het halletje.

Er was niemand anders. Ik liep naar de derde deur.
Hij was niet op slot. Toen ik hem opendeed, gilden de roestige scharnieren naar me en ik bleef stilstaan en wachtte af, met mijn hart ergens in mijn keel.
Niets. De salsamuziek dreunde nog steeds uit de boxen.
Ik glipte naar binnen en deed de deur dicht.
Het was donker in de kamer. Ik zocht op de tast naar het lichtknopje en vond het vlak bij de deur.
Ja, het was zijn kantoor. Dat moest wel. Het stelde niet veel voor, maar er stond een bureau, een draaistoel, een gehavende bank, een dossierkast.
Ik dacht aan de man achter de bar. Hij had me strak aangekeken toen ik naar het achterste halletje liep. De pezen in zijn nek leken wel dikke koorden.
Ik bekeek de muren: ze waren gemaakt van nephout. Daar was niets te vinden. Geen muurkluis, bijvoorbeeld. Geen schilderij waarachter een muurkluis kon schuilgaan. Die getallen achter op zijn visitekaartje: dat moest de combinatie van een kluis zijn. Zo niet hier, dan ergens anders. Hij was dood en ik moest dat geld terughebben. Ik moest het risico nemen.
Er hing een gescheurde kalender aan de muur, maar toen ik die opzij duwde, zag ik dat er niets achter zat.
Ik hoorde voetstappen aan de andere kant van de deur. Ik hield mijn adem in.
Ze gingen aan de deur voorbij; ik hoorde de deur van de wc open- en dichtgaan.
Ik probeerde de dossierkast; die zat op slot. De bureaula was open. Achter in de la lag een bundel vergeelde kranten. Het was een stapel artikelen. Het eerste was een oud omslag van *Newsday.* FORENS SPRINGT VAN LIRR-TREIN, luidde de kop. Er stond een foto bij van een lichaam, gewikkeld in een wit laken, dat langs de spoorlijn in Lynbrook op Long Island lag. Een somber kijkende politieagent hield er de wacht.
Het artikel zelf lag er ook.
'Een man uit Rockville Center lijkt gisteravond zelfmoord te hebben gepleegd door van een trein van de Long Island Rail Road te springen,' zo begon het artikel. Verder stond er nog dat hij getrouwd was en drie kinderen had, dat hij bedrijfsjurist was en dat hij geen zelfmoordbriefje had achtergelaten. Hij had wat niet nader benoemde privé-problemen gehad, zei een woordvoerder van de familie. Afgezien daarvan was er geen verklaring. Getuigen in de trein hadden gezegd dat de man – zijn naam was John Pierson – samen met andere forenzen naar het achterste deel van de trein liep om een plekje te zoeken, toen hij gewoon, zonder waarschuwing, op het spoor sprong.

Ik zou misschien niet verder gelezen hebben, ware het niet dat de naam van een van de getuigen mijn aandacht trok. De laatste die hem levend had gezien, de man die hem daadwerkelijk had zien springen.
Raul. Er werd geen achternaam genoemd. Wel stond er dat hij van beroep bareigenaar was.
De deur ging open.
De man met de dikke nek stond daar en keek me strak aan.
Ik stond achter het bureau met de krantenartikelen in mijn hand. De bureaula stond open.
'Astoria General,' zei hij zachtjes.
'Wat?'
'Het dichtstbijzijnde ziekenhuis. Dan weet je wat je tegen de chauffeur van de ambulance moet zeggen.'
'Het spijt me... ik zocht het toilet...'
'Ik zal je behoorlijk te grazen moeten nemen,' zei hij, nog steeds met die zachte stem. 'Twee, drie weken voordat je het ziekenhuis uit mag, oké?'
'Hoor eens, ik meen het, ik was alleen maar...'
Hij deed de deur achter zich dicht. Hij deed hem op slot.
Hij kwam op me af.
Ik deed een stap achteruit, maar achter me was er alleen maar een muur.
Hij bleef staan en haalde iets uit zijn zak. Een rol munten waar hij zijn rechterhand omheen klemde.
Hij liep om het bureau heen; hij was zo dichtbij dat ik hem kon ruiken.
Toen herinnerde ik me wat ik zelf in mijn zak had. Ik haalde hem tevoorschijn en klapte hem open.
Hij bleef staan.
'Recherche. Politie van New York,' zei ik. Vasquez' valse politiepenning. Ik had hem in mijn zak gestopt en hem bijna vergeten, maar niet helemaal.
'We hebben melding gekregen van illegale drugsactiviteiten,' zei ik, en ik vroeg me af of een politieagent echt zo praatte. Ik probeerde me te herinneren hoe rechercheur Palumbo die dag op mijn kantoor tegen me had gepraat.
'Er liggen hier geen drugs,' zei de man. 'Heb je een huiszoekingsbevel?'
Ik had uiteraard geen huiszoekingsbevel.
'Je hebt me zojuist bedreigd. Heb ik soms een huiszoekingsbevel nodig om jou te arresteren?'
'Er liggen hier geen drugs,' zei de man. 'Ik ga onze advocaat bellen, oké?'
'Ga je gang,' zei ik. 'Ik ben klaar.'
En ik liep zó langs hem heen.
Ik telde in mijn hoofd. Een, twee, drie, vier... en vroeg me af hoeveel secon-

den ik ervoor nodig zou hebben om het café te verlaten en de straat te bereiken. En hoeveel seconden het hem zou kosten om terug te komen op zijn besluit om me te laten gaan, zonder mijn penning nog eens goed te bekijken of me te vragen te wachten totdat de advocaat er was. Ik was bij tien toen ik Rosa passeerde, die zei 'Hé, waar ga jij heen?', en bij vijftien toen ik zonder haar antwoord te geven de deur uit liep.

Ontspoord 45

Later diezelfde avond ging ik terug naar Merrick.
Toen niemand me kon zien. Toen ik schielijk de oprit op kon lopen en via de achterdeur naar binnen kon glippen. Curry jankte en jengelde en likte mijn hand.
Deanna wierp zichzelf in mijn armen en we hielden elkaar vast totdat mijn armen gevoelloos werden.

'Weet je dat je als vermist bent opgegeven?' zei Deanna.
'Ja, dat weet ik. Je hebt toch niet...?'
'Nee. Ik heb tegen de rechercheur die hier langskwam gezegd dat we uit elkaar waren, dat ik niets van je gehoord had, dat ik niet wist waar je was. Ik dacht dat ik maar beter bij dat verhaal kon blijven totdat jij me vertelde dat het niet meer hoefde.'
'Mooi.' Ik zuchtte. 'Hoor eens, ik moet iets met je bespreken.'
'Wacht even,' zei ze. 'Ze hebben iets van je gevonden, Charles.'
'Mijn horloge?' vroeg ik.
'Nee.' Ze liep de studeerkamer in en kwam weer naar buiten met het voorwerp in haar armen.
'Ze hebben me vandaag gevraagd hem te komen ophalen. Hij stond in de kluis van het hotel.'
Het voorwerp was groot, zwart en overvol.
Mijn koffertje.
Het koffertje dat ik in Spanish Harlem aan Vasquez had gegeven met honderdduizend dollar van Anna erin.
Wat deed dat ding hier?
'Ze hebben hem in de kluis gevonden. Jouw naam staat erop.'
Mijn naam, in goud gebosseleerd, overduidelijk zichtbaar, hoewel het koffertje bedekt was met een fijn, wit poeder. CHARLES BARNETT SCHINE.
'Hij is vreselijk zwaar,' zei Deanna. 'Wat heb je hierin gestopt?'
Ik wilde hem openmaken, om haar te laten zien wat ik erin had gestopt, maar hij was op slot. Hij was inderdaad zwaar; zwaarder dan ik me herinnerde.
En ik dacht: ja, natuurlijk. Als je een hoop geld had en je wilde het ergens bewaren, maar niet bij de bank, omdat je niet bepaald een typische bankcliënt was en omdat je misschien toch al niet veel vertrouwen had in ban-

ken, zou je misschien kiezen voor een hotelkluis onder de hoede van je goede vriend en partner Dexter.
'Ze wilden hem niet openbreken,' zei Deanna. 'Tenzij niemand hem kwam opeisen.'
Ik had het slot nog nooit gebruikt, natuurlijk. Ik meende me te herinneren dat je hem zelf moest programmeren, er je eigen code van drie cijfers in moest zetten. Ik had die moeite nooit genomen.
Ik maakte aanstalten om naar de keukenla te lopen, waar we de messen bewaarden die ik zou gebruiken om het slot te forceren, toen ik me opeens iets herinnerde.
Ik stak mijn hand in mijn zak en haalde Vasquez' visitekaartje tevoorschijn.
Ik draaide het om.
Tweeëntwintig rechts.
Zevenendertig links.
Twaalf rechts.
Ik draaide aan de piepkleine wieltjes. Het slot klikte open.
In het koffertje zat de honderdtienduizend dollar uit Anna's fonds. En nog honderdduizenden dollars extra.
Toeval bestaat niet, dat had Deanna altijd geloofd. En nu was ik het eindelijk met haar eens.

We praatten.
En praatten.
De hele nacht door.
Ik vertelde Deanna wat ik van plan was.
In eerste instantie geloofde ze haar oren niet; ze vroeg me het te herhalen omdat ze dacht dat ze het verkeerd had verstaan.
'Dat meen je toch zeker niet, Charles?'
'Voorzover men weet, Deanna, ben ik dood, begrijp je? Ik denk dat het maar beter zo kan blijven.'
Ik vertelde haar alles wat ik in eerste instantie had achtergehouden. Het T&D Music House. Het onderzoek dat ze op mijn werk aan het uitvoeren waren. De aanklacht die ongetwijfeld binnenkort zou worden ingediend.
Deanna stribbelde nog steeds tegen. Ze zette koffie; we kropen in de kelder bij elkaar, zodat we Anna niet wakker zouden maken.
We stelden ons de toekomst voor, maar dan in twee versies.
We stelden ons voor dat ik de volgende ochtend naar het politiebureau zou lopen en mezelf zou aangeven. Eerst stelden we het ons op die manier voor. Dat ik mezelf zou aangeven bij de politie en een advocaat in de arm zou nemen en voor de rechtbank zou verschijnen. En wellicht zou verliezen.

Samenzwering met moord als doel, waarbij bewijsstuk A een geluidscassette was waarop een jury van mijn gelijken zou kunnen horen hoe ik Winston min of meer vroeg iemand voor me te vermoorden. Klets jezelf daar maar eens uit. Dus uiteindelijk zou ik misschien vijftien jaar krijgen, mogelijk tien als ik strafvermindering kreeg wegens goed gedrag, zelfs met die afzonderlijke aanklacht wegens verduistering die me boven het hoofd hing.

Tien tot vijftien jaar. Het was te overzien. Misschien zelfs te doen. Misschien. Maar er was nog een andere veroordeling waarmee we rekening moesten houden.

Anna was ook veroordeeld. De precieze inhoud van die veroordeling was niet duidelijk, dat was waar, en gratie van de gouverneur behoorde nog altijd tot de mogelijkheden. Maar dat was allesbehalve zeker. Waarschijnlijk, hoogstwaarschijnlijk was het een doodvonnis. En dat betekende dat als ik mijn tien tot vijftien jaar had uitgezeten, de gevangenis verliet en naar mijn gezin mocht dat buiten de muren van Attica op mij wachtte, mijn gezin een derde kleiner zou zijn geworden. Dan zouden we nog maar met zijn tweetjes zijn. En misschien wel eerder vroeg dan laat. Want er zouden nog meer nachten komen waarin Anna bewusteloos en bevend zou worden aangetroffen, nog meer injecties die met trillende hand zouden worden toegediend aan mijn comateuze dochter. Anna in leven houden was een taak voor twee; het was altijd een taak voor twee geweest.

En aangezien we ons daar toch allebei een dergelijke toekomst zaten voor te stellen, stelde ik me meteen ook maar alles voor. Dat ik het nieuws in de gevangenis te horen zou krijgen, per brief, wellicht. 'Het spijt ons u op de hoogte te moeten stellen van het feit dat uw dochter, Anna, gisteren is overleden.' Dat ik zou smeken om toestemming om naar haar begrafenis te gaan. Dat mijn verzoek zou worden afgewezen. Dat ik de eerstvolgende keer dat ze op bezoek kwam, Deanna's geteisterde gezicht aan de andere kant van de kunststof afscheiding zou moeten zien.

We stelden ons eerst die toekomst voor.

Toen stelden we ons een andere voor. Een ander soort toekomst.

Een toekomst elders. Met andere namen. Een toekomst die we samen, met zijn tweeën zouden kunnen delen.

Met vierhonderdvijftigduizend dollar om een nieuw leven te beginnen. Om Anna in leven te houden.

Zoveel zat er in het koffertje. De honderdtienduizend dollar uit Anna's fonds en driehonderdveertigduizend dollar van de andere mannen die ze hadden uitgekleed.

En dat was nog een reden om die tweede toekomst te overwegen. Dat koffertje. Misschien zou iemand het wel komen zoeken.

Er waren momenten waarop het leek alsof we het over iemand anders hadden. Alsof het niet ons eigen gezin kon zijn waar we het over hadden, dat het het gezin van een ander moest zijn. Een min of meer normaal, modaal gezin dat plotseling een ander normaal, modaal gezin werd. Was dat mogelijk? Soms gebeurden dat soort dingen, nietwaar? Dan werden hele gezinnen in programma's voor getuigenbescherming gestopt, met een nieuwe identiteit en een nieuw leven. Dit was natuurlijk iets anders.
Wij zouden niet verborgen worden door de overheid. We zouden onszelf gaan verbergen voor diezelfde overheid. Voor de politie van New York City. Voor iedereen, vanaf nu.
Uiteindelijk kwam het neer op een eenvoudige vraag. Het kwam neer op Anna. In welk geval had zij de beste kans? In welk geval was zij verzekerd van een langere toekomst? Zonder mij of met mij? Het was mogelijk dat ik de rechtszaak zou winnen. Zelfs als bekend werd dat ik overspel had gepleegd, zou de jury immers wellicht medelijden met me hebben, en als ik een slimme advocaat had, zou dat ook kunnen helpen. Misschien zou ik de rechtszaak winnen, maar het was in het gunstigste geval een kans van één op twee.
Konden we dat risico nemen? Konden we de dobbelstenen laten rollen?
De reden om het te doen was Anna.
De reden om het niet te doen was Anna.
Ik zou eerst moeten verdwijnen. Vanavond nog. En Deanna? Zij zou misschien een hele tijd moeten wachten voordat ze zich bij me zou kunnen voegen. Een halfjaar, misschien zelfs een jaar. En al die tijd mocht Anna het niet weten, dat realiseerden we ons allebei. Ze zou zich misschien iets laten ontvallen en mij zo verraden. Een heel jaar lang, ongeveer, zou Anna moeten geloven dat haar vader dood was.
We draaiden in kringetjes rond, bekeken het van alle kanten.
Misschien was het gewoon de vermoeidheid die uiteindelijk de doorslag gaf. We bleven maar proberen rationeel en logisch te denken, totdat ratio en logica uiteindelijk in elkaar over begonnen te lopen.
Om vijf uur 's ochtends leek het de meest logische, de redelijkste zaak van de wereld om van de aardbodem te verdwijnen.
Ik gaf mezelf niet aan.
Ik overleed.

Ontspoord 46

Ik vertrok die nacht.
Maar voordat ik wegliep, voordat ik Deanna voor mijn gevoel wel twintig minuten vasthield zonder dat we allebei ook maar een woord zeiden, liep ik op mijn tenen naar boven om naar mijn dochter te kijken.
Ze sliep vast, met één arm voor haar gezicht alsof ze iets niet wilde zien. Misschien had ze een nachtmerrie gehad. Ik fluisterde haar gedag.

Ik wist niet waar ik naartoe ging.
Als het maar ver hiervandaan was.
Ik nam om zes uur 's ochtends een Greyhound-bus die op weg was naar Chicago. Daar had ik niets op tegen.
Ik ging naast een magere, rusteloze rechtenstudent zitten die terugging naar zijn universiteit, Northwestern.
'Mike,' zei hij tegen me, en hij stak zijn hand uit.
'Lawrence,' zei ik. 'Noem me maar Larry.' Het was de eerste keer dat ik mijn nieuwe naam ook daadwerkelijk gebruikte, de eerste keer dat ik hem hardop zei. Het was een vreemde gewaarwording, net als mezelf zien met een baard. Ik zou eraan moeten wennen.
Mike was verslaafd aan sport; hij wilde spelersagent worden als hij afgestudeerd was, vertelde hij me. Ik stond op het punt tegen hem te zeggen dat ik hem misschien wel kon helpen, dat ik een paar agenten kende omdat ik jarenlang sporters in commercials had gebruikt, maar ik bedacht me. Van nu af aan zat ik niet meer in de reclamewereld. Van nu af aan had ik nooit in de reclamewereld gezeten. En dat zette me aan het denken: wat deed ik dan wel, als iemand ernaar vroeg? En wat zou ik gaan doen als ik op mijn eindbestemming aankwam?
Afgezien van een lesbevoegdheid die ik op Queens College had gehaald – niet omdat ik nu zo graag docent wilde worden, maar omdat ik op dat moment niet wist wat ik anders zou moeten doen – had ik me altijd beziggehouden met reclame. Hoe moest ik nu mijn brood verdienen?
Ik viel onderweg naar Chicago een paar keer in slaap. En ik droomde. Over Winston. Hij zat bij mij in mijn oude kantoor en we praatten over de kansen van de Yankees in het komende seizoen. Toen hoorde Winston een hond blaffen; hij stond op en ging weg. Toen ik wakker werd, zat Mike me vreemd aan te kijken en ik vroeg me af of ik in mijn slaap had gepraat.

Maar Mike glimlachte slechts en bood me de helft van zijn broodje tonijn aan. Toen we in Chicago aankwamen, schudde ik hem de hand en wenste hem veel geluk.
'Van hetzelfde,' zei hij, en ik bedacht dat ik waarschijnlijk al mijn geluk nodig zou hebben.

Ik vond een appartement in de buurt van het meer.
Ik had genoeg geld meegenomen om van te kunnen leven voor zo lang als nodig was. Meer dan genoeg, in elk geval, om één maand borg en één maand huur te kunnen betalen.
In de buurt woonden vooral Oekraïners.
Mijn buren gingen op hun bruine trapjes zitten als het mooi weer was. Kinderen reden op hun fietsen over straat en speelden slagbal. Een maand nadat ik er was komen wonen, hielden ze een buurtfeest. Een kale, stevig uitziende Oekraïner klopte bij me aan en vroeg of ik eraan wilde bijdragen.
Ik gaf hem twintig dollar en hij leek erg blij. Hij liet me beloven dat ik later ook even naar het feest zou komen.
Ik was het niet van plan; ik was van plan in mijn appartement te blijven en de *Chicago Sun-Times* te lezen. De lawine van artikelen over de bomaanslag in het Fairfax Hotel was langzaamaan afgenomen en er verschenen er nu nog slechts een of twee per week. In de krant van vandaag stond echter een bijgewerkte lijst met slachtoffers. Hoewel ik verwachtte hem daar te zien staan, hoewel ik er zelfs naar op zoek was, deed de aanblik van mijn eigen naam in streng zwart-wit me bleek wegtrekken en liet ik bijna mijn kop koffie vallen. Mijn naam was verplaatst van de lijst met vermisten naar de lijst met overledenen. Het was nu officieel.
En de naam van iemand anders was ook eindelijk op de lijst met slachtoffers opgedoken. Raul Vasquez. Ze hadden hem eindelijk weten te identificeren.
Ik stond op en liep naar het raam. Ik hoorde muziek en gelach opstijgen van de straat onder me. Ik besefte opeens hoe eenzaam ik me voelde.
Ik ging naar beneden.
Een plaatselijke band speelde Oekraïense volksmuziek – dat nam ik tenminste aan, aangezien iedereen de teksten leek te kennen en minstens twintig mensen er midden op straat op aan het dansen waren. Draagbare barbecues waren op de stoep geplaatst. Een jonge vrouw bood me een soort worstje aan, gewikkeld in zuurdesembrood, en ik bedankte haar en viel aan.
Toen kwam er een politieagent op me aflopen.
'Hé, jij daar,' zei hij.
Ik verstijfde. Elke vezel in mijn lichaam vertelde me dat ik moest wegrennen, dat ik het broodje moest weggooien en ervandoor moest gaan.

'Hé.' De politieagent hield me iets voor.
Een biertje.
Hij had geen dienst en woonde in de buurt. Hij probeerde gewoon aardig te zijn.
Ik blies mijn adem uit; voor het eerst sinds ik naar Chicago was gekomen, ontspande ik me. Ik bleef tot middernacht daar beneden. Ik dronk bier en at worstjes en klapte op de maat van de muziek.

Het op twee na ergste was dat ik hen niet kon zien. Deanna en Anna.
Het moeilijkste was dat ik wist wat Anna moest doormaken.
Een keer per week belde ik Deanna op haar mobiele telefoon. Vanuit een telefooncel, gewoon voor de zekerheid.
Een keer per week vroeg ik aan Deanna hoe Anna ermee omging, waarna Deanna zuchtte en het me vertelde.
'Het is zo moeilijk om het haar niet te vertellen, Charles. Een paar dagen geleden...' Maar ze maakte haar zin niet af.
Dat was ook niet nodig.
Ik zag Anna zó voor me. Urenlang zat ik in dat appartement aan niets anders te denken. Ik probeerde wel aan andere dingen te denken, maar het was net als toen ik steeds probeerde die beelden van Winston uit mijn gedachten te bannen.
'Misschien kunnen we...' begon ik, maar Deanna onderbrak me.
'Nee, Charles, nog niet.'

'Ze willen dat ik een herdenkingsdienst voor je hou,' vertelde ze me een paar weken later.
'Tante Rose en Joe en Linda... Ik heb tegen hen gezegd dat je vermist werd. Dat ik, totdat ze je officieel doodverklaarden, de hoop niet wilde opgeven dat je misschien nog wel leefde. Joe denkt dat ik ze zie vliegen, natuurlijk. Hij vindt dat het lang genoeg geduurd heeft en dat het tijd wordt dat ik de realiteit onder ogen zie. Ik heb tegen hem gezegd dat hij zich met zijn eigen zaken moest bemoeien. Hij nam het niet zo goed op. Ik denk dat de familie stelling begint in te nemen, Charles. Met zijn allen tegen de gestoorde vrouw.'
'Mooi,' zei ik.
Dat was min of meer ons plan.
Over vijf, zes, zeven maanden zouden Deanna en Anna zich bij me voegen. En de hele familie achterlaten. Zij hoorden bij ons andere leven. Van dit nieuwe leven konden ze geen deel uitmaken. Het zou schelen, dachten we, als ze allemaal van elkaar vervreemd zouden zijn. Deanna's weigering

de feiten onder ogen te zien en het feit dat de familie erop aandrong dat ze dat wel zou doen, bood ons slechts een onverwachte manier om dat te bereiken. De stormvloed aan ondersteunende telefoontjes van naaste en verre familie was al geslonken tot een dun straaltje. Muren werden opgetrokken, barrières opgebouwd. De enige uitzondering was Deanna's moeder. We waren het erover eens dat we het haar op een bepaald moment maar moesten vertellen en dan moesten duimen.
Het werd steeds duidelijker dat van de aardbodem verdwijnen niet gemakkelijk was. Banden moesten worden verbroken, losse eindjes moesten worden vastgeknoopt. Het was net alsof je een lange, gecompliceerde vakantie aan het plannen was, maar dan een vakantie waarvan je niet van plan was terug te keren.
'O, ze hebben van je werk gebeld over je verzekeringsgeld, Charles,' zei Deanna. 'Ik stond al helemaal op het punt hun te vertellen dat ik nog niet klaar was om toe te geven dat je dood was. Dat ze hun verzekeringsgeld mochten houden. Maar ze zei dat ze belde om te zeggen dat ze de uitbetaling wilden tegenhouden. Vanwege je schorsing: ze hadden de premie niet meer betaald. Ze wilde het me alleen laten weten.'
Wat was het leven toch ironisch, dacht ik.

Er waren andere dingen waarmee ik in mijn appartement mijn tijd verdreef. Ik ging aan de slag om meer identiteitspapieren te creëren.
Ik had al een rijbewijs. Ik wilde meer.
Winston had gezegd dat niets zo gemakkelijk was als een vals identiteitsbewijs verkrijgen en hij zat er niet ver naast. Tegenwoordig was internet alles wat je nodig had.
Toen ik in een internetcafé inlogde en de woorden 'valse identiteitsbewijzen' intypte, vond ik ten minste vier websites die maar al te bereid waren om te helpen.
Het geheim was dat je gewoon dat eerste identiteitsbewijs moest zien te verkrijgen. Met dat ene papiertje kon je er nog meer krijgen. En dankzij Winston had ik het eerste papiertje al. Een rijbewijs, dat volgens een website met de titel 'Wie bent u' wordt beschouwd als een primair identiteitsbewijs. Dat wil zeggen dat je daarmee alle andere papieren kunt krijgen. Een sofi-kaart, bijvoorbeeld, die ik kreeg nadat ik hem gewoonweg per post had aangevraagd.
Langzaam bouwde ik mijn nieuwe identiteit op.
Een creditcard. Een kiezerspas. Een bankpas. Kortingskaarten voor supermarkten als Barnes & Nobles en Costco. Een bibliotheekpas. Alle dingen waarvan verwacht wordt dat je ze in je portefeuille hebt.

Maar nu ik een identiteit had, moest ik nog een baan zoeken.
Op een dag stond er in de *Chicago Tribune* een artikel over de onderwijscrisis in de staat. Kennelijk was er een groot tekort aan leraren in Illinois. Bevoegde docenten stapten over naar andere, beter betaalde beroepen en als gevolg daarvan kwamen de scholen veel personeel tekort. Klassen werden samengevoegd met andere klassen. Speciale projecten werden stopgezet. De staat overwoog een wervingscampagne via de televisie op poten te zetten. En er was nog iets. Ze waren nu zover dat ze zelfs onbevoegde mensen lieten lesgeven; als iemand maar een lerarenopleiding had gevolgd op de universiteit en beloofde de certificaten te halen die noodzakelijk waren voor hun vakgebied.
Het leek me de ideale mogelijkheid voor mij.
Het gebied dat het zwaarst getroffen was, volgens het artikel, heette Oakdale, dat een kilometer of veertig buiten Chicago lag. Het was ooit een fabrieksstadje geweest maar was nu bijna helemaal berooid. Er woonden vooral arbeiders en minderheidsgroeperingen en de scholen worstelden voort met soms wel zeventig leerlingen in één klas. Ze bedelden zowat om leraren.
Op een dag ging ik ernaartoe om even rond te kijken.
Ik stapte van de bus en slenterde door de hoofdstraat van het stadje. Er waren heel veel dichtgetimmerde winkels en gebroken ruiten. Op de parkeermeters stonden geen koppen. Alleen de cafés leken redelijk zaken te doen. Het was pas vroeg in de middag, maar ze leken gevuld met werkloze mannen. Ik hoorde iemand iets schreeuwen vanuit een café dat Banyon's heette.
'Klootzak!' Het geluid van brekend glas.
Ik liep gehaast verder.
Ik stapte een lunchroom binnen en ging aan de bar zitten.
'Ja?' vroeg de eigenaar van de lunchroom me. Hij was dik en zag er moe uit; zijn schort zag eruit alsof het al jaren niet gewassen was.
'Een hamburger,' bestelde ik.
'Hoe wilt u hem?'
'Medium.'
'Oké.' Maar hij stond niet op van zijn stoel.
Na een paar minuten zei ik: 'Gaat u die hamburger nog maken?'
'Ik wacht op de kok,' zei hij.
'Waar is hij?'
Maar juist op dat moment kwam er een vrouw tevoorschijn via de deur achter de bar. Zijn vrouw, vermoedde ik. Ze was een sigaret aan het roken.
'Burger,' zei de eigenaar van de lunchroom tegen haar. 'Medium.'

Ze pakte een bevroren hamburger onder het werkblad vandaan en legde hem op de grillplaat.
'Wilt u daar friet bij?' vroeg ze me.
'Ja, graag.'
'Net hier komen wonen?' vroeg de eigenaar.
'Nee. Misschien. Ik denk erover.'
'Hm-hm. Waarom?'
'Pardon?'
'Waarom denkt u erover?'
'Ik kan hier misschien een baan krijgen als docent.'
'Docent, hè? Dus u bent leraar?'
'Ja.'
'Ik was nooit goed op school,' zei hij. 'Ik had er de hersens niet voor.'
'Nou ja, u bent kennelijk best goed terechtgekomen.'
'O, ja hoor. Het kon erger.'
Zijn vrouw zette de hamburger voor me neer. Hij zag er roze en vettig uit.
'Wat is er met de parkeermeters gebeurd?' vroeg ik aan hen.
'O, die,' zei de man. 'Iemand heeft ze gestolen.'
'Zijn ze dan nooit vervangen?'
De man haalde zijn schouders op. 'Nee. Maakt ook niets uit. We hebben geen parkeerwachters of zo, dus er was toch niemand die ze gebruikte.'
'Geen parkeerwachters. Waarom niet?'
'Omdat we helemaal niets hebben. De stad is blut. We delen een politiebureau met Cicero.'
'O,' zei ik. De meeste burgers zouden verontrust zijn bij het idee dat ze geen eigen politiebureau hadden, dacht ik, maar ik niet. Ik vond die informatie nogal geruststellend.
Oakdale, Illinois. Het begon meer en meer op een plek te lijken waar ik me thuis zou voelen.

Ik stuurde een brief met cv naar het schooldistrictsbureau van Oakdale.
Ik schreef dat ik op de universiteit de lerarenopleiding had gevolgd maar na mijn afstuderen een zakelijker richting was ingeslagen. Ik had van huis uit verschillende succesvolle eigen bedrijven gerund. Nu wilde ik graag iets terugdoen voor de gemeenschap. Jonge geesten bewerken en vormen. Vreemd genoeg was dat niet gelogen. Het grootste deel van mijn leven had ik doorgebracht met het aan de man brengen van weer een creditcard of pizzapunt; de gedachte dat ik iets zou kunnen doen waar anderen baat bij zouden hebben, sprak me oprecht aan.
Ik hield mijn cv met opzet vaag. Ik schreef 'City University' op, zonder te

specificeren op wélke stadsuniversiteit ik dan wel had gezeten. Ik rekende erop dat ze niet veel keuze zouden hebben. Dat het bestuur van een overbelast schoolsysteem dat te weinig geld binnenkrijgt en wanhopig behoefte heeft aan docenten geen tijd of zin zou hebben om de feiten te controleren.
Ik stuurde de brief met cv in juli weg.
Op 10 augustus kreeg ik antwoord.
Ze vroegen me langs te komen voor een sollicitatiegesprek.

Ontspoord 47

Op de eerste dinsdag in september begon ik met lesgeven.
Engels aan brugklassers. Ik mocht kiezen tussen verschillende leerjaren en ik koos de klas die qua leeftijd het dichtst bij die van Anna lag. Ik kon haar op het moment niet helpen, dacht ik, dus zou ik kinderen zoals zij helpen. Het was zacht, maar ik kon in het briesje dat af en toe opstak al een vleugje herfst voelen, alsof je in augustus in de zee een ijzige onderstroom voelt. Ik stond in hemdsmouwen buiten, op de trap van de Middenschool George Washington Carver, en huiverde.
Mijn eerste dag was het ergst.
De bel hield op met zoemen en ik zag eenenvijftig sceptische leerlingen die me strak aan zaten te kijken.
De klas bestond voor tweederde uit allochtonen en voor eenderde uit kinderen die graag allochtoon hadden willen zijn. Zelfs de blanke kinderen droegen van die laag afhangende broeken waar het elastiek van hun ondergoed bovenuit kwam. Ze oefenden het loopje dat hun zwarte medeleerlingen heel natuurlijk af leek te gaan; ze stonden voor de eerste zoemer op het schoolplein raps te verzinnen.
Toen ik mijn naam op het bord schreef, brak mijn stompje krijt doormidden en begon de hele klas te lachen. Ik maakte mijn bureaula open om een nieuw krijtje te zoeken, maar ik had niets meer; ik zou dat eerste jaar al snel merken dat het met al mijn schoolspullen zo ging.
Meneer Wid bleef er op het bord staan.
Dus begonnen ze me zo te noemen. Meneer Wid.
'Hé, meneer Wid, hoe gaat ie?' 'Yo, Wid...'
Ik verbeterde hen niet. Het brak het ijs die eerste dag en naarmate de tijd verstreek raakte ik zo'n beetje gehecht aan die naam. Alleen was er dat opschrift dat ik op een dag op de muur van het jongenstoilet aantrof.
IK HEB DE KOP VAN MENEER WID IN MIJN HAND!
Ik raakte ook aan hen gehecht, zelfs aan de schrijver van dat opschrift, die het schaapachtig toegaf toen hij betrapt werd op het moment dat hij iets aan zijn oeuvre probeerde toe te voegen en er twee dagen voor moest nablijven. Ik was toevallig degene die hem daarbij in de gaten hield. Ik had me aangeboden als vrijwilliger; ik had toch niets anders te doen en thuis zat er niemand op me te wachten. Dus hield ik toezicht over de nablijvers, gaf ik les aan een naschoolse studiegroep en hielp ik een handje met het basketbalteam van de school.

De schrijver van het opschrift heette James. Maar hij wilde graag 'J-Cool' genoemd worden, vertelde hij me. Hij kwam uit een eenoudergezin: alleen 'zijn mama', zei hij, en ik moest meteen aan Anna denken.
Ik zei tegen hem dat als hij zou ophouden met op de muren van de wc schrijven dat hij de kop van meneer Wid in zijn hand hield, ik hem J-Cool zou gaan noemen.
Afgesproken, zei hij. We werden vrienden.
Ik werd bij iedereen behoorlijk populair. Niet alleen bij de kinderen, maar ook bij de staf, aangezien ik me altijd vrijwillig meldde voor dingen die zij anders zelf hadden moeten doen.
Het had echter zo zijn nadelen als iedereen je aardig vond.
Als mensen je aardig vinden, stellen ze je altijd vragen over jezelf. Ze zijn nieuwsgierig waar je vandaan komt, wat je hiervoor gedaan hebt, of je al dan niet getrouwd bent, of je kinderen hebt.
De lunch werd nogal lastig voor me. Een hindernisbaan die ik elke middag vijfenveertig minuten lang moest nemen, waarbij ik me goed moest concentreren om niet te struikelen. In het begin zat ik wel eens met iemand te praten en dan vergat ik wat ik eerder tegen iemand anders had gezegd, zoals met Ted Roeger, die wiskunde gaf in de tweede klas en me uitnodigde in het weekend mee te komen spelen in zijn honkbalteam voor veertigplussers. Ik sloeg zijn aanbod beleefd af. Dan was er nog Susan Fowler, een docente culturele vorming van in de dertig die kennelijk een wanhopige vrijgezel was en die er altijd in slaagde een lege stoel te vinden aan mijn tafeltje, waarna ze het gesprek in de richting van relaties en de bijbehorende moeilijkheden trachtte te sturen.
Uiteindelijk ging ik naar huis en schreef ik mijn leven als Lawrence Widdoes uit. Van mijn jeugd tot aan het heden. Toen oefende ik het door mezelf persoonlijke vragen te stellen en ze te beantwoorden.
Waar ben je opgegroeid?
Staten Island. (Inderdaad, erg dicht bij de waarheid, maar ik moest een plek uitkiezen waarvan ik in elk geval iets af wist. En aangezien ik er duizenden keren doorheen was gereden op weg naar tante Kate, wist ik genoeg over Staten Island om te voorkomen dat ik door de mand zou vallen als iemand uit Staten Island besloot me er iets over te vragen.)
Wat deden je ouders?
Ralph, mijn vader, was automonteur. Anne, mijn moeder, was huisvrouw. (Waarom niet? Automonteur was een gerespecteerd beroep en in die tijd waren de meeste vrouwen huisvrouw.)
Heb je broers of zussen?
Nee. (Honderd procent waar.)

Op welke universiteit heb je gezeten?
City University. (Dat had ik immers ook op mijn cv gezet.)
Wat heb je hiervoor gedaan?
Ik had thuis een eigen zaak in schoonheidsproducten. Haarlak. Gezichtscrème. Bodylotion. (Een vriend van mij in Merrick had zo'n zaak, dus ik wist er wel iets van af, in elk geval genoeg om me te kunnen redden.)
Ben je getrouwd?
Ja. En nee. (Dit was een moeilijke. Ik had thuis in Chicago geen vrouw en kinderen, maar als alles volgens plan verliep, zou daar snel verandering in komen. Plotseling zouden ze gewoon verschijnen. Waarom? Omdat ook wij leden aan volksziekte nummer één in de twintigste eeuw – huwelijksproblemen – en een tijdje uit elkaar waren gegaan. Maar alleen maar tijdelijk. We werkten hard aan een verzoening; we hadden goede hoop dat het zou lukken en dat ze me zouden nareizen.)
Heb je kinderen?
Ja. Eentje. Een dochter.
Ik bleef met bijna alles dicht bij de waarheid. Dat maakte het gemakkelijker als ik een black-out kreeg, als iemand me in een hoek dreef met een vraag waarop ik niet voorbereid was. Het leven van Lawrence Widdoes was anders dan dat van Charles Schine, dat was waar, maar niet zo heel anders, en die verschillen werden langzaam en met horten en stoten als een tweede natuur voor me. Ik raakte ermee bekend, koesterde ze, pronkte met ze, nam ze mee op proefritjes en schafte ze uiteindelijk aan.

'Ze is met dialyse begonnen,' zei Deanna.
Ik stond twee straten bij mijn flat in Chicago vandaan in een telefooncel. Het was nu oktober. Een snijdende wind waaide vanaf het meer en deed de telefooncel rammelen. Tranen welden op in mijn ogen.
'Wanneer?' vroeg ik.
'Ruim een maand geleden. Ik wilde het je niet vertellen.'
'Hoe... hoe gaat ze ermee om?'
'Zoals ze tegenwoordig met alles omgaat. Met een afschuwelijk stilzwijgen. Ik smeek haar tegen me te praten, tegen me te schreeuwen, tegen me te gillen, wat dan ook. Dan kijkt ze me alleen maar aan. Toen jij wegging, is ze gewoon dichtgeklapt, Charles. Ze kropt het allemaal zo stevig op dat ik denk dat ze gaat ontploffen. Ik heb haar in therapie laten gaan, maar de therapeut zei dat ze geen woord heeft gezegd. Bij de meeste kinderen volstaat het om gewoon even af te wachten; na een tijdje wordt de stilte zo ongemakkelijk dat ze hem hoe dan ook willen vullen. Maar onze Anna niet. Ze bleef vijftig minuten lang uit het raam zitten staren, waarna ze opstond en wegliep. En nu dit weer.'

'Jezus, Deanna... Doet het pijn, de dialyse?'
'Ik geloof van niet. Dokter Baron zegt van niet.'
'Hoe lang moet ze daar blijven zitten?'
'Zes uur. Ongeveer.'
'En het doet haar geen pijn? Weet je het zeker?'
'Wat haar pijn doet, is dat jij weg bent. Dat sloopt haar. Het sloopt mij dat ik het haar niet kan vertellen. Ik geloof niet dat ik het haar nog langer níét kan vertellen. Charles...' Deanna begon te huilen.
Ik had plotseling het gevoel dat elk nuttig deel van mijn lichaam ermee was opgehouden. Iemand had gewoon mijn hart eruit gerukt, zodat er alleen nog maar een gat zat. Een gat dat wachtte totdat Anna het zou komen vullen. Anna, en ook Deanna. Ik begon te rekenen. Het was nu... wat, vier maanden geleden?
'Heb je het huis al te koop gezet?' vroeg ik haar.
'Ja. Ik heb tegen iedereen met wie ik nog praat gezegd dat ik weg moet. Er zijn hier te veel herinneringen. Ik moet opnieuw beginnen.'
'Met wie praat je nog?'
'Bijna niemand. Nu. Mijn ooms en tantes hebben me opgegeven; ik heb weer ruzie gehad met Joe. Onze vrienden? Vreemd is dat... in het begin maken ze een hoop heisa en blijven ze maar zeggen dat er niets zal veranderen, dat we nog steeds bij elkaar kunnen gaan eten op zaterdagavond en dat we op zondag gewoon barbecues blijven organiseren. Maar het verandert wel degelijk. Zij zijn allemaal met zijn tweetjes en jij bent alleen en daar voelen ze zich ongemakkelijk bij. Het is uiteindelijk gewoon gemakkelijker om je niet meer uit te nodigen. En wij ons maar zorgen maken over de vraag hoe we de banden met hen moesten verbreken. Het gaat eigenlijk gewoon vanzelf. Met wie praat ik nog? Met mijn moeder, voornamelijk. Verder niemand.'
'Zodra je een redelijk bod krijgt op het huis, verkoop je het maar,' zei ik. 'Het wordt tijd.'

Ontspoord 48

Ik vond een huis vlak buiten Oakdale.
Het was geen geweldig huis, een bescheiden boerderijtje dat ergens in de jaren vijftig was gebouwd, maar we hadden er drie slaapkamers en een tuintje en heel veel privacy.
Ik huurde het.
En wachtte totdat zij zich bij me zouden voegen.

Deanna verkocht het huis.
Het was niet de beste prijs die we hadden kunnen krijgen, maar ook niet de slechtste. Het was de beste prijs die we onder de omstandigheden konden krijgen.
Toen Deanna tegen Anna zei dat ze zouden gaan verhuizen, moest ze echter opboksen tegen een storm van protest. Deanna wendde voor dat ze wilde verhuizen omdat ze de herinneringen achter zich wilde laten, terwijl Anna zich juist aan die herinneringen wilde vastklampen. Deanna zei dat het gebeurd was en dat ze er niets aan konden veranderen. Anna nam haar toevlucht tot een ijzig stilzwijgen.
Ze liet het grootste deel van de meubels staan. We wilden niet dat een verhuisbedrijf een afleveradres zou hebben.
Ze laadden de auto in en vertrokken.

Ergens tussen Pennsylvania en Ohio zette Deanna de auto langs de kant van de weg en vertelde Anna dat ik nog leefde.

We hadden hier vreselijk over gepiekerd.
Hoe pak je het precies aan als je je dochter wilt vertellen dat haar vader helemaal niet dood is? Dat hij helemaal niet is omgekomen bij die ontploffing in dat hotel? Ik kon niet zomaar uit het niets opduiken als ze aankwam. Op zoiets moest ze voorbereid worden.
We hadden ons ook afgevraagd wat we haar precies moesten vertellen. Waarom leefde ik nog? Of om de vraag te stellen waar het werkelijk om draaide: waarom hadden we haar al die maanden laten geloven dat ik dood was?
Ze was veertien: ergens tussen servet en tafellaken.
Dus besloten we haar een verhaal te vertellen dat ergens tussen een leugen en de waarheid lag.

Deanna zette de auto stil op de parkeerplaats van een Roy Rogers-restaurant langs Route 96. Later vertelde ze me hoe het gesprek verlopen was.
'Ik moet je iets vertellen,' zei ze tegen Anna, en Anna keurde haar nauwelijks een blik waardig. Ze was nog steeds in een soort spreekstaking: ze gebruikte haar stilzwijgen als een wapen, het enige wapen wat ze had.
'Het is iets wat je moeilijk zult kunnen geloven en je zult vast heel, heel kwaad op me worden, maar ik zal proberen het je uit te leggen, oké?'
En nu keek Anna haar wel aan, want dit klonk ernstig.
'Je vader leeft nog, Anna.'
In eerste instantie, zei Deanna, keek Anna haar aan alsof ze haar verstand verloren was. En toen ze het herhaalde, leek ze te denken dat Deanna een gemeen grapje met haar probeerde uit te halen. Een uitdrukking van afkeer, bijna walging trok over Anna's gezicht en ze vroeg haar moeder waarom ze haar dit aandeed.
'Het is de waarheid, schat. Hij leeft nog. We gaan nu naar hem toe. Hij wacht op ons in Illinois.'
En dat was het moment waarop Anna haar eindelijk geloofde, omdat ze wist dat haar moeder haar verstand niet was kwijtgeraakt en dat ze nooit zo wreed zou zijn om haar op die manier voor de gek te houden. Ze stortte in; ze stortte eindelijk, finaal, volledig in. Ze huilde een zee van tranen, zei Deanna; ze huilde zo hevig en zo lang dat Deanna zich begon af te vragen hoe een lichaam in vredesnaam zoveel vocht kon bevatten. Ze huilde van geluk, van pure opluchting.
Toen, terwijl Deanna haar over haar hoofd streelde, kwamen de vragen.
'Waarom heb je me verteld dat hij dood was?' vroeg Anna.
'Omdat we het risico niet konden nemen dat je het tegen iemand zou zeggen. Misschien was dat verkeerd; het spijt me dat je dat moest doormaken. Wij dachten dat dat de enige manier was. Geloof me, alsjeblieft.'
'Waarom doet hij alsof hij dood is? Ik begrijp het niet...'
'Papa is een beetje in de problemen geraakt. Het was niet zijn schuld. Maar dat zouden ze misschien niet geloven.'
'Zij? Wie zijn "zij"?'
'De politie.'
'De politie? Pápa?'
'Je kent je vader, Anna, en je weet dat hij een goed mens is. Maar zo zouden zij het misschien niet gezien hebben. Ik vind het moeilijk uit te leggen. Maar hij is in de problemen geraakt en hij kon ze niet oplossen.'
Deanna vertelde haar de rest. Dat ze nieuwe namen zouden moeten aannemen. Een nieuw leven moesten beginnen. Alles.'
'Moet ik mijn naam veranderen?' vroeg Anna.

'Je hebt altijd gezegd dat je je naam vreselijk vond, weet je nog?'
'Ja, maar... kan ik niet gewoon mijn achternaam veranderen?'
'Misschien. We zullen wel zien.'
Al met al dacht Deanna dat het overweldigende goede nieuws dat ik nog leefde het won van het overweldigende slechte nieuws dat haar leven op zijn kop werd gezet. En dat we al die maanden tegen haar hadden gelogen.
Anna zei: 'Jamie.'
'Wat?'
'Mijn naam. Ik vind Jamie mooi.'

Ik wachtte in Chicago op hen.
De auto remde af langs de stoep en Anna sprong eruit nog voordat hij helemaal stilstond en wierp zichzelf in mijn armen.
'Papa,' zei ze. 'Papa... papa... papa...'
'Ik hou van je,' zei ik. 'Het spijt me zo, schatje. Het...'
'Sst,' zei ze. 'Je leeft nog.'

Ontspoord 49

Ons nieuwe leven.
Ik stond om halfzeven op en maakte ontbijt klaar voor Deanna en Anna. Voor Jamie. Ze ging samen met mij naar school. Ik kon haar inschrijven op het George Washington Carver. Toen het schoolhoofd vroeg of we de cijferlijsten van haar oude school konden laten doorsturen, zei hun favoriete nieuwe leraar dat hij haar oude school op de hoogte zou stellen en dat ze er binnen een paar maanden wel zouden zijn. Het schoolhoofd zei prima en vroeg er nooit meer naar.
Ik had een plaatselijke internist opgespoord, dokter Milbourne geheten, zodat Anna zonder onderbreking kon verdergaan met haar dialyse. Hij vroeg om haar dossier. Ik gaf hem hetzelfde antwoord dat ik de school had gegeven. Hij leek zich niet al te druk te maken, want Deanna had de afgelopen vijf jaar een logboek bijgehouden over Anna's bloedwaarden. Dat en haar huidige bloedsuikergehalte en het medisch onderzoek dat hij zelf uitvoerde leek hem alle informatie te verschaffen die hij nodig had. Hij zette haar op kantoor aan de dialyse en schreef een receptje uit voor een draagbare machine die we thuis konden gebruiken. Mijn nieuwe ziektekostenverzekering, welwillend ter beschikking gesteld door het schooldistrictsbestuur van Illinois, dekte alles.
Ik slaagde erin in Chicago een apotheek te vinden die de speciale insuline kon leveren die Anna nodig had, de insuline gemaakt van varkenscellen, die langzaam maar zeker van de markt verdrongen werd door de synthetische insuline waarop Anna niet zo goed reageerde.
Deanna, die nu haar tweede doopnaam Kim gebruikte, nam een deeltijdbaantje als receptioniste aan om de gezinsfinanciën wat te spekken.
En er gebeurde iets vreemds en wonderlijks.
We werden weer gelukkig.
Het begon ons langzaam te dagen, bij stukjes en beetjes hier en daar, totdat we het eindelijk, zonder angst, hardop durfden te zeggen.
We hadden een tweede kans gekregen om datgene te zijn wat ze een 'gezin' noemen. We grepen die kans met beide handen aan en klampten ons eraan vast alsof ons leven ervan afhing. Het was een beetje zoals in het begin, toen we pas getrouwd waren en vervuld van passie en hoop. We wisten niet hoe lang we Anna nog bij ons zouden hebben, dat was waar, maar we waren vastbesloten elke seconde die we nog met haar hadden te koesteren. We

praatten er nu over, troostten elkaar, putten kracht uit elkaar. De stilte werd voorgoed verbannen uit ons huis. We werden een soort modelgezin op het gebied van communicatie.
En langzamerhand keerde de intimiteit ook weer terug. De eerste nacht dat we weer samen waren, toen Anna veilig in bed lag, stortten we ons op elkaar met een soort wanhopige ongeremdheid. Seks had een scherp randje gekregen en was daarmee weer spannend geworden. We takelden elkaar toe, we verslonden elkaar, we naaiden onszelf in het zweet en uiteindelijk keken we elkaar een beetje verwonderd aan. Waren wíj dit?
Twee maanden later verkondigde Deanna dat ze zwanger was.
'Je bent wát?' vroeg ik.
'In verwachting. Van een kind. Zwanger. En,' vroeg ze, 'wat vind je? Moet ik abortus laten plegen?'
'Nee,' zei ik.
Ooit hadden we nog een tweede kind gewild. Toen Anna ziek werd, waren we van gedachten veranderd. Maar nu geloofde ik dat ik niets liever wilde.
'Ja,' zei Deanna. 'Zo voel ik het ook.'
Zeven maanden later had Jamie een broertje. We noemden hem Alex. Noem het maar een eerbetoon aan Jamies vorige incarnatie, en aan mijn grootvader Alexander.

Eén keer was het op het nippertje.
Ik kwam met Anna's medicijnen uit de apotheek, Roxman's Drugs. Ik verwonderde me erover hoe streng de winter in Chicago in werkelijkheid was. 'Windy City', stad van de wind, deed het niet echt eer aan.
Kille stad. IJspegelstad. Stijf bevroren stad. Zoiets.
Ik droeg een anorak, een gebreide muts, oorwarmers, handschoenen met een voering van bont. Desondanks liep ik te huiveren. Draadjes bevroren vocht zaten op mijn bovenlip. Ik was op een parkeerplaats in de openlucht mijn auto aan het zoeken en hoopte dat hij zou starten.
Ik liep langs een kantoorgebouw en botste tegen iemand met blond haar op.
'Neem me niet kwalijk,' zei ik terwijl ik me omdraaide en haar aankeek.
Het was Mary Widger.
'Geeft niet,' zei ze.
Ik draaide me met een ruk weer om en liep verder. Ik wist het weer: een van onze cliënten, een producent van voorverpakte etenswaren, had hier zijn hoofdkwartier. Zij kwam waarschijnlijk van een vergadering. Toen ik de hoek om liep en achteromgluurde, stond ze er nog steeds.
Had ze me herkend?
Ik denk van niet. Ik droeg nog steeds een baard. Ik was dik ingepakt in leer

en bont. Toch had ik het gevoel dat mijn hart even stilstond. Ik had moeite met ademhalen.

Ik wachtte een paar minuten, gehuld in mijn eigen wolken van warme dampen, waarna ik terugliep naar de hoek en nog een keer gluurde.

Ze was verdwenen.

Ontspoord 50

Alex was twee.
Hij kletste ons de oren van het hoofd, deed gymnastische oefeningen op het meubilair in de woonkamer en verrukte, amuseerde en bekoorde ons in het algemeen dagelijks.
Kim werkte weer als receptioniste.
Jamie hield zich goed staande. In medisch opzicht, in academisch opzicht, zelfs in sociaal opzicht. Ze was bevriend geraakt met twee meisjes die verderop bij ons in de straat woonden. Ze bleven bij elkaar slapen en organiseerden pizzafeestjes en gingen samen naar de film.
En meneer Wid? Hij behandelde *A Separate Peace* van John Knowles en verscheidene boeken van Mark Twain in de Engelse les voor de brugklas.
Een van Twains klassieke citaten leek me deze dagen zeer toepasselijk.
'De berichten over mijn overlijden zijn zeer overdreven.'
Jamie was niet de enige die een vriendenkring opbouwde. Nadat ik me maandenlang gedeisd had gehouden, had ik eindelijk de uitnodigingen van enkelen van mijn collega's geaccepteerd. Langzaamaan begonnen we met mensen om te gaan. Een etentje. Een film. Een zondagse visite.
Mijn vorige leven begon te vervagen. Niet alleen omdat er wat tijd was verstreken, maar ook omdat dit leven in zoveel opzichten veel beter was, in alle opzichten die er echt toe deden. Dat besefte ik nu. Vroeger verdiende ik meer geld, dat was waar. Volgens de gebruikelijke normen voor succes in Amerika – een prestigieuze baan, een goed salaris, een groot huis – had ik met dit leven een behoorlijke stap terug gedaan. Maar in dit leven kon ik succes in mijn werk afmeten aan iets anders dan dollartekens. Mijn jaarlijkse bonus was te zien hoe kinderen die zwoegend en ongemotiveerd mijn klaslokaal binnen kwamen, op het gewenste niveau en betrokken weer weggingen. Dat was goed voor de ziel. En ik had ook niet elke dag te maken met ontevreden en veeleisende cliënten die om mijn hoofd schreeuwden.
En ons huwelijk? Dat bleef me in zowel kleine als grote opzichten steeds weer verbazen.
Lawrence Widdoes was een gelukkig man.

Op een zaterdag in de zomer nam ik Alex mee toen ik naar Chicago ging. Ik moest weer medicijnen ophalen voor Jamie en ik was van plan om Alex gelijk maar mee te nemen naar het kindermuseum.

Eerst gingen we naar Roxman's Drugs.
De apotheker begroette me bij naam. We waren nu goede maatjes. Hij vroeg me hoe het met me ging.
Prima, zei ik.
Hij zei dat het veel te heet was.
Ik was het met hem eens: we zaten midden in een ongenadige hittegolf. Iets waar ik me maar al te zeer van bewust was, aangezien ik zomercursussen gaf in een gebouw zonder airconditioning. Aan het eind van elke dag kwam ik doorweekt thuis.
De apotheker stopte Alex een lolly toe en mijn zoon sperde zijn ogen wijd open, zoals alle kinderen doen wanneer je hun hun versie van geld aanbiedt. Hij liet mij de lolly uitpakken, waarna hij hem in zijn mond stopte en glimlachte.
Toen kwam de apothekersassistent op me aflopen en zei: 'Meneer Widdoes? Het spijt me, ik dacht dat u het begrepen had. Ik heb toch gezegd dat de insuline maandag pas binnenkomt?'
'Wat?'
'Weet u nog? Ik zei maandag.'
'Wanneer hebt u dat gezegd?'
'Toen u belde. Ik heb het gezegd.'
'Toen ik belde?'
'U vroeg me of de insuline al binnen was. Ik zei: maandag pas.'
'Mijn vrouw, bedoelt u. Zij zal wel gebeld hebben.'
Hij keek verward, schudde zijn hoofd, haalde zijn schouders op. 'Oké. In elk geval komt het maandag pas binnen.'
'Prima. Dan kom ik maandag wel terug.'

We gingen naar het kindermuseum.
Er waren verschillende projecten waar kinderen actief mee aan de slag konden. Alex klom via een enorme linkerhartkamer het model van een hart binnen, waar hij ging zitten en weigerde in beweging te komen. Hij wist dat ik niet achter hem aan kon klimmen en hij genoot van zijn tijdelijke onafhankelijkheid. Ik moest wachten totdat hij er genoeg van had.
Uiteindelijk kwam hij via de rechterhartkamer weer naar buiten.
Hij zag hoeveel hij zou wegen op Mars.
Hij tikte iets in morsecode.
Hij smeerde vingerverf op een computer.
Hij deed vogelvleugels om.
Ik nam hem mee naar het museumcafetaria, waar ik een hotdog en frietjes voor hem kocht, maar alleen als hij beloofde dat hij het niet aan mama zou

vertellen, aangezien zij tegenwoordig een persoonlijke kruistocht aan het voeren was tegen de vette hap.
Terwijl we daar zaten te eten, ervoer ik iets wat je een flashback zou kunnen noemen.
Er zat me iets dwars. Het zat op mijn schouder en zoemde in mijn oor. Ik probeerde het weg te slaan, maar het wilde maar niet weggaan. Ik kon het niet doden. Het was om gek van te worden.
Ik herinnerde me hoe ik met Lucinda, Didi, hoe ze ook heette, had zitten eten. Ik herinnerde me hoe ik mijn hart bij haar had uitgestort op de dag dat ze naar mijn dochter had gevraagd. Naar Anna. Ik herinnerde me dat ik haar iets verteld had.
Ik kreeg het opeens koud.
Ik haalde mijn mobieltje tevoorschijn en belde Kim.
'Schat?' zei ik toen ze opnam.
'Ja, hoi. Hoe gaat het?'
'Prima. Hierna gaan we naar het dode-oudersmuseum. Ik voel me alsof ik een marathon heb gelopen.'
'Dan heeft hij het vast prima naar zijn zin.'
'Dat kun je wel stellen. Hoor eens, ik wilde je iets vragen.'
'Ja?'
'Heb jij deze week Roxman's gebeld? Over Jamie's insuline?'
'Roxman's? Nee. Hoezo?'
'Je hebt hen niet gebeld? Weet je het heel zeker?'
'Ja, Charles... oeps, Larry, bedoel ik. Ik weet het heel zeker.'
'Het is niet zo dat je het hebt gedaan en het toen weer vergeten bent? Is dat niet mogelijk?'
'Nee. Ik heb Roxman's niet gebeld. Anders zou ik het nog wel weten. Wil je soms dat ik een beëdigde verklaring afleg? Hoezo?'
'Niets. Het komt door iets wat iemand tegen me zei...'
Ik zei haar gedag. Ik hing op.
Ik staarde naar mijn zoon. Hij zat op zijn laatste stukje worst te kauwen. Stemmen weergalmden tussen de muren van het museum; een kind aan een andere tafel schreeuwde moord en brand. Hij keek naar me op.
'Papa... goed?' vroeg hij.

Ontspoord 51

Ik ging internet op.
Ik ging drie jaar terug. Ik ging terug naar de dag van de explosie.
Ik kreeg honderddrieënzeventig resultaten toen ik zocht op 'Fairfax Hotel'. Alles van krantenberichten en tijdschriftartikelen tot items in tv-shows en zelfs internetgrapjes.
'Heb je het gehoord van de prijsverhogingen bij het Fairfax Hotel? Ze sloegen in als een bom.'
De meeste artikelen waren zo'n beetje wat je zou verwachten.
Verhalen over heldhaftige brandweermannen en onschuldige slachtoffers.
En te midden van die verhalen over onschuldige slachtoffers zag ik mijn naam weer staan: in eerste instantie op de lijst van vermisten, later op de lijst van doden.
Charles Schine, vijfenveertig, medewerker bij een reclamebureau.
En de namen van Dexter en Sam en Didi.
En die van hem: helemaal aan het eind van de alfabetische presentielijst.
Ik las verder. Er waren ook andere verhalen, verhalen over de man die de aanslag had gepleegd.
'Dorpsgenoten denken terug aan antiabortusactivist', luidde de titel van een van de artikelen. Jack Christmas was geboren in Enid in de staat Oklahoma. Hij was een vriendelijke jongen die altijd de schoolborden schoonwaste, zei zijn lerares van groep drie. Oude schoolvrienden zeiden echter dat hij altijd 'een beetje eng' was geweest.
Er was ook een artikel over het hotel zelf.
'Niets in verleden van onopvallend hotel had dit kunnen voorspellen.' Het was gebouwd in 1949. In het begin bestond het grootste deel van het cliëntenbestand uit zakenlieden. Het raakte in verval en werd een toevluchtsoord waar prostituees hun klanten mee naartoe namen en voor bewoners met een laag inkomen.
Er waren verschillende artikelen over binnenlands terrorisme.
Een artikel over een organisatie die zich de Kinderen van God noemde. Een manifest van een leger van antiabortusactivisten. Verschillende stukken over militante groeperingen. Een uitvoerig verslag van de bomaanslag in Oklahoma City en de overeenkomsten met de aanslag op het Fairfax Hotel. En nog iets verder nog een lijst met doden, dit keer met korte biografieën.

Charles Schine had een baan als creative director bij reclamebureau Schuman. Hij werkte samen met verscheidene grote cliënten. 'Charles was een aanwinst voor het bedrijf, als schrijver en als mens. We zullen hem missen,' zei Eliot Firth, directeur van reclamebureau Schuman. Charles Schine laat een vrouw en dochter achter.

Samuel L. Griffen werd aangeprezen als 'een stralende ster in de wereld van de financiële planning'. Zijn broer zei: 'Hij was een gulle, liefhebbende vader.'
Er stond ook iets over Dexter. 'Hij was een van onze eigen mensen,' zei de holding die het Fairfax Hotel onder beheer had. 'Een toegewijd medewerker.'
Zelfs voor Didi stond er een overlijdensadvertentie in; ik nam tenminste aan dat zij het was.
Desdemona Gonzales, dertig jaar oud. Geliefde zus van Maria. Dochter van majoor Frank Gonzales uit het oosten van Texas.
Ik besloot even een zijspoor te volgen. Ik zocht in kranten uit het oosten van Texas. Ik wist dat de plaatselijke kranten zich zouden uitsloven om de verhalen van slachtoffers uit de buurt op te tekenen.
Ik vond haar. In een artikel uit de *Roxham Texas Weekly.*

De gepensioneerde majoor Frank Gonzales zit op zijn voorveranda en koestert een zeer persoonlijk verdriet om zijn jongste dochter, die om het leven kwam bij de bomaanslag op het Fairfax Hotel. De dertig jaar oude Desdemona Gonzales woonde al tien jaar in New York City, zei haar vader. 'Ze hield ons niet echt op de hoogte,' zei hij, maar 'ze belde wel op feestdagen en dat soort dingen'. (...) Vrienden van de familie gaven toe dat meneer Gonzales senior en zijn dochter al enkele jaren van elkaar vervreemd waren... Als tiener werd Desdemona opgepakt wegens drugsbezit en er was sprake van een aanklacht wegens kindermishandeling jegens haar vader. Een vriend van de familie, die anoniem wenst te blijven, voegde eraan toe dat die aanklachten alle 'ongegrond' waren.

Ik klikte terug naar de algemene overlijdensadvertenties.
Er ontbrak er een.
Ik voelde iets onder in mijn rug. Een omgekeerd straaltje ijswater, het begon langs mijn ruggengraat omhoog te kruipen.
Ik ging terug en klikte nog een keer op elk zoekresultaat. Ik las alles opnieuw door. Niets. Hij werd niet één keer genoemd.
Ik opende de webpagina van de *Daily News.* Ik typte 'Fairfax Hotel'.

Tweeëndertig artikelen.
Ik begon met het artikel dat op de dag van de explosie was verschenen. Er stond een foto bij van de plaats des onheils. Een oude vrouw zat op de hoek van de straat te huilen op de stoeprand; brandweermannen stonden midden op straat met hun hoofden omlaag. Ik las het hele artikel vluchtig door. Ik ging verder met het volgende.
Het was zo'n beetje hetzelfde verhaal als ik elders al had gelezen, maar dan in chronologische volgorde. De aanslag, de doden, de helden, de boosdoener, het onderzoek, de begrafenissen.
Het kostte me twee uur. Nog steeds niets.
Ik begon te denken dat ik het mis had. Ik had gewoon een achteloze opmerking verkeerd geïnterpreteerd. Dat gebeurde zo vaak.
Ik zou nog één week bekijken: de week met het laatste artikel, vier weken na de bomaanslag. Verder niets.
Dan zou ik uitloggen en weggaan en mijn slapende kinderen welterusten kussen. Ik zou bij Kim in bed kruipen en me tegen haar warme lichaam aan vlijen. Ik zou in slaap vallen in de wetenschap dat alles in orde was.
Ik begon met maandag. Ik ging verder met dinsdag.
Ik zag het bijna over het hoofd.
Het was een klein artikeltje, begraven onder een lawine van artikelen over de oorlog in het Midden-Oosten, een drievoudige moord die gepleegd was in Detroit, een huwelijksschandaal rond de burgemeester van New York City.
'Heldhaftige overlevende niet zo heldhaftig', stond er.
Ik klikte erop, hield mijn adem in en las wat er stond.
Het was een soort human-interestverhaal, zo'n artikel dat ze plaatsen als de verhalen over helden en slachtoffers beginnen op te raken, zo'n verhaal dat bedoeld is om je je hoofd te laten schudden over de trieste ironie van het leven.

> *Lichaam uit puin gehaald... geen identiteitspapieren... verscheidene weken in coma... hersenoperatie... vingerafdrukken leverden uiteindelijk een naam op... eerder als overleden opgegeven... zijn auto in de parkeergarage van het hotel... was niet komen opdagen voor vonnis... woordvoerder van de politie... gevangenisziekenhuis...*

Ik las het artikel langzaam van begin tot eind. Toen nog een keer, om er zeker van te zijn.

Jamie's insuline.
Die was gemaakt van de cellen van de alvleesklier van varkens; zo werd vroe-

ger alle insuline gemaakt. Totdat ze een manier bedachten om het synthetisch te fabriceren in een laboratorium. Dit was een vrij recente ontwikkeling; Anna gebruikte al varkensinsuline sinds bij haar diabetes was geconstateerd. Toen ze het synthetische spul uitprobeerde, waren haar waarden langzaam omhooggekropen en niet meer gedaald.
Dat gebeurde soms, had dokter Baron gezegd. Sommige mensen reageerden beter op het echte spul. Dus was hij varkensinsuline blijven voorschrijven. Ook al werd het langzaam van de markt verdrongen; ook al werd het heel moeilijk om het spul te pakken te krijgen. Maar er was geen reden om ons zorgen te maken. Er zouden altijd wel apotheken zijn die het in het assortiment zouden houden, had hij gezegd.

Ik zat in de schoolkantine te praten met Jameel Farraday, een schooldecaan. Een keer per jaar nodigde Jameel gevangenen uit de staatsgevangenis uit om te spreken in de schoolaula, in een poging de leerlingen van George Washington Carver dusdanig de schrik op het lijf te jagen, dat ze op het rechte pad zouden blijven. De gevangenen, van wie er zelfs een paar in de buurt waren opgegroeid, praatten dan over drugs, over de verkeerde beslissingen die ze hadden genomen en over het leven achter de tralies.
Vervolgens beantwoordden ze vragen uit het publiek.
'Heb je ooit iemand vermoord?' vroeg een van de leerlingen aan een ex-junkie die een litteken had dat over zijn hele kaak liep.
Hij zei van niet en de verzamelde leerlingen kreunden.
'Ik denk erover om mijn leerlingen te laten schrijven met mannen die in de gevangenis zitten,' zei ik tegen Farraday. Hij zat aardappelpuree met te veel melk en vette kipsticks te eten.
'Met welk doel?' vroeg hij.
'Nou, een beetje hetzelfde als wat jij doet, maar dan schriftelijk. Mijn leerlingen kunnen dan hun schrijfstijl oefenen en misschien kunnen ze nog iets leren van die mannen.'
'Oké,' zei hij.
'Ik vroeg me af...'
'Ja?'
'Ik heb ooit iemand gekend die uiteindelijk in de gevangenis terechtkwam, iemand uit mijn oude buurt. Ik dacht dat ik misschien met hem kon beginnen.'
'Wat heeft hij gedaan?'
'Ik weet het niet precies. Iets met drugs, heb ik gehoord.'
'Hm-hm.'
'Heb je enig idee hoe ik erachter kan komen waar hij zit?'

'In welke gevangenis, bedoel je?'
'Ja.'
Farraday haalde zijn schouders op. 'Ik weet het niet. Ik zou het mijn contactpersoon bij de gevangenis van Chicago kunnen vragen.'
'Zou je dat willen doen?'
'Tuurlijk. Als ik eraan denk. Waar komt hij vandaan?'
'New York.'
'Hm-hm. Hoe heet hij?'
'Vasquez.'
'Vasquez?'
'Ja. Raul. Raul Vasquez.'

Ontspoord 52

Hij wist waar ik was.

Hij was halfdood toen ze hem uit het puin haalden. Half dood, maar niet helemaal.
Hij had weken in coma gelegen. Ze wisten niet wie hij was.
Zijn auto stond geparkeerd in de garage van het hotel. Hij was niet op zijn werk verschenen. Hij werd als overleden opgegeven.
In een laatste, wanhopige poging om zijn identiteit te achterhalen, hadden ze zijn vingerafdrukken genomen en opgezocht. Raul Vasquez. Hij was een keer niet komen opdagen voor een vonnis naar aanleiding van twee aanklachten wegens mishandeling en een aanklacht wegens het prostitueren van vrouwen.
Hij was overgebracht naar een gevangenisziekenhuis totdat hij genoeg hersteld was om bij het Hooggerechtshof in de Bronx voor de rechter te verschijnen en zijn vonnis aan te horen.
Hij had daar in de gevangenis zitten denken en hij had zich iets herinnerd. Wat Didi hem had verteld. Over mijn dochter. Over de speciale varkensinsuline die ze nodig had om te kunnen overleven. 'Waarom varkensinsuline?' had ze gevraagd, weet je nog? Als een bezorgde geliefde, niet als een plichtsgetrouwe afperser die me allerlei details ontfutselde. Vasquez zat daar in de gevangenis te koken van woede. Ik had me voor hem verstopt. Ik was verdwenen. Maar toen begreep hij dat er iets was wat ik zou moeten doen. Hoe zorgvuldig ik mezelf ook verborgen hield, er was één ding dat ik hoe dan ook moest doen.
'Met meneer Widdoes. Is mijn insuline al binnen?'
Hoeveel apothekers zouden er nee gezegd hebben? Hoeveel apothekers zouden gezegd hebben: 'Widdoes wie?'
Maar hij hield vol. Hij bleef bellen. Hij had alle tijd in de wereld. Hij had alle motivatie die nodig was.
Misschien was hij begonnen in New York. Misschien was hij daarna verdergegaan met Pennsylvania. Enzovoort.
Op een dag had hij Illinois bereikt.
Roxman's Drugs.
En toen hij dit keer vroeg of zijn insuline al binnen was, zei de apothekersassistent geen nee.
Hij zei: 'Nog niet, maar het komt maandag binnen.'

Twee weken nadat ik met Jameel had gepraat, kwam hij me na de les opzoeken en gaf me een velletje papier.
'Wat is dit?' vroeg ik.
'Die kerel naar wie je vroeg,' zei hij. 'Maar er zijn er drie.'
'Drie?'
'Ja. Drie mannen die Raul Vasquez heten. Maar als hij uit New York komt, vermoed ik dat deze het is.' Hij wees op de eerste naam op het vel. 'Dan denk ik dat hij daar zit.'

Ik lag boven in bed. Ik kon niet slapen.
Kim was gewend aan mijn nachtelijke ademhalingsritme en wist zonder zelfs maar te hoeven kijken dat ik daar klaarwakker naar het plafond lag te staren.
'Wat is er, schatje?' vroeg ze. 'Is er iets mis?'
Ik kon het haar nog niet vertellen. Ik had de moed niet. We waren één keer ontsnapt aan een catastrofe; we hadden een nieuw leven opgebouwd. We waren gelukkig. Ik kon haar niet vertellen dat we toch niet helemaal ontsnapt waren, dat het verleden met ijskoude vingers naar ons reikte.
'Nee, niets,' zei ik.
Ik lag na te denken.
Wanneer kwam je in aanmerking voor vervroegde vrijlating als je twaalf jaar had gekregen?
Wanneer zou hij vrijkomen?
Want dan zou hij achter mij aan komen. Dat wist ik zeker. Dan zou hij achter mijn gezin aan komen. En dan zou hij doen wat hij met Winston en Sam Griffen en de man die hij in Lynbrook voor de trein had geduwd en god weet hoeveel anderen had gedaan.
Die dag dat hij naar ons huis was gekomen en zich had voorgedaan als schoorsteenveger.
'Ik heb ooit eens iets gehoord over een gezin dat 's avonds ging slapen en nooit meer wakker werd.'
Ja, hij zou achter me aan komen.
Tenzij... ik fluisterde het als een vurig gebed.
'Tenzij ik hem eerst te grazen neem.'
Hij wist niet dat ik wist dat hij nog leefde. Hij wist niet dat ik wist dat hij me gevonden had.
Maar wat maakte dat uit?
Hij zat in de gevangenis. Hij zat opgesloten.
Om hem te grazen te kunnen nemen, zou ik Attica binnen moeten komen.
Goed... Hoe moest ik dat aanpakken?

Attica

Het was mijn laatste les.
Ik had die dag omcirkeld in mijn agenda. Ik had die dag gerepeteerd in mijn dromen.
Toen ik door de metaaldetector liep, zei een bewaarder, Stewey genaamd: 'Nou, laatste dag, hè?' en ik dacht dat hij er bijna droefgeestig bij keek. Misschien raken mensen gewend aan degenen die ze kleineren, en wie weet of ze ooit nog iemand zullen vinden die ze zo lekker kunnen pesten?
Voordat ik naar mijn klaslokaal ging, ging ik eerst nog even naar de personeelskantine.
Het was gewoon een kamer met klapstoelen en tafeltjes en een dertien-inch tv, die meestal op herhalingen van *The Dukes of Hazard* afgestemd stond. De bewaarders hadden kennelijk iets met Daisy Duke; waarschijnlijk vanwege die kort afgeknipte spijkerbroeken van haar, want er hing nog steeds een oude poster van haar aan de muur. Iemand had met een potlood tepels op haar witte blouse getekend.
Ik schonk wat koffie voor mezelf in. Ik deed poedermelk in mijn bekertje en roerde met een plastic roerstokje.
Nonchalant liep ik naar het bewaardersmuseum, in de linkerhoek van de kamer.
'Jij krijgt vandaag je een voor twaalf, kerel,' zei Dikke Tommy. Hij zat verspreid over twee metalen stoelen met een caloriearme magnetronmaaltijd voor zich op tafel.
Het is niet meer dan normaal dat mensen het taaltje van hun werkomgeving overnemen; de bewaarders van Attica praatten vaak net zoals de gevangenen van Attica. En een voor twaalf betekende dat je je vrijheid terugkreeg, dat je de gevangenis mocht verlaten.
Misschien, dacht ik. We zullen zien.
Ik nam een slokje koffie, ik bestudeerde de collectie nijven en blaffers terwijl Dikke Tommy kauwde op een maaltijd die hij ongetwijfeld vreselijk onbevredigend vond. Hij was naast mij de enige die in de zaal zat.
Toen ik me uiteindelijk omdraaide en wegging, keek Dikke Tommy op, maar hij zei me niet gedag.

Als ik van de kantine naar het klaslokaal liep, moest ik eerst door een zwarte deur die op slot zat; ik moest twee keer kloppen en wachten totdat een an-

dere bewaarder me toestemming gaf om binnen te komen. Vervolgens liep ik over de 'bowlingbaan', zoals ze de hoofdgang van de gevangenis noemen. Hij is in tweeën gedeeld door middel van een onderbroken gele lijn, net als een staatssnelweg. De ene kant is bestemd voor gevangenen. De andere kant is bestemd voor bewaarders. Of voor mensen die er ergens tussenin vallen.
Ik passeerde een bewaarder, Hank genaamd.
'Hé, Gaalb,' zei hij. 'Ik zal je missen. Jij was mijn beste kloris.'
Vertaling: beste vriend.
'Dank je,' zei ik, maar ik wist dat hij het niet meende.
Toen iedereen in de klas rustig op zijn plek zat, zei ik tegen hen dat dit de laatste keer zou zijn dat ik hen zag. Dat het leuk was geweest hun les te geven. Dat ik hoopte dat ze uit eigen beweging zouden doorgaan met lezen en schrijven. Ik zei tegen hen dat in de beste klassen de leraar de leerling wordt en omgekeerd en dat dat was wat hier was gebeurd: ik had veel van hen geleerd. Niemand leek bepaald ontroerd, maar toen ik klaar was, knikte een enkeling me toe alsof hij me misschien zelfs wel zou missen.
Malik was daar niet bij. Hij had me de laatste keer een briefje toegestopt. Met daarop de plek waar de schrijver op me zou wachten.
Ik zei tegen de klas dat we deze laatste les net zo goed konden gebruiken om op creatieve wijze terug te kijken op de afgelopen tijd. Ik wilde dat ze allemaal een opstel zouden schrijven over wat de lessen voor hen hadden betekend. Dit keer, zei ik tegen hen, mochten ze zelfs hun namen eronder schrijven.
Toen verontschuldigde ik me om naar het toilet te gaan.
Ik passeerde de zwarte bewaker die buiten de deur op wacht hoorde te staan en die er dit keer ook daadwerkelijk stond. Ik zei dat ik met een minuut of tien terug zou zijn en hij zei: 'Ik zal de media waarschuwen.'
Hij zou op me wachten in de buurt van de gevangenisapotheek, zei Malik. Daar werkte hij.
Een baantje bij de apotheek betekende aanzien, had Malik uitgelegd, aangezien je op die manier toegang had tot zaken als kalmerende middelen.
Het verschafte je ook toegang tot iets anders, wist ik. Medicijnfabrikanten. Je kon hen opbellen en bepaalde dingen uitzoeken als je dat wilde. Zoals, misschien, waar een zeldzaam soort insuline naartoe werd gestuurd.
Het had hem waarschijnlijk toch geen jaren gekost om me op te sporen.
Ik liep weer terug over de bowlingbaan. Ik volgde de bordjes.
De apotheek bestond uit één lange toonbank, beschermd door middel van staalgaas. Er bestaan gevangenissen binnen gevangenissen, bedacht ik, een axioma dat ook op het leven van toepassing was. Het was een inzicht dat ik misschien met mijn klas had kunnen delen, als ik die nog had gehad.

Ik liep de apotheek voorbij en betrad een lege gang die scherp naar links afboog en eigenlijk nergens naartoe leek te gaan. Maar hij ging wel degelijk ergens naartoe.
Malik had me verteld waar hij op me zou staan wachten en ik had de plek alvast verkend.
Een alkoofje, midden in de gang.
Een soort blinde hoek. In oudere instellingen zoals Attica waren er een heleboel van: verborgen hoekjes waar de gevangenen zakendeden, waar ze drugs verkochten en op hun knieën gingen zitten. Waar ze elkaar dingen betaald zetten. Een blinde hoek. Een toepasselijke beschrijving, ware het niet dat ik er met wijdopen ogen in liep.
Ik liep het alkoofje binnen, waar het stil was en niets bewoog, en bleef staan.
'Hallo?'
Ik kon hem daarbinnen horen ademen.
'Hallo,' fluisterde ik opnieuw.
Hij stapte uit de schaduwen.
Hij zag er anders uit; dat was het eerste wat ik dacht. Dat hij er anders uitzag dan ik me hem herinnerde.
Zijn hoofd. Het leek kleiner, opnieuw gevormd, alsof het in een bankschroef was samengedrukt. Hij had een litteken dat van boven naar beneden over zijn voorhoofd liep. Dat was één ding dat veranderd was. En hij had een tattoo op zijn rechterschouder. Een wijzerplaat in het blauw van de gevangenis, zonder wijzers, om aan te geven dat hij zijn tijd moest uitzitten. En verder naar beneden op zijn arm stond een grafsteen met een getal erop: twaalf, de lengte van zijn gevangenisstraf.
'Verrassing,' zei hij.
Nee. Maar ik wilde wel dat hij dat zou denken.
'Hoe gaat ie, Chuck?' vroeg hij. Hij glimlachte, zoals hij bij mijn voordeur had geglimlacht op de dag dat hij naar mijn huis was gekomen en aan mijn dochter had gezeten.
'Larry,' zei ik.
'Larry. Ja, ik snap het. Dat was een vette stunt die je hebt uitgehaald: net doen alsof je dood was. Je hebt iedereen voor het lapje weten te houden, nietwaar, Larry?'
'Niet iedereen, nee.'
'Nee, niet iedereen. Je hebt gelijk. Je had die meid van me niet in je portemonnee moeten laten kijken, Larry. Domme actie. Oerstom.'
De gastvrouw in de Crystal Night Club. Widdoes... 'Wat is dat nu voor een naam?' had ze gevraagd.
'Ik dacht dat je dood was.'

'Dat mocht je willen.'
Ja, dacht ik. Dat zou ik inderdaad graag willen. Maar er komt een tijd dat je moet ophouden met wensen.
'Ik heb naar je gezocht, Larry. Overal, zo'n beetje. Je hebt iets van me afgepakt, snap je. Ik wil het terug. Dus ben ik naar je op zoek gegaan. En ik heb je nog gevonden ook. Ik heb je tot twee keer toe gevonden.'
'Tot twee keer toe?'
'Eerst in Chicago. Ja... inderdaad. Dat verbaast je, hè? Ja, ik wist precies waar je was. In Oakdale, in Illinois. En toen ging je opeens verhuizen.'
'Ja.'
'Naar Bennington. Hier pal om de hoek, verdomme. Dat is nog eens geluk hebben, of niet soms?'
'Dat is inderdaad geluk hebben.'
'Hm-hm. Weet je hoe ik je gevonden heb?'
'Nee.'
'Via je dochter. Via de apotheken. Eerst in Chicago. Toen in Bennington. En voor ik het weet, voor ik het in de gaten heb, wals je hier verdomme gewoon door de voordeur naar binnen.'
'Ja.'
'Ik zeg tegen mezelf: daar heb je je een voor twaalf, kerel. Op een presenteerblaadje nog wel.'
'Waarom heb je me niet gedag gezegd?'
'Dat heb ik wel gedaan. Ik heb mijn maatje gevraagd mijn groet aan jou voor me op te schrijven.'
'Jouw maatje?'
'Niet Malik. Mijn kameraad. Een joodse professor in de literatuur die zijn vrouw om het hoekje geholpen heeft. Die kerel schrijft hier alle gratieverzoeken. En gave verhaaltjes om mensen te stangen. "Charley Schine wordt genaaid", dat is zijn nieuwste werk.'
'Ja, het was erg effectief.'
'Ik dacht dat je misschien zou vluchten. Als je zomaar opeens je levensverhaal voor je neus zou krijgen en zo.'
Nee, dacht ik. Als ik zou zijn gevlucht, zou ik dat in Oakdale al hebben gedaan. Dat was wat Deanna zei dat we moesten doen: 'Laten we wegvluchten.' En ik zei: 'Oké, maar als we nu wegvluchten, moeten we dat blijven doen. De rest van ons leven. Dus misschien moeten we dat maar niet doen.' Daarom had ik onbetaald verlof genomen en waren we hiernaartoe gegaan.
'Jij hebt iets wat van mij is, Larry,' zei hij.
'Een deel ervan was anders oorspronkelijk van mij.'
Vasquez glimlachte. 'Wat denk je wel niet, verdomme? Dat dit iets is waar je

over kunt onderhandelen? Denk je soms dat ik een deal met je wil sluiten? Je bent de lul. Dat is jouw rol in het leven. Accepteer het maar gewoon. Ga op je knieën zitten en doe je mond open en zeg: alsjeblieft, pappie. Ik wil mijn geld terug.'

Iemand schreeuwde in de apotheek: 'De dokter zegt dat ik dat spul moet hebben, oké?'

'Je zit in de gevangenis,' zei ik.

'Jij ook. Je zit opgesloten. Je zit een straf uit. Denk je soms dat je daarbuiten veilig bent? Denk dan nog maar eens, klootzak. Ik kan je aangeven. Ik kan tegen ze zeggen: "Hier heb je Charley." Als je geluk hebt, tenminste. Want anders stuur ik misschien wel iemand naar je huis om je vrouw te neuken. Wie weet. Hoe oud is je dochter nu? Oud genoeg om ook even lekker gepakt te worden, toch?'

Ik viel hem aan.

Een reflex nam gewoon de controle over mijn lichaam over en zei: moet je horen, we moeten die vent tegenhouden, we gaan hem voorgoed het zwijgen opleggen; ik meen het. Maar toen ik naar hem uitviel, toen ik hem naar de keel vloog, bracht hij zijn knie omhoog en raakte hij me in mijn buik. Ik viel op mijn knieën. Hij ging achter me staan en legde zijn arm om mijn hals en begon te knijpen. Hij fluisterde in mijn oor.

'Goed zo, Charley. Goed zo. Dus ik heb je kwaad gemaakt? Ik zal je eens wat vertellen. Was het niet geluk hebben dat je in Bennington opdook? Zestig kilometer hiervandaan. In mijn eigen achtertuin, verdomme? En alsof dat nog niet toevallig genoeg is, loop je vervolgens doodleuk naar binnen en ga je hier lesgeven. Is dat nou niet geluk hebben? Is dat geluk hebben of niet? Of is dat misschien wel een beetje té toevallig? Wat denk jij, Charley? Is dat niet té toevallig? Ik weet het niet. Jij hebt iets voor me, Charley, of niet?' Hij stak zijn hand uit en klopte op mijn rechter broekzak. Daar voelde hij het: het nijf dat ik had meegenomen uit het museum van de bewaarders. 'Heb je soms iets waar je me mee wilt prikken? Nou, Charles?' Hij haalde het uit mijn zak; hij liet het me zien.

'Je zou me ondertussen toch beter moeten kennen, Chuck. "Natuurlijk kom ik naar de rivier toe. Natuurlijk kom ik alleen." Natuurlijk. Maar ik kwam je postbode het eerst tegen bij de rivier, of niet soms? Ik heb hem zijn kop van de romp geschoten, nietwaar, Charley? Wie denk je verdomme dat je voor je hebt? Denk je soms dat ik stom ben?' Hij zette het mes tegen mijn keel. Hij drukte het tegen mijn halsslagader. Toen glimlachte hij en duwde me op de grond. Ik rook iets scherps: urine en ammoniak.

Ik wilde hem nu wel antwoord geven.

Ik wilde tegen hem zeggen: ja, ik weet wie ik voor me heb. Ik wilde hem vertellen dat dat de reden was dat ik in Bennington zes maanden had zitten wachten voordat ik hier solliciteerde naar de baan als leraar. Waarom ik ervoor gezorgd had dat hij me daar eerst zou vinden, terwijl ik in Bennington woonde en lesgaf aan de middelbare school, zodat het gewoon een gelukkig toeval zou lijken als ik later hier een baan als docent aannam. Nota bene in de gevangenis waar hij zat. En ik wilde hem vertellen dat ik daarom met opzet mijn sleutels in mijn zak had laten zitten toen ik die dag door de metaaldetector liep: om te controleren of het mogelijk zou zijn om een wapen mee naar binnen te smokkelen. Een pistool. En dat ik, toen ik erachter kwam dat het níét mogelijk was om een pistool mee naar binnen te smokkelen, regelmatig naar de personeelskantine ging omdat ik had gehoord dat ze daar een soort museum hadden.

Ik wilde hem vertellen dat het waar was: ik had niet geweten wie ik voor me had toen ik bij de rivier naast Winston ging zitten, en later, toen we weer in het Fairfax Hotel waren; zelfs toen had ik het nog niet beseft. Maar dat ik het nu wel wist. Dat ik iets had geleerd.

En nog één ding. Nog één laatste opmerking. Dat ik, toen ik daar met mijn rug naar Tommy bij het bewaardersmuseum stond, datgene wat ik had geleerd in mezelf fluisterde. Als een gebed aan de god van de verneukte plannen. Want ik had geleerd dat dat precies is wat je moest doen als je God aan het lachen wilde maken: een plan bedenken; maar als je hem wilde laten glimlachen, maakte je er twee.

Twee.

Ik stak mijn hand in mijn linker broekzak. Ik haalde het pistool van zeephout en tin met springveer, dat ik in de personeelskantine zo zorgvuldig geladen had, tevoorschijn.

Ik schoot Vasquez midden tussen zijn twee verbaasd kijkende ogen.

Times Union

Gevangene omgekomen bij schermutseling in Attica

door Brent Harding

De 34-jarige Raul Vasquez, een gevangene in Attica, vond gisteren de dood toen zijn beoogde slachtoffer erin slaagde hem een in de gevangenis gefabriceerd pistool afhandig te maken en hem een fatale verwonding toe te brengen. De 47-jarige Lawrence Widdoes, die twee avonden per week Engelse les geeft aan de gevangenen van Attica, werd in de buurt van de gevangenisapotheek aangevallen door meneer Vasquez. Een getuige die in de apotheek werkt, zag hoe Vasquez Widdoes te lijf ging. 'Hij probeerde hem te wurgen...' verklaarde Claude Weathers, een gevangene van Attica. 'En toen *boem*, en Vasquez ging tegen de grond.' Widdoes, die kneuzingen aan zijn hals opliep, weet niet precies waarom Vasquez hem aanviel, maar vermoedt dat het iets te maken heeft met het feit dat hij negatieve kritiek had geleverd op een leerling, tevens de celgenoot van Vasquez. Widdoes, wiens baan als leraar verdwijnt als gevolg van bezuinigingen bij de overheid, is vooral blij dat hij nog leeft. 'Ik heb het gevoel dat ik een tweede kans heb gekregen,' aldus Widdoes.

Ontspoord – einde

Ik kwam thuis.
Kim snelde vanuit de keuken op me af en bleef staan en keek me strak aan. Alsof ik een geestverschijning was.
Ik knikte naar haar en fluisterde: 'Ja.'
Ze liep langzaam op me af en vouwde zichzelf als een deken om mijn lichaam. Het is goed, probeerde ze te zeggen, je kunt nu uitrusten.
Alex kwam de trap af rennen en riep: 'Papa is thuis!' Hij trok aan mijn hemd totdat ik hem optilde en vasthield. Zijn wang plakte van de chocola.
'Waar is Jamie?' vroeg ik aan Kim.
'Aan de dialyse,' zei ze.
Ik drukte een kus boven op haar hoofd. Ik zette Alex op de grond. Ik liep naar boven, naar haar slaapkamer.
Jamie was aangesloten op de draagbare dialysemachine. Ik ging naast haar op het bed zitten.
'We gaan binnenkort terug naar Oakdale,' zei ik. 'Terug naar je vriendinnen, oké?'
Ze knikte.
Ze deed dit nu drie keer per week.
Er was sprake van dat ze op een wachtlijst geplaatst zou worden voor een nier- en alvleeskliertransplantatie, het nieuwste mogelijke redmiddel voor diabetici zoals zij. Maar dan zouden we ons de rest van ons leven zorgen moeten maken over medicijnen om afstoting tegen te gaan, dus het was helemaal niet zeker dat het echt beter voor haar zou zijn. Voorlopig verbonden we haar aderen drie keer per week met deze vreselijke machine en zat ik daar aan haar bed te luisteren naar het gezoem en gebrom terwijl het ding bloed door haar steeds zwakker wordende lichaam pompte.
Soms doezel ik weg bij het geluid; dan is Anna plotseling weer vier en ben ik weer met haar in de dierentuin op die zondagochtend, zo lang geleden. Om de olifanten te voeren. Ik til haar op in mijn armen en ik voel haar kleine hartje kloppen ter begroeting. Er hangt een zachte kilte in de lucht en de blaadjes dwarrelen naar beneden vanuit een donker roodbruin, wiegend bladerdak. Anna en haar vader, met zijn tweetjes, die hand in hand lopen, op zoek naar herinneringen.
En dan weet ik dat ik hier voorgoed zal blijven zitten.
Ik zal hier blijven zitten zo lang als nodig is.

Dankwoord

Ik wil graag de volgende mensen bedanken: Sara Ann en 'gewoon Sarah' voor hun reusachtige hulp bij het structureren van dit verhaal, Larry omdat hij erin geloofde en natuurlijk Richard omdat hij er onbeschaamd voor gevochten heeft.